世界一わかりやすい
図解
株・証券
用語

証券取引所
株主の権利
単元株
機関投資家
投資ファンド
優良株/割安株
株主総会
増資/減資
CB/WB
上場基準
M&A/TOB
財務諸表
ROA/ROE
配当利回り
PER/PBR

金融商品取引法
コンプライアンス
株価指標
TOPIX/日経平均株価
信用取引
投資信託/ETF
インカムゲイン
NISA
発行市場/流通市場
短期金利/長期金利
インフレ/デフレ
SDGs/ESG
etc.

石原 敬子 著

秀和システム

●注意

(1) 本書は著者が独自に調査した結果を出版したものです。

(2) 本書は内容について万全を期して作成いたしましたが、万一、ご不審な点や誤り、
記載漏れなどお気付きの点がありましたら、出版元まで書面にてご連絡ください。

(3) 本書の内容に関して運用した結果の影響については、上記(2)項にかかわらず責任
を負いかねます。あらかじめご了承ください。

(4) 本書の全部または一部について、出版元から文書による承諾を得ずに複製すること
は禁じられています。

(5) 商標
本書に記載されている会社名、商品名などは一般に各社の商標または登録商標です。

　なお、2007年9月30日施行の金融商品取引法で、証券会社を金融商品取引業者、証
券取引所を金融商品取引所、その他「証券」と名のつく名称が改められましたが、慣例
により、本書では証券会社、証券取引所等の表記をしております。あらかじめ、ご了承
ください。

はじめに

　本書は、2006年12月に刊行した『ポケット図解 最新 株・証券用語がよ～くわかる本』が元になっています。その後、時流に応じて用語を入れ替えたり、新しい用語を加えたりしながら第4版まで改訂を重ね、続く新シリーズ『図解ポケット 最新 株・証券用語がよくわかる本』を経て、本書に至っています。これまでの長い間、本当に多くの皆様にかわいがって頂きました。

　初版の刊行時は、ライブドア・ショックから立ち直る頃で、株価は上昇中。しかし、翌年はサブプライムローン問題、さらにリーマン・ショックを受けて日経平均株価が7,000円を割り込みました。東日本大震災の後は、為替相場が戦後最高の円高（1ドル＝75円31銭）に。本来、大きな被害を受けた国の通貨は下落するのがよくあるパターンですが、さまざまな思惑や投機的な売買で円が買われました。一方、本書執筆時点の2022年9月末には、1ドルが146円手前で政府・日銀が円買い介入。隔世の感があります。

　近年は、若い世代が積立投資に積極的で、投資の世界は景色が変わってきました。NISA（少額投資非課税制度）の導入や確定拠出年金の制度改正が追い風になり、資産形成は人生に欠かせないものとなりつつあります。

　本書は、前シリーズまでに掲載した用語を見直し、古くなった用語と最近よく使われる用語を入れ替えました。また、古い記述は最新情報に書き換え、内容を刷新しています。通読して頂ければ、基礎知識を学べます。必要な用語を引いて、解説書としても使って頂けます。

　日々、個人投資家の皆さんと接する中で、かみ砕いて説明する大切さを痛感します。教科書的な解説にとどまらず、実務に役立つ内容を心がけました。私の一言でクスッと笑いながらお読み頂き、楽しんで下されば幸いです。最後になりましたが、執筆にあたりまして多大なご協力頂いた方々にこの場を借りてお礼を申し上げます。ありがとうございました。

石原 敬子

● 目次 ●

はじめに..

第1章 株式・証券の基本的な用語

1-1 証券とは何か？...................................18
証券..18
株式..19
証券取引所..20
証券会社..21
金融商品仲介業者..22
外務員..23

1-2 株主の権利とは？...................................24
株主..24
株主の権利..25
配当金..26
株主優待..27
株主還元..28
株主代表訴訟..29
大株主..30

1-3 リスクは、どのように抑えることができるか？.........31
リスク..31
ヘッジ..32
デフォルト..33
ハイリスク・ハイリターン................................34
自己責任..35
分散投資..36
ドル・コスト平均法......................................37
コラム 株価に関する用語.................................38

第2章 株式・証券取引に関する用語

2-1 取引口座とは何か？...................................40
口座開設..40
本人確認..41
ラップ口座..42

CONTENTS

2-2 株式・証券は、どのように売買されるか？ 43

業種 43

銘柄 44

指値注文/成行注文 45

価格優先/時間優先 46

注文の期限 47

売買委託手数料 48

約定 49

受渡し 50

権利落ち日 51

取引報告書 52

2-3 株式・証券は、どのように保管されるのか？ 53

保護預かり 53

名義 54

証券保管振替制度 55

分別管理 56

移管 57

信託銀行 58

コラム 売買に関する用語 59

第3章 株式市場に関する用語

3-1 株式・証券は、どのように取引されているか？ 62

オークション取引 62

相対取引 63

前場/後場 64

新興市場 65

マーケットメイク 66

立会外分売 67

高速取引 68

自動売買 69

東京証券取引所/大阪取引所 70

兜町/北浜 71

ウォール街/シティ 72

大発会/大納会 73

5

◈ 目次 ◈

3-2 **株式は、どのような単位で売買されているか？**.........**74**

単元株 74

ミニ株 75

単元未満株 / 端株 76

3-3 **市場参加者には、どのような投資家がいるか？** **77**

機関投資家 77

自己売買 78

投資ファンド 79

外国人投資家 80

株式分布状況 81

政府系ファンド 82

オイルマネー 83

ヘッジファンド 84

デイトレーダー 85

3-4 **その他の市場用語には、どんなものがあるか？** **86**

監理ポスト / 整理ポスト 86

地合い 87

循環物色 88

換金売り 89

ボックス相場 90

第4章　株式の種類や特徴に関する用語

4-1 **株式には、どのような種類・分類があるか？**.........**92**

大型株 / 中型株 / 小型株 92

優良株 93

割安株 94

低位株 / 値嵩株 95

優先株 96

浮動株 / 固定株 97

4-2 **主な外国株式には、どのようなものがあるか？**.........**98**

外国株 98

米国株 99

ADR... 100

6

CONTENTS

中国株 101
アセアン株 102

第5章 株式会社に関する用語

5-1 株式会社は、どのような仕組みになっているか？ 104

株式会社 104
会社法 105
株主総会 106
取締役 107
取締役会 108
監査役 109
会計監査人 110
指名委員会等設置会社. 111
CEO/COO 112
（株主総会における）委任状 113

5-2 事業資金は、どのように集められるか？ 114

資金調達 114
増資 115
減資 116
公募発行増資 117
売出し 118
株式分割 119
潜在株式 120
CB 121
WB 122
ストックオプション 123
エンジェル/ベンチャー・キャピタル 124
クラウドファンディング 125
従業員持株会制度. 126
自社株買い 127

5-3 上場とは、どのような意味か？ 128

上場 128
上場基準 129
未公開株 130

7

●目次●

IPO	131
幹事証券会社	132
ブックビルディング	133
公募価格/公開価格	134

5-4 事業再編は、どのように行われるか？ 135

経営統合	135
業務提携/資本提携	136
株式持ち合い	137
持株会社	138
株式交換/株式移転	139
M&A	140
TOB	141
MBO	142
買収ファンド	143
会社更生法	144
民事再生法	145
コラム 銘柄を指す用語	146

第6章　決算書に関する用語

6-1 決算書とは何か？ 148

決算	148
財務諸表	149
連結会計	150
持分法適用会社	151
セグメント	152
キャッシュフロー計算書	153
国際会計基準	154
米国会計基準	155

6-2 損益計算書には、何が書かれているか？ 156

損益計算書	156
売上高	157
営業利益	158
経常利益	159
最終利益	160

CONTENTS

6-3 貸借対照表には、何が書かれているか？ **161**

貸借対照表 161

資産の部 162

負債の部 163

純資産の部 164

自己資本 165

引当金 166

有利子負債 167

内部留保 168

債務超過 169

時価会計 170

第7章 企業分析に関する用語

7-1 企業分析は、どのように行うか？ **172**

ファンダメンタルズ分析 172

時価総額 173

企業業績 174

会社四季報 175

証券アナリスト／テクニカルアナリスト 176

ストラテジスト／エコノミスト 177

レーティング 178

スクリーニング 179

7-2 企業が効率よく儲けているかを見るためには？ **180**

収益性 180

売上高営業利益率 181

EPS 182

効率性 183

ROA 184

ROE 185

成長性 186

EVA 187

EBITD 188

7-3 企業の信用リスクに備える安全性は？ **189**

安全性 189

9

目次

自己資本比率	190
有利子負債比率	191
固定比率	192
流動比率	193
BPS	194
流動性	195
発行済株式数	196

7-4 投資収益を判断するためには？ 197

株式益回り	197
配当性向	198
配当利回り	199

7-5 投資効率を判断するための指標は？ 200

割高 / 割安	200
PER	201
PBR	202
PCFR	203
EV/EBITDA 倍率	204
騰落レシオ	205
イールドレシオ	206

第8章 情報開示と投資家保護に関する用語

8-1 ディスクロージャーとは何か？ 208

証券取引法	208
金融商品取引法	209
金融サービス提供法	210
コンプライアンス	211
日本証券業協会	212
投資者保護基金	213
ディスクロージャー	214
適時開示	215
決算発表	216
目論見書	217
有価証券報告書	218
大量保有報告書	219

CONTENTS

5%ルール 220
コーポレートガバナンス・コード 221
IR 222
統合報告書 223
フィデューシャリー・デューティー 224

8-2 不正な取引とは？ 225
インサイダー取引 225
相場操縦 226
粉飾決算 227
虚偽記載 228

第9章 株価と株価指標に関する用語

9-1 株価は、どうやって決まるのか？ 230
株価 230
需要と供給 231
投資部門別売買動向 232
内部要因 / 外部要因 233
材料 234
サプライズ 235
四本値 236
気配値 237
呼値 238
ストップ高 / ストップ安 239
板寄せ 240
年初来高値 / 年初来安値 241
騰落 242

9-2 株価指標には、どのようなものがあるか？ 243
株価指標 243
インデックス 244
出来高 245
売買代金 246
単純平均型 / 加重平均型株価指数 247
スマートベータ 248
TOPIX 249

11

● 目次 ●

日経平均株価 250
JPX日経インデックス400 251
NYダウ 252
S&P500種指数 253
ナスダック総合指数 254
MSCIワールド・インデックス 255
ボラティリティ・インデックス 256
裁定取引残高 257
コラム 相場に関する用語 258

第10章 株価チャートに関する用語

10-1 株価チャートは、どのように使うか？ 260

テクニカル分析 260
順張り/逆張り 261
株価チャート 262
ローソク足 263
窓 264
移動平均線 265
グランビルの法則 266
ゴールデンクロス/デッドクロス 267
上値抵抗線/下値支持線 268
エリオット波動 269
ボリンジャーバンド 270
一目均衡表 271
逆ウォッチ曲線 272
サイコロジカルライン 273
三角持ち合い 274

第11章 信用取引に関する用語

11-1 信用取引は、どのように行われるか？ 276

信用取引 276
空売り 277
制度信用取引/一般信用取引 278
貸借取引 279

CONTENTS

貸株 280

貸借銘柄/信用銘柄 281

信用残 282

信用倍率/貸借倍率 283

日証金 284

11-2 信用取引の実務は、どのように行われるか？ 285

建玉 285

委託保証金 286

融資金利 287

期日 288

追証 289

現引き/現渡し 290

買い戻し/転売 291

つなぎ売り 292

逆日歩 293

貸株注意喚起銘柄 294

規制銘柄 295

評価損益率 296

コラム 信用取引に関する用語 297

コラム 投資家保護に関する用語 298

第12章 株式以外の投資に関する用語

12-1 株式以外の投資には、どのようなものがあるか？ 300

債券 300

グリーンボンド 301

るいとう 302

ポイント投資 303

格付 304

投資信託 305

単位型/追加型 306

株式型投資信託 307

公社債型投資信託 308

インデックス型投資信託 309

アクティブ型投資信託 310

ベンチマーク 311

● 目次 ●

ETF 312

J-REIT 313

ETN 314

JDR 315

暗号資産 316

NFT 317

12-2 デリバティブには、どのようなものがあるか？ 318

デリバティブ 318

コモディティ 319

先物取引 320

オプション取引 321

プット 322

コール 323

個別株オプション 324

裁定取引 325

SQ 326

オルタナティブ投資 327

FX 328

くりっく365 329

ABS 330

CFD 331

ブル 332

ベア 333

ノックイン 334

第13章 株式投資の税金に関する用語

13-1 株式取引には、どのような税金がかかるか？ 336

値上がり益 336

含み益/含み損 337

総合課税/申告分離課税 338

譲渡益課税 339

インカムゲイン 340

配当課税 341

NISA 342

株式数比例配分方式 343

CONTENTS

確定申告 344
特定口座 345
損益通算 346
譲渡損失の繰越控除 347
マイナンバー制度 348

第14章 経済・金融に関する用語

14-1 金融の基本的な仕組みは、どうなっているか？ 350

直接金融 350
間接金融 351
発行市場 352
流通市場 353
短期金利 354
長期金利 355

14-2 金融行政は、どのように行われているか？ 356

日本銀行 356
日銀金融政策決定会合 357
公的資金 358
金融庁 359
証券取引等監視委員会 360
FRB 361
FOMC 362
ECB 363
金融緩和 / 金融引き締め 364
財政健全化 365

14-3 景気指標を、どのように判断するか？ 366

GDP 366
景気動向指数 367
日銀短観 368
鉱工業生産指数 369
消費者物価指数 370
マネーストック 371
機械受注統計 372
完全失業率 373

15

目次

有効求人倍率 374
米国雇用統計 375
PMI 376
インフレ/デフレ 377
スタグフレーション 378

第15章 最近の投資環境に関する用語

15-1 最近の投資環境は、どうなっているか？ 380

SDGs 380
ESG 381
SRI 382
BRICs 383
ASEAN 384
アベノミクス 385
消費税率引き上げ 386
フィンテック 387
ロボアド 388
インパクト投資 389
保護貿易主義 390
資源価格 391

15-2 株価が暴落した大きな出来事は何か？ 392

バブル 392
地政学的リスク 393
金融危機 394
通貨危機 395
ブラックマンデー 396
ITバブル 397
アメリカ同時多発テロ 398
ライブドア・ショック 399
サブプライムローン問題 400
リーマン・ショック 401
欧州財政危機 402
コロナショック 403
コラム 株式以外の証券やデリバティブに関する用語 404

索引 405

第1章

株式・証券の
基本的な用語

　まずは、株式取引・証券取引を始める
にあたって、基本的な用語を確認しま
しょう。

第1章 株式・証券の基本的な用語

1-1 証券とは何か？

証券とは、何のことでしょうか？ 基本をおさえましょう。

証券 財産上の権利を表す証書のこと。一定の権利や義務を持ち、法律上の効力を持つ。株式、債券などの有価証券を指す。

単に証拠を示す証書も証券。金融の世界で扱うのは、価値が認められる有価証券です。

株式会社に出資をすれば**株式**、国にお金を貸せば国債、会社にお金を貸せば社債という**証券**を得られます。株式は**株主**としての権利を示し、国債は貸したお金の元本と利子を国から受け取れる権利を示します。不動産証券は、その不動産が生む収益を受け取る権利です。

「証券化」とは、大きな財産や収益を受ける権利を小口にし、複数の人に所有させることです。会社や不動産を丸ごと売買するよりも取引がしやすく、**流動性**が高まります。一般に、証券化は大きな資産を他者に移転したい場合などに活用されています。

金融商品取引法で、「証券」は「金融商品」に置き換えられました。

証券化のイメージ

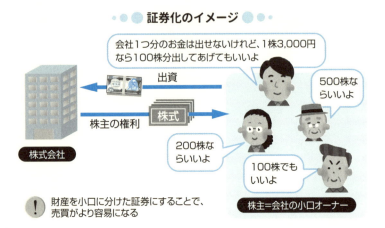

財産を小口に分けた証券にすることで、売買がより容易になる

1-1 証券とは何か？

株式
株式会社にお金を出している出資者の持分、または持分を示す証券。現在、上場会社の株式は電子化されている。

 株式は、植物の「株分け」のイメージ。規模の大きな株式会社も、小さな株式の集まりです。

株式会社の事業資金を提供する出資者に、出資の証拠として発行されるものが**株式**（**株券**）です。事業に必要な多額の資金全額を1人の出資者が提供するのは**リスク**が高くなってしまいます。そこで、通常は多くの出資者を募り、必要な事業資金を小口に分けて大勢から出資してもらいます。出資した人を**株主**と言います。

株式は、株主が株式会社から得られる権利を形にした証書です。従来は紙でできた券面でしたが、2009年1月の株券の電子化により、現在は紙の**証券**は存在せず、データで管理されるようになりました。電子名簿上に出資や権利の証拠が示されています。

株主の出資したお金は、ほとんどの場合、その株式会社から返してもらうことはできません。換金したい場合は、ほかの投資家に売り渡します。その時の株式の金銭的価値が**株価**です。**上場**している株式を売買する場所は俗に**証券取引所**と言われます。証券取引所は、**金融商品取引法**の施行で、法律上は**金融商品取引所**となりました。

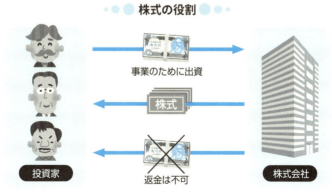

株式の役割

事業のために出資 → 株式 ← 返金は不可

投資家　株式会社

株式を換金したいときは、証券取引所を通じてほかの投資家に売却

第1章 株式・証券の基本的な用語

証券取引所

有価証券等の売買を行う場所。現在は全国4ヵ所に取引所がある。金融商品取引法により、法律上の名称は金融商品取引所になった。

個人が証券取引所に行っても、売買はできません。投資家は取引所の会員である証券会社に注文を出し、売買取引を仲介してもらいます。

現在、日本の**証券取引所**（金融商品取引所）は東京、名古屋、札幌、福岡の4ヵ所です。ほかに証券市場として、**デリバティブ**に特化した**大阪取引所**や、ジャスダックなどの**新興市場**があります。証券取引所は取引が行われる場所を示し、証券取引の仕組みを証券市場と言います。

証券取引所・証券市場は、投資家に**リスク**資産を供給する役割を持ち、有価証券および金融商品の取引を円滑に行うために存在します。

証券取引所には、証券および金融商品の売注文と買注文が集められます。多くの投資家が1ヵ所に集まって、「売りたい・買いたい」と取引するのは実際には不可能なので、証券取引所という場所に投資家の注文を集中させて取引を行っているのです。**証券会社**は、個々の投資家の注文を証券取引所に取次ぐ**株式会社**のことです。

投資家-証券会社-証券取引所の関係

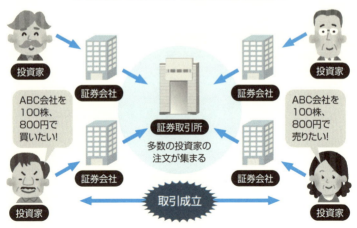

1-1 証券とは何か？

証券会社

有価証券の売買の取次ぎ、自己売買、引受、募集・売出しという証券業を営む株式会社。金融商品取引法上の名称は、金融商品取引業者になった。

証券会社は資産を「預ける会社」というよりも、資産の「取引を取次いでもらう会社」です。売買の窓口といったところですね。

　2007年9月30日施行の**金融商品取引法**で、**証券会社**は第一種**金融商品取引業者**となりました。とはいえ、業界内で慣れ親しんだ「証券会社」という呼称は当面、使用してもよいこととされています。

　証券会社は、内閣総理大臣の登録を受けて証券業を営む**株式会社**です。主な業務は、有価証券の売買の取次ぎ（ブローカー）、**自己売買**（ディーラー）、引受（アンダーライター）、募集・売出し（ディストリビューター）です。これらは、国や株式会社の**資金調達**に関わる業務や、経済の中で資金を融通し合う業務で、資本主義社会の重要な役割を担います。**発行市場**では有価証券を発行する国や自治体、株式会社の資金調達のアドバイスと有価証券の発行、**流通市場**では投資家同士が有価証券を売買をする際の取次ぎなどを行っています。

証券会社の役割

事業資金を出してください！　→　会社　←証券の発行→　証券会社（発行市場）　←募集売出→　投資家　オッケー！がんばれよ！

換金する時

オーナーを代わってくれないか？　売りの投資家　←売買の取次ぎ→　証券会社（流通市場）　証券会社　←売買の取次ぎ→　買いの投資家　オッケー！

21

第1章　株式・証券の基本的な用語

金融商品仲介業者

証券会社（金融商品取引業者）などの委託を受けて、有価証券の売買等の媒介や、募集・売出しを取り扱う業者のこと。

> 銀行で投資相談をしても、手続きの書類は「○○証券」。銀行員は仲介業務を行ったので、あなたの口座は委託元の証券会社に。

　金融商品仲介業者（証券仲介業者）は、内閣総理大臣の登録を受け、**日本証券業協会**の**外務員**登録を受けて営みます。特定の**証券会社**には属さず、独立した立場で証券取引のアドバイスや顧客の注文を仲介します。

　仲介業者は、証券会社の委託を受けて顧客の有価証券の売買注文を取次いだり、募集や**売出し**を取り扱ったり、**投資信託**の販売をしたりします。商品やサービスは、委託元の証券会社が提供します。仲介業者は、契約の当事者とはなりません。契約は、顧客と証券会社の間で交わされます。

　2007年に**証券取引法**が**金融商品取引法**に改正され、証券仲介業者は「金融商品仲介業者」に、証券会社は**金融商品取引業者**に改称されました。しかし、業界内では、従来から慣れ親しんでいる「証券仲介業」という言葉も使われ続けています。

　さらに銀行、証券、保険の各分野をワンストップサービスで提供できる「金融サービス仲介業者」も誕生しています。

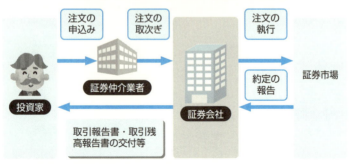

金融商品仲介制度（証券仲介制度）の仕組み

投資家は証券会社に証券口座を開設、金融商品の取引は証券会社との取引になる

1-1 証券とは何か？

外務員
証券会社などの金融商品取引業者で証券業務を行う人。資格試験に合格し、金融庁に氏名等の登録が義務付けられている。

証券会社や銀行等に勤務していた時に取得した外務員資格は、退職後も有効です。ただし、業務を行うには登録が必要です。

以前の証券外務員は、**外務員**という名称に変わりました。

証券会社などの**金融商品取引業者**に勤務し、顧客に証券取引等の勧誘をする営業員は、**日本証券業協会**が実施する外務員の資格試験制度に合格し、**金融庁**に氏名等を登録した者でなければなりません。外務員資格の目的は、営業員の資質を保ち、顧客を保護するためです。法令違反などを犯せば、資格は取り消されます。

外務員資格には、現在、取扱業務に応じて6種類があります。そのうち二種外務員資格は現物株式取引を扱えますが、**信用取引**や**先物・オプション取引**は扱えません。一種外務員資格は、すべての有価証券取引に携わることができます。

なお、現在は証券会社に勤務していなくとも、一種外務員や二種外務員の資格試験を受験することが可能になりました。ただし、外務員として活動するには、証券会社を通じた外務員登録の必要があります。

外務員資格

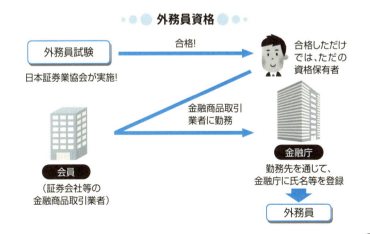

第1章　株式・証券の基本的な用語

1-2　株主の権利とは？

株主には、経営参加権や利益配当請求権などの権利があります。

株主 株式会社の事業のために資金を出している出資者のこと。その会社の事業に資金面で参加している立場の人。株式会社を小口に切り分けた一部分のオーナーともいえる。

株式の売買は、株主が別の投資家に株式を妥当な価格で譲り渡すことです。株式を買った投資家が、次の株主になります。

株式会社は、複数の出資者による資金を元手にして事業を行っています。その出資者が**株主**で、資金を出資した証拠が**株式**です。

株式は、電子名簿上で出資した証拠を示しています。出資または市場で株式を買付け、証券保管振替機構（愛称・ほふり）への登録を済ませた人は、実質株主になります。この手続きを経てはじめて、**株主総会**の召集通知や**配当金**の支払通知が送付されます。

株主は、株式会社に対し、出資した比率に応じたオーナーです。株式会社の持ち分を小口に切り分けた株式が発行され、その株式を持つ大勢の株主が共同で株式会社を所有しているのです。

●●●株主と債権者の違い●●●

	株主（投資家）	債権者
保有する有価証券	株式（株券）	社債（債券）
事業資金	株式会社へ提供	株式会社へ貸付
資金の返済	原則としてなし	償還日に返済
利子	なし	あり
配当	利益に応じてあり	なし
経営への参加	議決権あり	議決権なし
破たん時の残余財産の分配	社債より劣る	株式より優位

1-2 株主の権利とは？

株主の権利

株式を購入し、保有する株主が、事業資金を提供している見返りとして発行体から得られるいくつかの権利のこと。

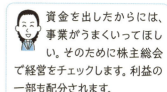
資金を出したからには、事業がうまくいってほしい。そのために株主総会で経営をチェックします。利益の一部も配分されます。

　株主になると、その**株式会社**に対して出資した範囲内での責任を持つと同時に、いくつかの権利を持ちます。

　「経営参加権」は、経営に関する重要な事項の決定権です。持っている株式数が多いほど**株主総会**での発言力があり、資金面で経営に参加していると言えます。「利益配当請求権」は、出資した株式会社が事業で生んだ利益の一部を**配当金**として受け取れる権利です。

　もしも投資した株式会社が解散することになった場合、その会社が負債を返した後に残った財産は、出資者である株主に分けられます。この権利が「残余財産分配請求権」です。

株主の権利

経営参加権
株主総会での発言、承認、否認などで経営に参加

株主

利益配当請求権
持株数に応じて、利益の分配（配当金）を受ける

残余財産分配請求権
会社が解散した場合に財産が残っていれば、持株数に応じて受け取れる

第1章　株式・証券の基本的な用語

配当金

株式会社が稼いだ利益の一部を出資者である株主に還元する金銭のこと。正式には、株主配当金という。1株あたりの金額で示される。

利益のうち、どれだけ多くのお金を配当金に回してくれるかは、株主にとって大問題。増配報道で株価が上がる理由は、まさにそこです。

株式を発行した**株式会社**は、事業活動で生み出した利益を将来のために会社に残すほか、**株主**にも分配します。**証券保管振替制度**で実質株主となれば、持株数に応じた**配当金**を受け取れます。一般的に配当は**発行済株式数**で割り、「1株あたり配当金」として表します。

配当金は、毎回同じ金額とは限りません。投資した会社の**企業業績**は決算期ごとに良くなったり悪くなったりし、それによって増減します。配当しないことは「無配」、前年の無配から配当が復活すると「復配」、前年より配当金が増えると「増配」、減ると「減配」です。また、配当金は日割り計算をせず、計算期間分の配当金を受け取れます。

2006年5月施行の**会社法**では、定款変更を行った上で、会社の利益処分を**取締役会**で決められるようになりました。従来、配当金は**株主総会**の決議でした。年に何度も招集通知を発送して株主総会を開くのは現実的ではないので、当時は中間配当と期末配当、または期末配当だけでした。取締役会の決議になり、四半期配当も可能となりました。

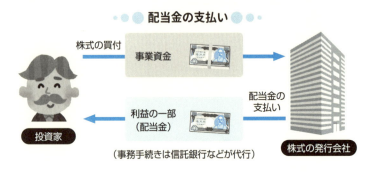

配当金の支払い

株式の買付 / 事業資金 → 株式の発行会社
株式の発行会社 → 利益の一部（配当金） / 配当金の支払い → 投資家

（事務手続きは信託銀行などが代行）

! 配当金は、出資した株式会社の利益の分配

1-2 株主の権利とは？

株主優待

株式会社が一定の株式数を持つ株主に対して、自社製品やサービス、割引券のようなチケット、金券・プリペイドカードなどの贈り物をする制度。

消費者として利用する会社の株主優待内容は、要チェック。優待の良し悪しで投資銘柄を決めている優待マニアの投資家もいます。

株主優待は、**株式会社**に特に義務付けられたものではなく、任意の制度です。我が社のことをもっとよく知ってもらいたい、**株主**に喜んでもらいたい、という会社が実施しています。権利確定日に一定の株式数を持つ実質株主であれば、株式数受けられます。

株主優待の内容はバラエティに富み、個人株主の広がりにも一役買っています。自社製品を優待製品にできる食品メーカーや、金券・割引券を提供できる小売業では積極的に導入している一方で、自社製品を消費者が直接利用できない素材・中間生産財メーカーなどの**業種**では、商品券やプリペイドカードなどで対応しています。

しかし、直近では、コスト意識の高まりや、金券や自社製品よりも**配当金**で株主に還元すべき、という考え方の台頭で、株主優待制度を見直す会社も出てきています。

株主優待の権利確定

権利確定日までに株主になる

・権利確定日を確認する（稀に決算日と異なる場合もある）
・権利確定日前に受渡日が来るように買い付ける

	2023年 9月					
日	月	火	水	木	金	土
					1	2
3	4	5	6	7	8	9
10	11	12	13	14	15	16
17	18	19	20	21	22	23
24	25	26	㉗	28	㉙	30
			権利付最終日		権利確定日	

第1章　株式・証券の基本的な用語

株主還元

株式会社が事業活動の利益を株主に適切に還元すること。株主配当金、株主優待制度、株式分割や、自社株買いなど。

> 「事業資金を出してくれる株主様へ。おかげで事業は順調です。資金提供のお礼に配当や自社株買いでお返しします」ということです。

　株式会社は、**株主**の出資があってこそ事業活動が行えます。資金を出してくれた株主に対するお礼が、**株主還元**です。

　株主還元には、いくつかの方法があります。**配当金**は、その年度の事業活動で得た利益の一部をお金で株主に還します。**株主優待**制度では、自社製品や商品券などを株主に贈り、感謝の気持ちを表します。**株式分割**は、**発行済株式数**を増やして既存株主に株式を分配します。1株主の保有する全体の資産価値が変わらずに、保有株数が増える方法です。また、**自社株買い**も株主還元策の1つです。買い取った自社株は帳簿上で消却されるので資本が縮小し、利益水準が同じだったとしてもEPSが高まります。**株価**上昇を誘発し、株主の資産価値が上昇します。

株主に対するお礼が株主還元

株主にお礼＝**株主還元**

事業利益の一部分配＝**株主配当金**
自社製品や商品券などで感謝の気持ち＝**株主優待**
保有株式の増加＝**株式分割**
　（全体的な資産価値は変わらないが、将来的に株価上昇があればより値上がり幅が大きくなる）
流通株式数の減少＝**自社株買い**→消却
　（1株あたりの価値、つまり株価が高まる）

1-2 株主の権利とは？

株主代表訴訟

不正行為など会社に対して損害をもたらした取締役や監査役などの役員に対して、株主が会社に代わって損害賠償の訴訟を起こすこと。

株式会社の役員が役員同士や会社に対して「なあなあ」にならないように歯止めをかける効果があります。株主が会社の代わりとなって役員をチェックする機能です。

株主代表訴訟（**代位訴訟**）は、**株式**を6ヵ月以上持っている**株主**なら誰でも行うことができる、責任追及等の訴えです。

株主から委任されて会社を経営する**取締役**は、会社に対して責任を負っています。取締役が不正行為や会社に不利益を与える行為をすると、本来は、会社が取締役の責任追及をします。この時、会社が責任追及を怠った場合に、株主が会社に代わって、その取締役に損害賠償の請求をする訴訟が株主代表訴訟です。株主は、あくまでも会社の代理人です。損害賠償金を株主に支払えと請求するものではありません。会社に対して賠償金を支払うように訴えるのです。

民法による損害賠償制度の消滅時効が10年のため、損害を被ってから10年間は訴訟ができます。

株主が勝つと、取締役は会社に与えた損害を個人で会社に賠償しなければなりません。株主は会社に訴訟費用を請求できますが、賠償金は受け取れません。株主が敗訴した場合、訴訟費用は株主の負担です。

株主代表訴訟の流れ

第1章 株式・証券の基本的な用語

大株主

株式会社の株主のうち、持株比率の高い株主のこと。持株比率が最も高い大株主は、筆頭株主と呼ばれる。具体的な水準は、特に定められてはいない。

その株式会社にたくさんお金を出している投資家が大株主です。多数決となる株主総会では、大株主の意見が議決を左右します。

一般に、その**株式会社**の**発行済株式数**のうち、多くの**株式**を持つ**株主**を**大株主**と言います。何％以上の持株比率だと大株主、というボーダーラインは特にありません。**有価証券報告書**から転載される**会社四季報**には、持株比率の高い筆頭株主から順に数えた上位10者までの株主名が大株主として掲載されています。

株式会社組織では、持株数に応じて**株主の権利**を持つため、大株主の発言などが注目されます。また、大株主がその株式をさらに取得して持株比率を引き上げると、将来的に経営権を取るのかと市場の話題に上ることもあります。逆に、大株主がその株式を売却すると、市場の**需要と供給**のバランス悪化につながるため、注目される場合もあります。このように、大株主の動向が**株価**に影響することもあります。

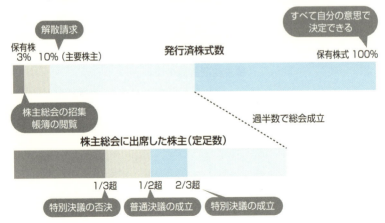

保有する株式数が多いほど、株主総会での決議に有利

1-3 リスクは、どのように抑えることができるか？

株式取引・証券取引のリスクをなくすことはできません。リスクをよく知り、できる限り低く抑える方法を知っておきましょう。

リスク ある程度の可能性で起こりそうなことだが、どれだけの確率で起こるかが不確実なこと。不確定要素。また、その度合い。

投資家自身の心が揺れて投資判断がブレる……それも1つのリスクかもしれませんね。

一般に**リスク**といった場合は、危険とか損失を被ることと思われがちですが、金融の世界でのリスクは「起こりそうだがどの程度の確率で、またどの程度の大きさで起こるかがわからない」ことを指します。

利益が当初予測していたよりも少ない、利益が出る見込みでいたはずが損失が出た、などがリスクですが、予測以上の利益を出すこともリスクです。当初の予測とのズレをリスクと呼びます。このときの不確定さの大小がリスクの大きさで、結果のブレ幅が大きいほど、ハイリスクです。

資産運用における主なリスク

リスクの種類	リスクの内容
価格変動リスク	金融商品の価値が市場の需給関係などの影響で変動し、購入時よりも時価が下落することもある
信用リスク	預金先の金融機関、債券や株式の発行体、保険契約の保険会社の経営状態が悪化し、元本や契約した保険などが受け取れなくなることもある
流動性リスク	換金したくても、規制や買い手がいないために利用している金融商品を換金できないこともある
為替変動リスク	外国為替相場の変動を受ける金融商品の場合、購入時の元本より時価が下落することもある
インフレリスク	預け入れた金融商品の金利が、預け入れ期間における物価上昇よりも低かった場合、その物価の上昇により、お金の価値が目減りすることがある

第1章 株式・証券の基本的な用語

ヘッジ

「回避する」と訳される。リスクヘッジのこと。リスクヘッジとは、想定されるリスクを避けたり減らしたりすることや、その方法のこと。

リスクをまったくゼロにすることはできず、せいぜいリスクを減らすのみ。投資家のタイプに合ったリスクヘッジを見つけましょう。

　金融商品などにおける**ヘッジ**とは、通常、リスクヘッジのことを指しています。投資や運用の世界では、想定される利益率から大きくかけ離れた結果を生むことを**リスク**と呼んでいます。

　収益が変動する金融商品への投資は、適宜、リスクヘッジが必要です。方法としては、売りと買いという反対のポジションを同時に取る、価格変動に関連のない金融商品を組み合わせる、投資のタイミングを複数回に分ける、損失を食い止めるためのロスカットルールを設けるなどがあります。反対のポジションを取る方法として**信用取引**や**先物取引**、**オプション取引**、スワップ取引などの**デリバティブ**があります。機会を逃す損失には、先物取引などが有効です。

　しかし、デリバティブは使い方によって内在するリスクが大きくも小さくもなるため、元来リスクの軽減が目的だったヘッジ手段でもレバレッジを拡大させればリスクが過大になってしまいます。

●●● リスクヘッジの代表的な方法 ●●●

投資家自身がルールを設ける方法

投資額は余裕資金の範囲で!

30%の値下がりをしたら損切り!

金融商品を分散、投資時期も分散!

逆のポジションを取ったりデリバティブを活用するなどの方法

現物株を買い、空売りと組み合わせる!

タイミングを逃さないために先物取引を活用!

オプションの売りと買いを組み合わせる!

1-3 リスクは、どのように抑えることができるか？

デフォルト
公社債の利払いが遅れたり、元本の返済ができなくなったりすること。多くの場合、発行体の財政状態の悪化で起こる。

 コンピューターの初期設定をデフォルトと呼ぶのと同じで「何もしないこと」。返済の約束を履行しないのがデフォルトです。

デフォルト（債務不履行）は、一般に社債の発行体である会社の倒産や、国債の発行体である国の財政破たんなどの状態で起こります。以前の日本では会社がデフォルトしそうになると受託銀行が社債を買い取るなどの対応で、投資家が実際に損失を被らずにすみました。

しかし、社債発行の制度改正と、日本の金融機関の財務に余裕がなくなったことで、投資家が損失を受けるケースが発生してきました。2001年秋に経営破たんしたマイカルの社債や、2001年末のアルゼンチン国債のデフォルトは大規模で、多くの投資家が損失を被りました。

なお、「デフォルトリスク」は「信用リスク」「クレジットリスク」とも呼ばれます。貸し倒れの恐れのことで、**債券**の元本の償還や利子の支払いが約束通りにできないかもしれない**リスク**です。個人投資家が発行体の財務悪化を予見するのは、困難です。この可能性を第三者が財務面などから判断する**格付**が参考になります。

デフォルトリスクを回避する方法

- **定期的な格付のチェック**
  - 格付は変更される！
  - 発行体の財務内容など
  - 格上げ／格下げ

- **異常なほどの高金利に注意！**
  - 同じ期間の他の商品より高金利 → 信用性が低い可能性あり！

- **分散投資！**
  - ポートフォリオ（株式／投資信託／債券／預貯金）

ハイリスク・ハイリターン

高い利益が期待できるものは、期待外れになる確率も大きく、リスクも高いということ。大きな儲けの可能性もあるが、失敗の可能性も高い。

> 付き合ってもらえる可能性は低いけど、美人のあの子にアタックしてうまくいったら人生はバラ色……みたいな感じです。安全パイをとるか、わずかな期待にのるか。

　投資の結果は、金融商品の持つそれぞれの特徴によって予想収益率がまちまちです。例えば、預貯金の金利は一般的に低めで、株式投資の予想収益率は高めです。運用の結果、実際の収益率は、社会の状況や経済環境などによっても変動し、予想とのブレが生じます。

　一般に予想する収益率が高いほど、そのブレ幅は大きくなります。収益率はリターンであり、ブレ幅は**リスク**です。つまり、高い利益を求めると、同時にその結果の変動も大きくなり、**ハイリスク・ハイリターン**となるのです。その反対はローリスク・ローリターンです。このことを、リスクとリターンは両方の条件を同時に満たすことができない「トレードオフの関係にある」と言い、リスクとリターンは背中合わせの関係となっています。

金融商品の一般的なリスクとリターンの関係

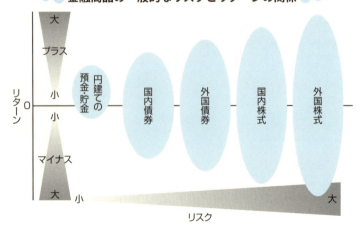

1-3　リスクは、どのように抑えることができるか？

自己責任

証券投資において「投資家の判断の誤りや見込み違いで生じた損失額は自身で被る」という原則。情報提供者等に責任転嫁はできない。

> 「儲かる銘柄、教えてよ」と情報収集と判断は人を頼りにするクセに、いざ損をしたら情報源のせいにするなんて、サイテー。

　証券投資には、**リスク**が伴います。投資家が望んだ通りの運用結果にならないこともあります。時には、投資元本を割り込む場合もあるでしょう。もし、思わぬ投資結果になったとしても、証券取引上の事故などでない限り、発生した損失は投資家自身が被る**自己責任**が原則です。例えば、金融機関や投資を勧めた人、投資情報を提供した人などに損失額を補ってもらうことはできません。

　裏返せば、投資をする時点で「投資家自身が負担できる範囲で投資を行うこと」「投資家自身が判断できるレベルの投資を行うこと」「投資期間中に投資先の状態をチェックするのは、投資家自身で行うこと」などが求められます。そのためには、投資家が判断できる十分な環境として、金融機関側が適切な情報提供や販売姿勢である必要があります。

自己責任の原則

投資の結果は自己責任！

投資家

そのためには……

結果は自分で受け入れる　　自分で判断

鵜呑みにしない！

怪情報

正しい情報
適切な勧誘

証券市場

透明性
公平性
継続性

適合性の原則

金融機関

35

第1章　株式・証券の基本的な用語

分散投資

資産運用の際に、タイプの違う金融商品に分けて預けたり投資したりすることや、購入のタイミングをずらしたりすること。

> 「儲かりそう」と「儲かりそうにない」の組み合わせも立派な分散投資。読みが外れて儲かりそうになかった銘柄で助かることも。

金融商品の特徴は、さまざまです。**安全性**、**流動性**、**収益性**の性格や程度が違う金融商品に分散して投資すると、その組み合わせで**リスク**を抑えることができます。その結果、投資期間中の市況の変化に対してもブレが小さくなり、全体的に安定的な運用結果が得られます。

例えば、**株式**と**債券**のように異なる性質を持つ金融商品などの運用対象同士を組み合わせると、それぞれのリスクをお互いに打ち消し合い、個々の運用対象を単独で利用するよりリスクが軽減されます。

株式投資においても**分散投資**の考え方は活用できます。例えば、為替相場が円高ドル安になった場合に**企業業績**が良くなる会社と悪くなる会社があったり、金利が高くなった場合に業績が良くなる会社と悪くなる会社があったりします。これらの組み合わせによる分散投資は、それぞれの特徴を相殺し合って、リスクを軽減できます。

●●●● 分散投資の考え方 ●●●●

金利上昇で利益が出る資産

円高ドル安で利益が出る資産

金利下降で利益が出る資産

金融資産

円安ドル高で利益が出る資産

金利動向に影響されにくい資産

為替相場に影響されにくい資産

いろいろなタイプの資産に分散しておくと、状況が変わっても安心できる

1-3 リスクは、どのように抑えることができるか？

ドル・コスト平均法

株式や投資信託など価格が値動きする金融商品に、定期的に毎回同じ金額を継続投資する方法。

ドル・コスト平均法で積立をしても、見込みのない投資対象だった場合は要注意。値が下がり続ければ、まったく意味がありません。

ドル・コスト平均法では、値動きのある金融商品を毎回同じ金額で購入するため、買付けできる数量が毎回異なります。数量に端数が出ることがほとんどです。金額を固定させると、価格の高い時には少しの数量しか買えません。しかし、価格の安い時には多くの数量を買うことができます。その都度これを続けていくと、結果的に平均購入価格が安い価格の方により近くなります。狙いを定めて安く買うのは、一か八かの取引です。ドル・コスト平均法は、自然体で積立投資ができます。

ただし、価格変動のある商品で行いますから、平均購入価格を安く抑えることができたとしても、その後の価格が低迷していたら意味がありません。単なる積立貯蓄の感覚で投資するのではなく、**企業業績**が悪化していないか等の定期的なチェックも必要です。

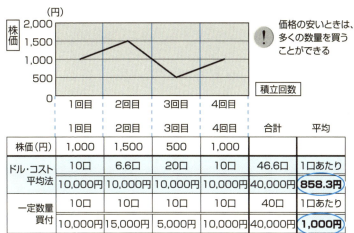

ドル・コスト平均法と一定数量の買付けの差

価格の安いときは、多くの数量を買うことができる

	1回目	2回目	3回目	4回目	合計	平均
株価（円）	1,000	1,500	500	1,000		
ドル・コスト平均法	10口	6.6口	20口	10口	46.6口	1口あたり
	10,000円	10,000円	10,000円	10,000円	40,000円	**858.3円**
一定数量買付	10口	10口	10口	10口	40口	1口あたり
	10,000円	15,000円	5,000円	10,000円	40,000円	**1,000円**

第1章　株式・証券の基本的な用語

Column　株価に関する用語

　本文中で解説できなかった株価への影響や株価に関する用語を簡単にご紹介します。

●希薄化
　1株あたりの価値が薄くなること。発行済株式数が増えると1株あたりの計算上、分母が大きくなり希薄化が進む。

●新株
　新しく発行される株式のこと。新規発行の場合や株式分割による場合がある。多くの新株を発行すると希薄化となり、嫌気される。

●投機筋
　短期的な取引で値幅取りをする投資家のこと。

●アウトパフォーム / アンダーパフォーム
　アウトパフォームとは、その銘柄の値動きが、TOPIXなどの株価指標より上昇率が高い、または下落率が小さいこと。逆に指標より下回るのがアンダーパフォーム。

●顔合わせ / 面合わせ
　年初来高値・安値や、上場来高値・安値と同じ株価になること。

●続伸 / 続落
　続伸は、株価が毎日続けて上昇すること。続けて下落することが続落。

第2章

株式・証券取引に関する用語

本章では、取引口座の開設や株式の売買、保管の際に使われる、独特の証券用語や業界用語を解説します。

第2章　株式・証券取引に関する用語

2-1 取引口座とは何か？

まず最初は、取引口座に関する用語を学びましょう。

口座開設 証券会社で取引をする際の取引口座を作ること。証券総合口座を通じて証券の売買や代金の決済を行う。

証券会社の店舗なら書類さえ揃えば、その場でできます。ネット証券は、書類の郵送に日数を要します。

　株式など証券の売買をするためには、**証券会社**で証券取引口座を作り、**口座開設**をする必要があります。詳細は証券会社ごとに違いますが、売買の委託、証券の**保護預かり**や、その代金の決済などの機能を持つ証券総合口座となっている場合がほとんどです。

　さらには、その代金を銀行などと提携してATMで出し入れすることもできるサービスを行っている証券会社もあります。

口座開設の手順（インターネット証券の場合）

ネットで「口座開設書類」を請求
・証券会社のサイトから「口座開設」のページへ
・氏名、住所、内部者情報などの個人情報を入力する
・取引報告書の電子交付や特定口座などのサービスを選択

▼

口座開設書類が郵送で届く
・ネット上で入力した個人情報が印刷された口座開設書類が届く
・自筆で署名、登録したい印鑑の捺印をして本人確認書類と一緒に返送する

▼

IDとパスワードが郵送で届く
・取引に必要なIDとパスワードが書かれた案内が郵送される
・初期設定時にマイナンバーの登録
・ID、パスワードを使い、証券会社のサイトから入り、代金送金後、買付注文や、顧客向けの情報検索ができるようになる

2-1 取引口座とは何か？

本人確認

金融機関などで、個人顧客は氏名・住所・生年月日を、法人顧客は名称・本店等所在地を、公的な書類で確認すること。

証券取引は、名前や住所を隠したり偽ったりしては行えない仕組みになっています。隠し財産では取引できません。

「金融機関等による顧客等の本人確認等に関する法律（本人確認法）」では、銀行や**証券会社**等の金融機関は顧客の氏名・住所等の確認や顧客の取引記録を保存することになっています。**本人確認**を行う目的は、麻薬取引等の犯罪で得た「汚れた資金（マネー・ローンダリング）」を隠す犯罪などを防止するためです。

本人確認の方法は、個人の場合、運転免許証、各種健康保険証、年金手帳、印鑑登録証明書など公的証明書やコピーの提出です。法人顧客は、登記簿謄本・抄本や印鑑登録証明書の提出と、取引担当者個人の本人確認書類も必要です。

本人確認は、新しく口座を開設して取引を始める時や、現金の出し入れが200万円を超える時、10万円超の振り込み時のほか、その顧客に「仮名取引」や「借名取引」の疑いがある時などに求められます。

本人確認の目的

仮名取引の防止
取引名義人は実在するか？

架空の名義を使用して取引をするのが仮名取引

借名取引の防止
公的な証明書を提示した人と取引名義人は同一人物か？

家族や友人を含む、他人の名義を借りて取引をするのが借名取引

! 仮名取引や借名取引は禁止されている

41

第2章 株式・証券取引に関する用語

ラップ口座

金融商品取引業者と資産の運用や管理を一任する契約を結んで、総合的に運用を任せるための口座。「ラップ（wrap）」は「包む」の意。

保険や預金とセットでラップ口座を案内する業者が増えています。食品ラップのように、中身を透明にすることが重要です。

顧客資産の運用や管理を業者に任せることを「投資一任契約」と言います。日本では、**証券取引法**の規制緩和で本格的に普及しました。現行法の**金融商品取引法**では、投資運用業者および投資助言業者として**金融庁**に登録している業者が営めるサービスです。**証券会社**や**信託銀行**などで行っており、最近では数十万円から利用できる業者が増えました。

投資一任契約を結ぶ際には、まず顧客の要望や運用方針を明確にし、それに基づいた資産運用プランを作成します。すべての投資判断や売買注文の発注は、業者の判断で行います。

売買のたびに委託手数料を支払う必要はなく、費用は運用資産残高に応じた手数料および成功報酬との2本立てが一般的です。

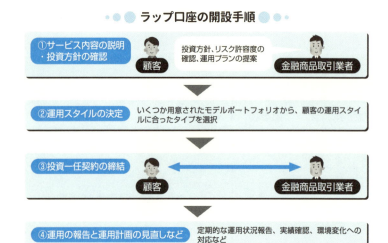

ラップ口座の開設手順

①サービス内容の説明・投資方針の確認 — 投資方針、リスク許容度の確認、運用プランの提案（顧客／金融商品取引業者）

②運用スタイルの決定 — いくつか用意されたモデルポートフォリオから、顧客の運用スタイルに合ったタイプを選択

③投資一任契約の締結（顧客／金融商品取引業者）

④運用の報告と運用計画の見直しなど — 定期的な運用状況報告、実績確認、環境変化への対応など

2-2 株式・証券は、どのように売買されるか？

証券会社の口座で株式や証券の売買注文を出す際に使われる用語や、知っておきたい用語を解説します。

業種 その会社が属する業界のこと。上場会社については、業種別の株価指数もある。証券コード協議会が業種別分類に関するルールを取り決めている。

 その会社の事業内容が、相当程度に変化したと証券コード協議会が認めた場合には、会社の所属業種が変更される場合もあります。

会社が属する業界別にグループ分けをしたものが**業種**です。証券取引での業種は、証券コード協議会がルールを定め、公共性の観点から統一基準に基づき、それぞれの**上場**会社を属する業種に振り分けたものです。「証券コード（銘柄コード）」は、この分類による4ケタの番号で、上場会社1社ごとに決まった番号が割り当てられています。

業種別分類項目

大分類	中分類	大分類	中分類
水産・農林業	水産・農林業	製造業	精密機器
鉱業	鉱業		その他製品
建設業	建設業	電気・ガス業	電気・ガス業
製造業	食料品	運輸・情報通信業	陸運業
	繊維製品		海運業
	パルプ・紙		空運業
	化学		倉庫・運輸関連業
	医薬品		情報・通信業
	石油・石炭製品	商業	卸売業
	ゴム製品		小売業
	ガラス・土石製品	金融・保険業	銀行業
	鉄鋼		証券、商品先物取引業
	非鉄金属		保険業
	金属製品		その他金融業
	機械	不動産業	不動産業
	電気機器	サービス業	サービス業
	輸送用機器		

出所 証券コード協議会

第2章 株式・証券取引に関する用語

銘柄

市場で売買される証券の個々の名称。株式の場合は、株式市場で売買される株式の会社名のこと。債券の場合は、発行ごとに番号が付けられている。

お酒やお米、お茶、ブランド牛、タバコなどの「銘柄」と同じ意味です。上場している会社の場合、会社名を指します。

　上場している**株式会社**の**株式**は、一つひとつの株式会社が個々の投資商品となります。**銘柄**とは、上場する投資商品各々についている名称のことで、株式の場合は会社名を銘柄名とします。銘柄には、割り当てられた4ケタの固有の登録番号があります。これを「銘柄コード」または「証券コード」と呼びます。**債券**や**投資信託**も、それぞれの証券を銘柄と言います。

銘柄という言葉の使い方

! 株式の場合は、「銘柄名＝株式会社の名称」

2-2 株式・証券は、どのように売買されるか？

指値注文／成行注文

証券取引所に売買の注文を出す際に、値段を指定する方法が指値注文、値段の指定をせずに売買成立を優先する方法が成行注文。

注文を出す時に指値と成行のどちらが適切でしょう？ その時の市場の状況しだい。臨機応変に対応するには投資経験を積むことがとても大事です。

株式の注文は、投資家が**指値注文**（さしねちゅうもん）か**成行注文**（なりゆきちゅうもん）かを選択します。

指値注文は、希望する**株価**で売買できますが、希望の株価で取引に応じてくれる相手方がいないと売買は成立しません。指値注文には、取引終了時刻までに売買が成立しなかったら取引終了時の株価（大引け値）で取引させる「条件付き指値」や、指定した株価より安く（高く）なったら成行売注文（成行買注文）に変わる「逆指値」などもあります。

成行注文は、市場に注文が出ていれば即時に売買成立しますが、注文時にはいくらで取引が成立するかがわかりません。

●●● 指値と成行の違い ●●●

指値注文

ABC株を500円で100株買いたい！

ABC株を520円で100株売りたい！

← 売買成立せず →

買い手

買えなかった～！

売り手

成行注文

ABC株をいくらでもいいから100株買いたい！

ABC株を520円で100株売りたい！

520円で売買成立！

買い手

買えたけど、思ったより高かった～！

売り手

45

価格優先/時間優先

証券取引所に出された取引注文について、売買が成立する優先順位を決めている原則。成行は指値より優先、同じ指値なら時間の早い方が優先。

> 世界中から集まる取引注文を公平にさばくためのルール。時間優先は、売りでも買いでも自分に有利な価格は後回し。同じ価格なら早いもの順になります。

　成行注文(なりゆきちゅうもん)は「今、**証券取引所**で取引できる価格ならいくらでも良い」という注文の出し方なので、「X円で買いたい（売りたい）」という**指値注文**(さしねちゅうもん)より先に売買が成立します。

　1つの**銘柄**に複数の指値注文が入っている場合には、**価格優先**の原則が適用されます。買注文は高い指値が低い指値より先に買えます。売注文は低い指値が高い指値より先に売れます。条件が不利な注文から優先的に売買が成立するのです。

　同じ指値注文に対しては、**時間優先**の原則があります。1つの銘柄の同じ値段の買注文は早い時刻に出た注文から買えていき、同じ値段の売注文は発注時刻が早いものから売れていきます。

価格優先の原則、時間優先の原則

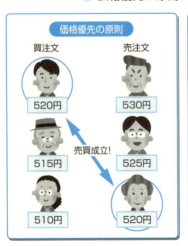
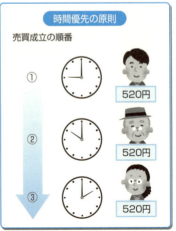

2-2 株式・証券は、どのように売買されるか？

注文の期限

株式注文を取引所に出す際の注文執行期限。証券会社によっては当日の前場やその日限り、今週中、今月中、任意の日付等の選択が可能。

発注した取引注文の期限をお忘れなく。今週中で出したつもりが、実は本日中で翌日以後の注文が出ていない、とならないように。

株式の注文を**証券取引所**に発注する際には、その注文をいつまで出しておきたいかという**注文の期限**を指定します。

成行注文であれば通常は即時に売買が成立しますが、**指値注文**の場合は、指定した**株価**でその日のうちに取引成立しないこともあります。成立しなかった注文を翌営業日以降も出し続けるか否かを指定します。

注文の期限の選択肢は**証券会社**によってさまざまです。その日限りの「本日中注文」と、その週の週末まで有効な「今週中注文」（「週中注文」ともいう）が主流です。なお、発注している**銘柄**が期限内に**決算**を迎える場合は、**権利落ち日**までが注文の期限です。

最近では、「その日の午前中の取引（**前場**）まで」や「数週間先の週末まで」「日付指定（投資家が決めることができるある特定の日まで）」「今月末まで」といった設定ができる証券会社もあります。

注文の期限

450円で買注文を出す場合　　毎日注文を出し直す

本日中注文	発注 ➡ 不出来	発注 ➡ 不出来	発注 ➡ 売買成立
	水曜日	木曜日	金曜日
値動き 高値	460円	458円	453円
値動き 安値	455円	452円	450円! / 448円

今週中注文　　発注 ･･････➡ 売買成立

注文はずっと出したまま

第2章 株式・証券取引に関する用語

売買委託手数料

株式などを売買する場合に、証券会社に支払う手数料。投資家の注文は、証券会社に委託され証券取引所に発注されるが、その取次ぎにかかる手数料。

インターネットに不慣れな投資家がパソコン操作で戸惑ってモタモタするうちに株価が大きく変動してしまったという笑えない話も。業者は手数料第一で選ばぬこと。

株式取引では、**上場**株式を買う時と売る時、それぞれ両方の場面で**売買委託手数料**が必要です。

株式を売買する際には、**証券会社**に株式の売買の取次ぎを依頼します。これが株式の注文です。取引成立の際に証券会社に支払う手数料を売買委託手数料と言い、売買委託手数料には消費税が課せられます。

売買委託手数料の額は、証券会社によってまちまちです。一般的には、インターネット専業証券は安く、対面取引の証券会社では高い傾向があります。通常は、**約定**代金に応じて段階的に設定されており、約定代金が高額になるほど売買委託手数料が**割安**な体系がほとんどです。なお、最低手数料も設定されているのが通常なので、約定代金が少額すぎると売買委託手数料は**割高**になることもあります。

株式取引の受渡し代金

買注文

証券会社に支払う金額
買付けの約定代金
＋売買委託手数料
＋手数料の消費税
受渡代金

投資家 → 買注文の取次ぎを委託するための手数料 → 注文の委託 → 証券会社

売注文

証券会社から受け取る金額
売却の約定代金
－売買委託手数料
－手数料の消費税
（－源泉徴収税※1）
受渡代金

投資家 → 売注文の取次ぎを委託するための手数料 → 注文の委託 → 証券会社

※1 源泉徴収ありの特定口座を選択した場合

2-2 株式・証券は、どのように売買されるか？

約定 株式の売買注文を証券取引所に出し、売買取引が成立すること。ネット証券の確認画面は、取引成立前は「執行中」、成立すると「約定」と表示される。

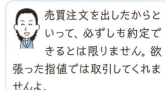
売買注文を出したからといって、必ずしも約定できるとは限りません。欲張った指値では取引してくれませんよ。

　上場株式の売買注文は、**証券会社**を通じて**証券取引所**に発注します。その段階では、まだ注文を出しただけです。市場で売り、または買いの相手がその取引に応じて初めて売買成立です。売買が成立することを「**約定**する」と言います。約定は相手方により、**1単元株**ごとの場合も複数単元まとまって約定する場合もあります。売買が成立した**株価**を「約定値段（約定価格）」と言います。

　仮に、ある株式を500円の指値で、2万株の買注文を出したとします。もしもその時に、500円の売りの**指値注文**は1万5千株しかなく、それよりも安い売注文も**成行注文**も出て来なかったとすると、買注文は1万5千株しか約定しません。買注文を出しているうちの残りの5千株は、引き続き買注文を出している状況となります。

約定の仕組み

500円で2万株を買いたい　←　約定せず　→　510円でなきゃ売りたくない／515円でなきゃ売りたくない／売るつもりはまったくない
（買い手）　　　　　　　　　　　　　　　　　　　　　　　　　　　（売り手）

500円で2万株を買いたい　←　1万5千株の約定　→　500円で1万株売ります／500円で5千株売ります
残りの5千株は引き続き注文を出している状況
（買い手）　　　　　　　　　　　　　　　　　　　　　　　　　　　（売り手）

第2章　株式・証券取引に関する用語

受渡し

売買注文が約定した後に、取引の決済が完了すること。売買の代金や株券の引渡しが行われる日は、受渡日という。外国株や投資信託は日にちが長め。

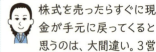
株式を売ったらすぐに現金が手元に戻ってくると思うのは、大間違い。3営業日目の受渡日でなければ現金になりません。

株式取引の売買が成立すると、その代金と**株券**の決済が行われます。この決済のことを**受渡し**と言います。現在の日本の株式市場では、約定した日を1日目として3営業日目に受渡しが行われます。

株券の電子化後は、買付けの際、**証券会社**の**保護預かり**を通じて証券保管振替機構（愛称・ほふり）に登録し、実際は買った株券を手元に受け取りません。証券会社の帳簿上で株券がその投資家の預かりになる日が「受渡日」です。**株主の権利**が確定するのは、この受渡日が基準日です。

売却の際も考え方は同様で、受渡日にならないと売却代金を受け取ることができません。**株式**は、**証券保管振替制度**の中で精算が行われます。投資家自身が株券を提出するために何か特別な手続きをする必要はなく、売却した投資家の証券口座から買付けた投資家の証券口座に株式が振替えられます。

受渡日の考え方

月曜日	火曜日	水曜日	木曜日	金曜日	土曜日	日曜日	月曜日
約定日 （1日目）	（2日目）	受渡日 （3日目）					
			約定日 （1日目）	（2日目）			（3日目）

2-2 株式・証券は、どのように売買されるか？

権利落ち日

配当金や株式分割、株主総会での議決権などの権利が得られる最終約定日の翌日のこと。その権利がないことを指す。

配当や優待欲しさに、決算日直前に急に思い立っても間に合わないことも。権利が落ちる前に日数を数え、さかのぼって買うこと。

株主が**配当金**や**株主優待**を受け取れる権利や、**株式分割**を受けられる権利、**株主総会**における議決権などの**株主の権利**は、ある基準日（ほとんどが**決算**日）をもって株主名簿の整理をし、その期の権利を確定させます。この基準日を「権利確定日」と言い、権利確定日に**受渡し**が完了すれば株主の権利が取れます。権利確定日に受渡日を迎えるように逆算した買付けの**約定日**は「権利付最終日」と言います。その翌営業日は権利が取れないため、**権利落ち日**と言います。

配当金が支払われる場合、権利付最終日の終値(おわりね)から配当金相当額が実質値下がりします。配当の権利落ちを特に「配当落ち」と言います。

権利付最終日、権利落ち日、権利確定日（9月末決算銘柄の場合）

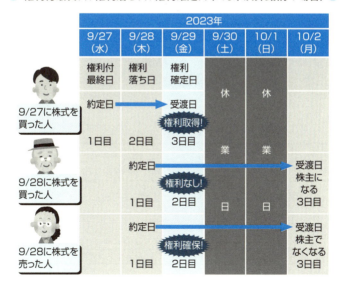

第2章 株式・証券取引に関する用語

取引報告書

売買注文が約定した後に、証券会社から顧客に郵送、または電子交付を顧客がダウンロードする形で取引の内容を報告する通知書類。

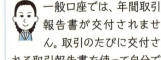

一般口座では、年間取引報告書が交付されません。取引のたびに交付される取引報告書を使って自分で損益計算をします。

取引報告書は、**契約締結時等交付書面**の1つです。取引が成立すると、郵送または電子交付で送られてきます。**約定**した取引内容の間違いの確認と、**証券会社**側の悪質な犯罪防止が目的の書類です。約定後には、取引報告書の内容に間違いがないかを必ず確認してください。もし、注文したはずの内容と違った約定になっている場合には、すぐに証券会社に連絡をしましょう。

ほかにも売買の都度ではなく、定期的に顧客に通知する書類があります。年間取引報告書は、**特定口座**を利用している顧客に証券会社が発行し、1年間の取引結果を報告します。取引残高報告書は、証券会社が取引顧客に特定の日時点の預かり残高や、一定期間の取引内容を3ヵ月ごとや6ヵ月ごとなど定期的にまとめて報告する書類です。

取引報告書の例

株式取引報告書					
秀和　太郎　様				作成日○○年△△月○○日 特定口座契約、源泉徴収なし	
口座番号	取扱店	担当	約定日		受渡日
1234567	020	111	○○年△△月××日		○○年△△月◇◇日
銘柄名		売買区分	株数（株）	単価（円）	約定代金（円）
(銘柄コード)	決算日	^	手数料（円）	消費税（円）	受渡代金（円）
いろは産業株式会社		買	100	2,395	239,500
(9999)	3・9月末日	^	381	30	239,911
市場：東京　　取引：委託　　普通取引　　受渡条件：保護預り　　特定対象					
電話番号　0120-123-456					ABCD証券株式会社　（印）

2-3 株式・証券は、どのように保管されるのか？

売買された株式や証券が安全に保管される仕組みを解説します。

保護預かり 顧客が有価証券などを自分で保管せずに、証券会社や金融機関に預け入れる仕組み。分別管理されている。

> 現在、保護預かり制度が適用されているのは、ベンチャー企業に代表される未上場株式など、一部の証券に限られています。

　以前、紙の**証券**があった頃は、**株式**や**債券**、**投資信託**の**受益証券**は、通常は**保護預かり**契約を結んで保管されていました。**株券**の電子化後は、すべての**上場**株式がコンピューターの帳簿上で管理されています。現在は紙の株券や債券、投資信託の**受益証券**がないのですから、保護預かり制度は事実上、終了しています。

　投資家の株式は、**証券会社**を通じて証券保管振替機構（愛称・ほふり）に預託され、**証券保管振替制度**の管理下にあります。

保護預かりと証券保管振替機構への預託

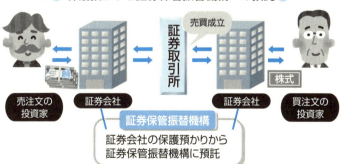

証券会社の保護預かりから証券保管振替機構に預託

売買代金は証券会社を通じて買い手から売り手に届けられるが、株式は証券保管振替機構の振替口座の中で移動するだけ

第2章 株式・証券取引に関する用語

名義

購入した株式が「その株主のものである」と登録された名前のこと。氏名のほかに住所、電話番号、印鑑を登録する。証券会社の取引口座とは別に、株式の名義も登録する。

> 「ほふり」に預託した株式券の株主名簿上の名義人は「ほふり」です。投資家は「実質株主」として実質株主名簿に記載されます。

株式は、投資家がお金を出して買っただけでは**株主**になったとは言えません。**配当金**や**株主優待**、**株式分割**を受けるためには買った株式を自分の**名義**にする必要があります。

株券の電子化以前は、名義書換の方法が2つありました。1つ目は、株式の発行会社が指定した株主名簿管理人に、株券と一緒に所定の名義書換請求書や印鑑票を提出する方法です。2つ目は、**証券保管振替制度**を利用する方法です。名義書換をせずに「実質株主」となって発行会社に通知され、株主と同様の権利が得られます。

2009年1月に実施された株券の電子化で前者の名義書換は廃止、証券保管振替制度に株式情報が集められ、「株主通知」が株式の発行会社に送られる後者の方法に変わりました。

株式の名義

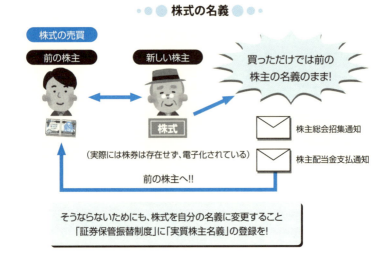

証券保管振替制度

株券、債券、投資信託の受益証券を証券保管振替機構に集めて、一括して管理する制度。株券での利用は、その都度の名義書換手続が不要になる。

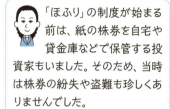

「ほふり」の制度が始まる前は、紙の株券を自宅や貸金庫などで保管する投資家もいました。そのため、当時は株券の紛失や盗難も珍しくありませんでした。

証券保管振替制度は、**株式**、**債券**、**投資信託**の**受益証券**などの証券を「証券保管振替機構（愛称・ほふり）」に集めて一括管理し、売買の決済や**株主の権利**の移転を口座の振替えによって行う制度です。

証券保管振替制度の主なメリットを挙げておきましょう。売買の際に**株券**の**受渡し**が不要で証券取引にかかる手間や時間が短縮される、会社の合併等の**上場**会社の企業再編において株券を発行会社に提出する手続き等が不要になる、等です。

なお、現在は紙の株券を発行せず、**株主**はデータの株主名簿で管理しています。電子化後は、旧来の**名義**書換手続に代えて証券保管振替制度が株主の名簿管理の中心となりました。

証券保管振替制度の仕組み

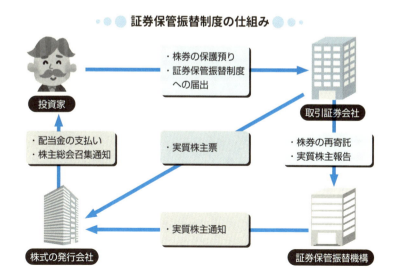

第2章 株式・証券取引に関する用語

分別管理

証券会社の資産と、顧客から預かった資産をはっきり分けて管理すること。金融商品取引法で証券会社に義務付けられている。

銀行預金は、顧客の預金が銀行の資金になっているのでペイオフ制度が必要。証券類は、顧客と証券会社の資産が別勘定なのです。

金融商品取引法では、**証券会社**自身が保有する有価証券やお金などの資産と、顧客から預かった顧客の資産を分けて管理するように証券会社に義務付けており、これを**分別管理**や**分別保管**と言います。顧客から預かった現金や**信用取引**、**オプション取引**、FXの**委託保証金**や証拠金も「顧客分別金」として、分別管理されています。証券会社がきちんと分別管理をしていれば、万が一、証券会社が経営破たんに陥ったとしても、顧客の有価証券やお金は顧客の元に確実に返還されます。

なお、信用取引、オプション取引などの未決済建玉にかかる評価益などは、分別管理の対象ではありません。

分別管理の仕組み

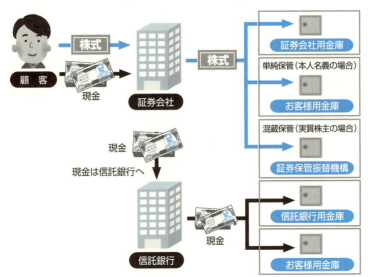

(56)

2-3 株式・証券は、どのように保管されるのか？

移管 現在、証券会社に預けている株式を別の証券会社に預け替えること。保管振替制度を利用することで、手数料を払えば書類上の手続きだけで可能。

> 取引証券会社と相性が悪く、「イカン」と思うことがあれば移管も選択肢。資産を売却せずに証券のまま引越しできます。

　証券保管振替制度を利用して**証券会社**に預けてある**株式**は、取引証券会社を変更したい場合に、依頼書を提出し、手数料を支払えば預け替えができます。それが**移管**です。何らかの理由で取引証券会社を変えたい場合の手続き方法として知っておくとよいでしょう。

　手続き方法は、顧客が「口座振替依頼書」または「特定口座内保管上場株式等移管依頼書」に記入し、それまで株式を預けていた証券会社に提出します。この時、新しく利用する証券会社の部支店名や口座番号を記入するので、先に移管先の証券会社で**口座開設**と証券保管振替制度の手続きをしておきます。通常、移管をする際には、特定口座から特定口座、または一般口座から一般口座への移管のみしか取り扱わないケースが多いので注意が必要です。

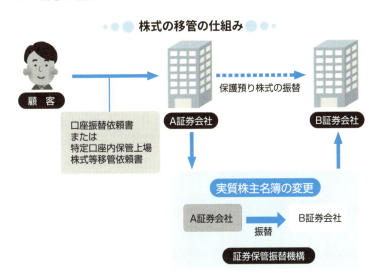

株式の移管の仕組み

第2章 株式・証券取引に関する用語

信託銀行

普通銀行の業務と、貸付信託や金銭信託など信託財産を管理・運用する信託業務の両方を営む銀行。株主名簿の管理も行っている。

財産管理を強みとする信託銀行は、遺言信託、相続コンサルティング、事業承継、相続財産管理などの業務に力を入れる傾向です。

信託銀行とは、信託業務を取り扱う長期金融機関です。

信託業務は、お金、**株式**、土地などの資産を預かり、本人に代わって資産を運用・管理します。信託法では、信託業務で受託する信託財産と、銀行が保有する固有財産の**分別管理（分別保管）**を義務付け、信託銀行の財務は信託勘定と銀行勘定の2つに分けられています。

信託銀行は**株主**名簿の管理や**配当金**の支払事務などの証券代行サービス業務を担います。株式の株主名簿管理人として株主名簿管理を業務とします。**株券**の電子化までに証券保管振替機構に預託されなかった**上場**株式の管理も信託銀行が行っています。

なお、2004年に改正信託業法が施行され、一般事業者も信託業務に参入できるようになりました。

信託銀行とは？

信託銀行

普通銀行の業務　　信託銀行の業務

兼営

信託の引受
・金銭の信託
・有価証券の信託
・金銭債権の信託
・動産の信託
・不動産の信託
など

財産の管理
・処分等に関連する各種サービス
・不動産関連業務
・証券代行業務　　など

2-3 株式・証券は、どのように保管されるのか？

Column 売買に関する用語

本文中で解説できなかった株式売買、証券売買に関する用語を簡単にご紹介します。

●入金 / 出金

入金とは、証券取引口座に買付け代金などの投資資金を預け入れること。逆に出金は、売却代金などを引き出すこと。

●入庫 / 出庫

入庫とは、証券取引口座に株式などの証券を預けること。逆に出庫は証券を引き出すこと。

●契約締結時等交付書面

証券取引の成立後、証券会社が作成し、顧客に交付する書類。

●妙味がある

主に個別銘柄に対して、投資したくなるような面白さがある、投資対象として興味があるといった意味。

●売り越し / 買い越し

売り越しとは、個人や外国人投資家など、ある主体の売り株数が買い株数を上回ること。買い越しは、買い株数が売り株数を上回ること。

●押し目買い

上げ相場の最中に、一時的に株価が少し下げた瞬間に買付けること。

●ナンピン買い（難平買い）

保有株の株価が値下がりした時に、同じ銘柄を買い増しすること。当初の買値と後から買った分の買値を平均すると買付けコストが引き下がるため、少々の値上がりで利益が出やすくなる。株価が上昇しなければ逆効果。

59

第2章　株式・証券取引に関する用語

●嫌気(いやけ)売り
　ある材料を否定的な「悪いニュース」と捉えて、関連株を売ること。株価の下落につながる。

●損切り
　購入した株式が予想に反して値上がりしなかった場合に、損失を覚悟の上で売却すること。

●手仕舞い
　取引をやめること。保有している株式の売却や、または信用取引を行っていた銘柄反対売買することなど。

●日計り
　購入した株式をその日のうちに売却する取引のこと。日計り商いの売却代金は、約定日の3営業日後にならないと現金化されない。

●利益確定売り
　含み益が出ていた株式を売却して、利益を確定させること。

●利食い売り
　利益が出ている銘柄を売却して、利益を得ること。さらに上昇しそうだが、程ほどのところで利益を得ておくというようなニュアンスが含まれる。

●狼狽売り
　悪材料が出ている時などに、狼狽して(慌てふためいて)株式などの証券を売却すること。

第3章

株式市場に関する用語

　株式市場では、独特の業界用語や専門用語が使われることがあります。本章では、株式市場や取引に必要な用語を揃えてみました。

第3章　株式市場に関する用語

3-1　株式・証券は、どのように取引されているか？

株式の取引方法には、いくつかの種類や特徴があります。

オークション取引

証券取引所で投資家同士の注文が出会う方式の売買取引。日本の株式取引のほとんどで採用されている売買の方式。

株式の取引も物品のオークションと同じ。人々が不要だと思えば値打ちが低く、欲しいと思う人が多ければ値がつり上がります。

　日本の**証券取引所**に**上場**している**株式**の売買取引は、原則として**オークション取引**で行われています。証券取引は、多数の売り手と多数の買い手が同時に参加できる競争売買です。証券取引所には、多数の投資家の売買注文が集まってくるので、**価格優先**、**時間優先**の原則に基づいた公平なルールが必要です。

　証券取引所では、市場で売注文と買注文の条件が一致した時に売買が成立します。流通株式が少ない場合や、注文が売りか買いのどちらかに偏っている場合では、売買が成立しにくく、**約定**できないこともあります。

●●● オークション取引の仕組み ●●●

A社株の買注文

1番高い値で買いたい人と1番安い値で売りたい人の間で売買が成立

A社株

A社株の売注文

500円で買いたい

498円で買いたい

495円で買いたい

508円で売りたい

505円で売りたい

500円で売りたい

投資家　　　　　　投資家

! 株価は売りと買いのオークションで決まる

3-1 株式・証券は、どのように取引されているか？

相対取引

売り手や買い手の相手方(ほとんどのケースは証券会社が顧客の相手方)となって売買の条件等を決めて取引を成立させる売買取引。

条件の直接交渉とはいえ、個人投資家は、金融機関の提示した条件で取引せざるを得ないのが相対取引の実情。「言いなり」ってヤツ？

相対取引は、大口の株式取引や**債券**の一部、また外貨や**FX**などの売買で採用されている取引方法です。売り手と買い手が価格や数量などの条件を直接交渉して売買取引を行います。**相対売買**とも言います。当事者間の直接交渉なので、市場を通さずに取引します。大量の株式を売却したり買い集めたりする際に市場を通すと、**需要**と**供給**のバランスを崩してしまう場合があります。相対取引は、**相場**に影響を与えずに取引ができる点がメリットです。

一般的な相対取引では、**証券会社**などの**金融商品取引業者**が投資家の相手方となって売買を成立させるもので、実際は条件交渉をするというよりも、業者側が提示した条件で取引を行っています。一方、相対ではなく、市場を通す取引の場合は、投資家同士が取引する注文を投資家が証券会社に発注し、証券会社が注文を市場に取次ぎます。

相対取引と取引所取引の違い

第3章　株式市場に関する用語

前場/後場

証券取引所が開いている時間帯のうち、午前中を前場、午後を後場という。日本の株式市場は昼休みがあるので、分かれている。

> 証券業界の休日ゴルフ。午前中の9ホールを前場、お昼休憩後の9ホールを後場と呼びます。ウソのような本当の話です。

　株式市場をはじめとした**証券取引所**では、取引時間帯が決まっています。現在、**東京証券取引所**の現物株取引は、9時から11時30分までの午前中の取引やその時間帯を**前場**、12時30分から15時（2024年11月5日から15時30分になる予定）までの取引またはその時間帯を**後場**と言います。また、取引時間中のことを**ザラ場**と言います。

　取引開始時や終了時にも特有の名前があります。1日すなわち前場の取引開始は「寄付」、後場の取引開始は「後場寄り」です。前場の取引が終了することを「前引け」、15時に後場の取引が終了することを「大引け」と言います。また、15時になるより前に取引が終了してしまうことを「ザラ場引け」と言います。

●●● 前場と後場の時間帯 ●●●

東京証券取引所（現物株取引）の場合

9時	11時30分	12時30分	15時

前場　　　昼休み　　　後場

寄付　　　前引け　　　後場寄り（後場の寄付）　　　大引け

↑ 15時より前に取引が終了してしまったら「ザラ場引け」

ザラ場

64

新興市場

上場基準が緩く、ベンチャー企業などの創業年数が浅く実力がまだ不十分ながら成長性がある株式会社が数多く上場している株式市場。また、成長過程にある国の市場。

> 新興市場の銘柄に投資する以上は覚悟してください。取引量が少ないので、株価が数倍になることもあれば一気に数分の1になることも珍しくありませんよ。

　日本の**新興市場**は、**東京証券取引所**の「グロース市場」、名古屋証券取引所の「ネクスト市場」、札幌証券取引所の「アンビシャス市場」、福岡証券取引所の「Q-Board」です。

　新興市場は、会社の規模がまだ大きくなく信用力が低くても、成長力があると認められれば**上場**できます。赤字でも上場できる場合もあり、一般に、若い会社の将来を買うという投資方針で取引されています。しかし、会社の規模が小さいことから**発行済株式数**が少ない**銘柄**が多く、市場で取引される株式の流通量が少ないと**株価**の乱高下を招く恐れもあるので注意が必要です。

　また、新興国の金融市場や経済圏も新興市場と呼ばれています。成長著しいこれらの国々への投資にも関心が高まっています。

各証券取引所と新興市場の関係

マーケットメイク

マーケットメイカー（証券会社）が常に注文を出し続ける仕組み。流動性の確保を目的に、東証が一部のETFに採用。

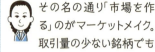

その名の通り「市場を作る」のがマーケットメイク。取引量の少ない銘柄でも値段をつけてしまうという仕組みです。

　取引注文の少ない銘柄は、なかなか換金できないことや、価格が乱れやすいことがあります。それらを避ける売買方式が**マーケットメイク**です。**出来高**の少ない**銘柄**でも十分な取引機会を確保できます。この方式で売買される銘柄を「マーケットメイク銘柄」、この売買の相手方になる**証券会社**を「マーケットメイカー」と言います。マーケットメイカーが投資家に売気配と買気配を提示する義務を持ち、投資家は提示された**気配値**に対する売買注文を出す仕組みです。マーケットメイクは、米国のNASDAQ市場やロンドン証券取引所など海外の金融、証券取引では多く取り入れられています。

　日本では、**債券**取引の一部と東京金融取引所の**FX**である**くりっく365**がマーケットメイクです。2018年7月からは**東京証券取引所のETF**の一部でも取り入れられました。株式市場では、過去にジャスダック市場で一部の銘柄に適用されていました。

外国為替証拠金取引の「くりっく365」はマーケットメイク

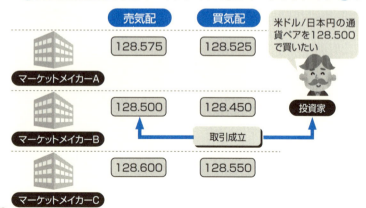

3-1 株式・証券は、どのように取引されているか？

立会外分売

大株主が保有する株式を小口に分けて売出す際に、投資家から買いの注文を集めて証券取引所の取引外で取引される売買方法。

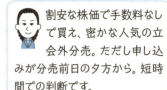

割安な株価で手数料なしで買え、密かな人気の立会外分売。ただし申し込みが分売前日の夕方から。短時間での判断です。

　大量の売注文は市場の**需要と供給**のバランスを崩し、**株価**の値下がりを招きます。そのため、**大株主の株式**は、市場を通さずに売却されるのがほとんどです。それが「立会（市場）」の「外」で小口に「売」り「分」ける方法の**立会外分売**です。

　具体的には、**証券会社**が大株主から大量の売注文を受けることになると、**証券取引所**に届け出をし、市場の取引終了後に分売の条件を発表します。分売される株式を買う一般の投資家は、分売当日の寄付より数十分ほど早い、証券会社ごとに決められた時刻までに買付けの申し込みをします。立会外分売に申し込み、証券会社側で受け付けると、約定前でも取消はできません。一般に分売される株式の株価は届出日の終値を基に3〜5％程度安く、手数料も不要です。

　立会外分売は、単に大株主の保有株を売るためだけではなく、**上場**会社の株式分布が大口株主に偏らないよう、個人株主を増やすための方策としても利用されています。最近の株式市場では、**上場基準**で**流動性**を重視するなど、特に流動性の向上が欠かせなくなっています。**浮動株**を増やす目的で、立会外分売を行う**銘柄**も多いようです。

●●● 立会外分売の流れ ●●●

| 大口株主が証券会社に対して、大量の売り注文を出したいと相談 | 証券会社が証券取引所に届出 | 市場の終了後、届出日の終値の3〜5％割引の価格で分売条件を告知 | 分売当日の決められた時刻までに、一般の投資家が購入の申込み | 分売 |

67

第3章 株式市場に関する用語

高速取引

高性能な情報技術を用いたアルゴリズムにより、1,000分の1秒単位で売買注文や取り消しを高い頻度で繰り返す取引手法。

まばたきしている間に、億単位の売買が成立する高速取引。ほんの一瞬で、人の生涯賃金に匹敵するお金が動いています……。

高速取引は、**高頻度取引**や**アルゴリズム取引**、**HFT**（High frequency trading）とも呼ばれ、「演算能力の高いコンピューター上でアルゴリズムを実行し、市場動向を自動で判断して1,000分の1秒単位で自動的に頻繁に売買する取引行為」を指しています。

高速取引は、市場の**流動性**を高め、一般の投資家にも恩恵が及ぶとして歓迎される反面、さまざまな懸念が指摘されています。具体的には、市場の安定性や**効率性**、投資家間の公平性、中長期的な企業価値に基づく価格形成、システムの脆弱性等です。

2017年の**金融商品取引法**の一部改正により、2018年4月1日から**株式**等の高速取引行為に対する規制が導入されました。高速取引行為を行う者は登録が必要となり、業務管理体制の整備やシステムの管理などが義務付けられています。

東証での取引の進化

平成の間に取引スピードが超短縮

平成初期
場立ち（人間）による「手振り」

平成中期
東証の取引がコンピューター化。約定処理は約3秒

平成後期
東証がアローヘッドを導入。約定処理は0.005秒

3-1 株式・証券は、どのように取引されているか？

自動売買

あらかじめ立てた投資戦略に基づいて、設定しておいた条件で、自動的に注文を執行させる売買注文方法。逆指値などの条件注文が代表的。

投資家が自分で判断せずに売買できる取引ではありません。自動売買が通常の取引より簡単に儲けられるというものでもありません。

自動売買は、インターネット証券会社などで利用できる注文方法です。もとは**機関投資家**向けでしたが、最近は個人向けに開発されています。自動売買の方法は、**証券会社**によって異なります。代表的な自動売買は、「逆指値注文」です。逆指値注文とは、「この値段まで下がったら、成行で売ります」などと、**相場**がある状況になった場合に注文を執行する方法です。売りでも買いでもできますし、**指値注文**も**成行注文**も可能です。当初は指値で出していた売注文を、売れないまま相場が下がってしまった場合は成行に変更するといった注文もできます。

逆指値のほかに、逆指値と通常の注文の両方を同時に注文できる取引方法（「逆指値付通常注文」「ツイン指値」「W指値」など証券会社によって名称が異なる）などがあります。自動売買は、日中ずっと**株価**を見ていられない人でも取引機会を逃さずに取引できる方法です。また、機械的に条件に従順な取引で、感情に左右されない点がメリットです。

●●● 逆指値注文の仕組み ●●●

株価

- 530円
- 525円 — この瞬間に逆指値で520円の売注文
- 520円 — もしその後、株価が上がったら売らないので含み益が広がる
- 515円 — 520円になったので売れた → 売れた後の値下がりを防ぐことができた

Q.もしこの時点で、通常の注文で520円の売指値をしたらどうなるか？

A.525円〜520円で売却成立。
その後の株価が下落すればよいが上昇するとガッカリ……

第3章 株式市場に関する用語

東京証券取引所/大阪取引所

東京証券取引所は東証、大阪取引所は大証と略される。2013年1月に両取引所が合併し、持株会社「日本取引所グループ」となっている。

世界的にも取引所再編が進む中、現物株に強い東証と、デリバティブに強い大証が力を合わせて規模拡大へ。さらに東証はニューヨーク証券取引所とも連携強化。

東京証券取引所（東証）も**大阪取引所**（大証）も、**金融商品取引法**に基づく**金融商品取引所**です。どちらも旧法である**証券取引法**に基づいた、旧証券取引所です。

2012年8月、東証が大証株を**TOB**により取得し、大証を子会社化しました。その後、東証と大証の合併を経て**持株会社**「日本取引所グループ」が誕生しました。それぞれの取引を集約させ、東証が現物株式の取引を取り扱うことになりました。一方、大証は**デリバティブ**取引に特化し、名称から「証券」が抜け、大阪取引所となっています。

東証では、大証との**経営統合**の結果、市場ごとの**上場基準**の違いや区分に課題を抱えるようになってしまいました。特に、**新興市場**の違いがあいまいで、上場を目指す会社にとって分かりにくい市場となっていました。そこで2022年4月、それまで一部、二部、ジャスダック・マザーズとなっていた市場区分を3つの市場に再編しました。「プライム」は**機関投資家**の売買に見合う**流動性**がある**銘柄**が**上場**し、「スタンダード」は一般的な銘柄が上場する、東証の基本となる市場です。「グロース」は成長可能性のある銘柄が取引される市場です。

東証3市場の流動性に関する上場審査基準

	プライム市場	スタンダード市場	グロース市場
株主数	800人以上	400人以上	150人以上
流通株式数	2万単位以上	2千単位以上	1千単位以上
流通株式時価総額	100億円以上	10億円以上	5億円以上
時価総額	250億円以上	–	–

3-1 株式・証券は、どのように取引されているか？

兜町/北浜

どちらも、証券界や株式市場を指す代名詞となっている地名。兜町は東京証券取引所のある場所で、北浜は大阪取引所のある場所。

東京証券取引所の近くには、証券業界の守り神と呼ばれる兜神社や日本橋川の鎧橋など、源平時代の名残となる史跡があります。

　兜町も北浜も、市場を指す金融業界の用語で、地名に由来しています。兜町は東京都中央区日本橋兜町で**東京証券取引所**がある街、北浜は大阪府大阪市中央区北浜で**大阪取引所**のある街です。これらの街は、**証券取引所**を中心に**証券会社**の本店や支店が周辺に立ち並ぶ、いわゆる金融街の体をなしています。

　兜町や北浜という言葉は、街そのものを指す場合のほか、株式市場や証券業界を指す場合もあります。例えば、「兜町の話題」という時には、「株式市場で**材料視されている話題**」のことです。

　地名が業界を示す例は証券界に限らず、さまざまな社会・業界で見られます。例えば、永田町と言えば政界、霞が関は官僚の世界を指し、室町が呉服問屋街、秋葉原や大阪の日本橋は電気屋街を指しています。兜町や北浜もこれらと同様です。

●●● 所在地が証券市場の代名詞に ●●●

(71)

● 第3章　株式市場に関する用語 ●

ウォール街/シティ

ウォール街はアメリカの証券界やニューヨーク株式市場を指し、シティはイギリスの証券界やロンドン株式市場を指す。

ニューヨークの金融街が舞台になった、出世を夢見る証券マンと欲深い投資家を描いたアメリカ映画『ウォール街』がありましたね。

　日本の証券業界や株式市場を兜町（かぶとちょう）や北浜（きたはま）と呼ぶように、海外の**証券取引所**の所在地もその国の証券業界や株式市場の代名詞です。

　ウォール街は、アメリカのニューヨーク市マンハッタン島の南端にあります。ニューヨーク証券取引所と**証券会社**や金融会社が集中し、金融の中心地となっています。アメリカの証券業界や金融業界全体を意味する場合もあります。なお、アメリカの**新興市場**NASDAQの運営会社は、マンハッタンの中心部、タイムズ・スクエアにあります。

　イギリスのロンドン証券取引所は、ロンドン市の東部の**シティ**（シティ・オブ・ロンドン）にあります。シティもイギリスの証券会社や銀行、保険会社などが密集する金融業界の中心地で、金融業界および証券界や証券市場を指すこともあります。

●●● 海外の証券市場の所在地も証券市場の代名詞 ●●●

ウォール街
ニューヨーク証券取引所のある街。1929年に世界恐慌の発端となった株価暴落が起こった。

シティ
ロンドン証券取引所のある街。現在、イギリス国内の証券取引所は、唯一、ロンドン証券取引所があるのみ。

3-1 株式・証券は、どのように取引されているか？

大発会/大納会

大発会は、1年の初めの取引日、およびその日の取引のこと。大納会は、その年の最後の営業日、およびその日の取引のこと。

> 証券取引所では、大発会や大納会に有名人をゲストに招いたイベントを開きます。申込抽選で一般の投資家も参加できます。

大発会は、新年の初めての取引日やその日の取引のことです。といっても、**株式**の売買そのものは通常と変わりません。お正月の3が日は営業日ではなく、土日にあたらなければ通常は1月4日が大発会です。

大発会は、年頭にその年の活況を祈るためのお祝い行事としての意味を持ち、縁起を担ぐなどして心理的には特別な日です。この日は、**証券取引所**の職員や**証券会社**の社員が晴れ着姿で業務を行う姿や、手締めを行うなどの光景が見られます。

大納会は、その年の取引の最終日やその日の取引のことです。通常は12月30日で、その年に活躍した有名人が東京証券取引所の鐘を鳴らし、手締めをもってその年の取引が終了します。

「お祝いごと」を理由に買注文が入り、**株価**が上昇することをご祝儀**相場**と言います。大発会や大納会はご祝儀相場となることもありましたが、近年ではその傾向も薄らいでいるようです。

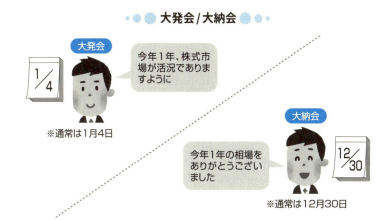

大発会/大納会

大発会 — 今年1年、株式市場が活況でありますように
※通常は1月4日

大納会 — 今年1年の相場をありがとうございました
※通常は12月30日

第3章 株式市場に関する用語

3-2 株式は、どのような単位で売買されているか？

株式取引は、基本的には発行体の定めた売買単位で行われます。その仕組みと例外について解説します。

単元株 発行会社が定めた株式の売買単位。商法の改正で2001年より導入。2018年10月より全上場株式の単元が100株に統一。

1単元が100株になって、取引金額が下がり、個人投資家は、株式購入のハードルが低くなりました。

　従来の**株式**の売買単位を原則的に額面5万円と定めていた単位株制度に代え、2001年に**単元株**(たんげんかぶ)制度が施行されました。定款(ていかん)変更により株式の発行体が売買単位を自由に決められます。単元株制度のもとでは、株式はすべて無額面です。**株主総会**での議決権は最低1単元株です。

　自由とはいえ、**銘柄**ごとに取引単位が異なると、投資家は混乱します。そこで、**証券取引所**は、すべての**上場**株式の単元株数を100株に統一しました。

●●● 単元株とは、売買の最低単位 ●●●

証券取引所

銘柄ごとに最低売買単位が違う複雑。全部の銘柄1単元を100株に統一

売りの投資家 ← 株式 → 買いの投資家
100株＝1単元

決議検なし

株主総会の参加は1単元(100株)以上

株式は少額で取引したい

単元株主　株式 100株

50株　単元未満株主

3-2 株式は、どのような単位で売買されているか？

ミニ株

本来、証券取引所の売買は100株単位だが、10株や1株でも株式取引ができるよう、証券会社等が行っているサービス。証券会社によって名称は異なる。

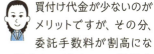

買付け代金が少ないのがメリットですが、その分、委託手数料が割高になる場合も。そうなると、損益分岐点が高くなるのでご注意を。

ミニ株（**株式ミニ投資**）という金融商品が存在するのではなく、**株式**を小口で買えるように**証券会社**が提供するサービスです。顧客の**単元未満株**の株式注文を**証券取引所**に取次ぐのではありません。通常は、証券会社が自社の顧客のミニ株同士の注文を取りまとめ**相対取引**を行います。そのため、ミニ株の投資家が購入した株式は、取扱証券会社の**名義**となります。証券会社が受け取った**配当金**や**株式分割**は、持株数に応じて投資家に分配される仕組みです。

追加購入などで**単元株**に達すると、通常の株式取引と同様の扱いで市場での売却ができます。ミニ株の取引値段は、その顧客の申込日の翌営業日か後場の「寄付」が一般的です。ミニ株は、すべての**上場**する**銘柄**が対象ではありません。取扱銘柄や詳細は、証券会社ごとに異なります。また、ミニ株取引をしていない証券会社もあるので確認が必要です。

●●● ミニ株のメリット ●●●

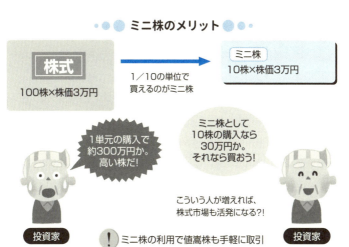

● 第3章　株式市場に関する用語 ●

単元未満株/端株

どちらも「売買単位に満たない株数の株式」という意味で使われる。しかし法律上、厳密には両者の間には使い分けがある。

> 「端株」は、そろそろ死語。「単元未満株」はネット証券での取引が充実。少額の買い増しや積立など、若者ニーズの取引です。

　一般に、**証券会社**などの店頭や投資家同士の会話の中では、**単元未満株**と**端株**は同じ意味で使われていることが多いようです。しかし、法律上は次のように使い分けられています。

　現在は、**東京証券取引所**に**上場**する**銘柄**はすべて1単元が100株となりました。単元未満株は、1単元未満、かつ整数倍の株数の**株式**です。したがって、1株から99株までが単元未満株です。ネット証券などでは、1株から買える単元未満株のサービスを提供しています。

　一方、端株とは、株数が1株未満のものです。売買単位が100株に統一される以前に発生していました。例えば、0.5株は端株です。**会社法**施行前には、1株単位の銘柄の**株式分割**によって端株が生まれていました。会社法施行以後、端株は廃止され、原則として新たに小数点以下の株数の株式が生じることはありません。

● ● ● **端株から単元未満株へ** ● ● ●

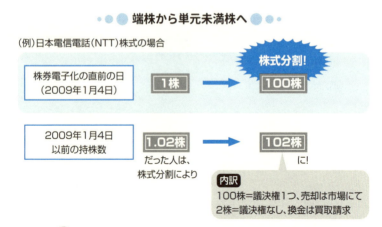

(例)日本電信電話(NTT)株式の場合

株券電子化の直前の日（2009年1月4日）　1株　→　**株式分割!**　100株

2009年1月4日以前の持株数　1.02株 だった人は、株式分割により　→　102株 に!

内訳
100株＝議決権1つ、売却は市場にて
2株＝議決権なし、換金は買取請求

! 株式分割前の0.02株が端株、株式分割後の2株が単元未満株

3-3 市場参加者には、どのような投資家がいるか？

投資家と一口にいっても、個人や一般の事業法人、金融機関などの専門家と立場はさまざまです。

機関投資家

生命保険会社や損害保険会社、銀行、投資信託、年金基金など、他人から集めた多額の資金を分散投資する投資家のこと。明確な定義はない。

機関投資家の売買、元をたどればあなたのお金かも!? 投資信託や生命保険、年金の運用は、どれも機関投資家です。

機関投資家は保険金や**投資信託**の信託財産、年金資産など多額の資金をまとめて運用します。そのため、株式市場や**債券**市場、為替市場に大きな影響を与えることがあります。資金の性格から長期スタンスの投資が多く、株式市場で中長期的な**株価**形成に影響を与えています。

機関投資家は、みんなのお金の運用者

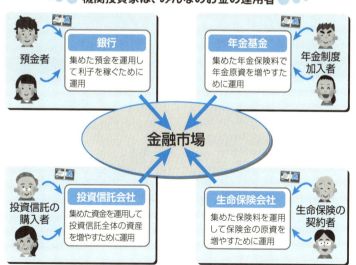

第3章 株式市場に関する用語

自己売買

証券会社自身が一投資家になり、自社の資金で有価証券を取引すること。顧客の注文を取次ぐ業務を「委託」と呼ぶのに対する反対語。

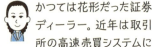

かつては花形だった証券ディーラー。近年は取引所の高速売買システムに対応できない会社の自己売買部門は縮小傾向とか。

　個人や法人の投資家が**証券会社**に**株式**などの売買注文を出す取引は、委託売買（ブローカー）と呼ばれます。証券会社が顧客から取引を委託され、**証券取引所**などに発注します。

　これに対し、証券会社自らが資金の出し手となり、自己の判断で取引を行うのが**自己売買**（ディーリング）です。略して「ジコバイ」とも呼ばれています。**金融商品取引法**で定められた業務のうちの1つです。

　ほとんどの証券会社は、委託売買で顧客から手数料をもらう傍らで、自己売買による収益を稼ぐというビジネスモデルになっています。自己売買分の取引は、**投資部門別売買動向**で公表されます。自己売買のおかげで**出来高**（売買高）が増え、**相場**が活性化し安定します。しかし、行き過ぎた取引は**相場操縦**につながるほか、会社の経営にも悪影響を与えます。そのため「自己売買基準」という証券会社への規制があります。

●●● 自己売買と委託売買の違い ●●●

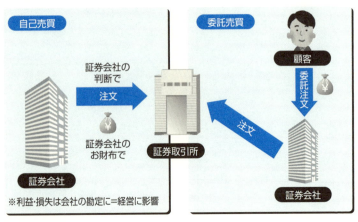

3-3 市場参加者には、どのような投資家がいるか？

投資ファンド

投資家から集めた資金を、株式、債券、不良債権、不動産などに投資し、得た収益を投資家に還元するスキーム。

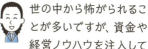
世の中から怖がられることが多いですが、資金や経営ノウハウを注入して事業の成果が出せるようにするのが本来の役割です。

投資ファンドは、公募型の**投資信託**から特定の投資家対象のプライベート・エクイティファンド、商品ファンドや不動産ファンドまで含まれます。投資ファンドが**上場**会社の**株式**を取得して**大株主**となり、経営陣に経営効率化や**株主還元**などを提案する例もあります。

投資ファンドは、上場会社への投資だけでなく、株式市場では対応できないタイプの投資対象に資金を提供する重要な役割をも担っています。再生ファンドや**ベンチャー・キャピタル**などです。これらはプライベート・エクイティファンドの一種で、会社の成長や再生を支援して**株価**や債権価値を高めて売却し、利益を得ています。ベンチャーや再建・経営改善への投資が前提なので長期投資となり、投資家は出資後の一定期間換金できないのが通常です。

主な投資ファンド

公募型投資信託	広く一般の投資家を対象に株式や債券、不動産や金などのコモディティ等で運用
再生ファンド	経営不振企業をいったん買収して事業再編を行い、企業価値を上げて第三者に売り渡す
ベンチャー・キャピタル	資金調達をしにくいベンチャー企業への投資をする
バイアウトファンド	ある程度成熟した企業の株式や一事業部門に投資し、経営再建やMBOの手助けをする
不良債権ファンド	不良債権を買い取ってその担保不動産の転売や再活用後の売却で利益を上げる
商品ファンド	原油や金などの商品市場に投資をする

第3章 株式市場に関する用語

外国人投資家

一般に、日本に居住しない投資家を指す。具体的には、海外の年金や投資信託、ヘッジファンドなど。海外投資家ともいう。

> 東証の売買の約7割を担うのが外国人投資家。それだけ、日本経済は、外国資本から見ると魅力的に映るということ?!

東京証券取引所が公表している**投資部門別売買動向**での外国人の定義は、外為法に基づく非居住者を指します。東証における定義の詳細は、下記の図の通りです。

具体的には、欧米など海外の**投資信託**や年金基金などの**機関投資家**、**ヘッジファンド**、**買収ファンド**、**政府系ファンド**、そして日本国内の年金でも外国籍ファンドの運用資金は**外国人投資家**です。

東証発表の投資部門別売買動向では、委託売買の約7割を占める外国人投資家の動向が注目されています。彼らの連続**買い越し**や、多額の買い越し額などの動きが目立つと、**株価**は上昇と判断されます。反対に**売り越し**が目立てば、株価は下落と判断されます。

東証における外国人投資家の定義

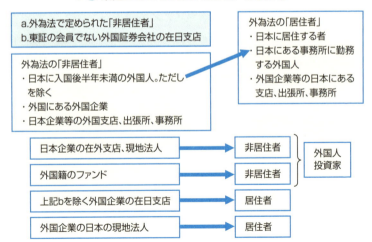

株式分布状況

株式所有や株式取引の実態を把握する目的で証券取引所が行っている調査結果。投資家を個人、金融機関、外国人などの属性に分けて集計している。

> 1990年代前半までは、外国法人の保有比率は10％程度。当時は、個人投資家が20〜30％、金融機関が30％以上を保有していました。

株式分布状況は、年度末などのある時点において、どのような**株主**がどのぐらいの**株式**を持っているかを、**証券取引所**が調べたデータです。

株主の属性は、個人株主、事業法人等、国内の各種金融機関、**機関投資家**等、外国法人（**外国人投資家**）等のように分類されています。金融機関のうちの**投資信託**の保有分もわかるようになっています。近年は、特に外国人投資家の保有比率は注目されています。

東京証券取引所は毎年度末時点で「株式分布状況調査」をまとめています。この調査では、各所有者が持つ**上場**株式について、株式数ベースと金額ベースで集計し、全体に占める比率を公表しています。その他、個人投資家の株主数（延べ人数）や外国人投資家が、どの**業種**の株式を多く持っているかなどもわかります。

また、株主の構成比率は、個別銘柄の投資判断をする上で重要な情報です。IR資料の中で公表されていますので、確認してみましょう。

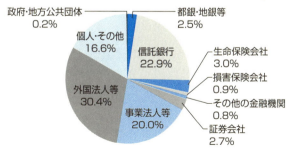

上場株式全体の株式分布状況（2021年度）

政府・地方公共団体 0.2％
個人・その他 16.6％
信託銀行 22.9％
都銀・地銀等 2.5％
生命保険会社 3.0％
損害保険会社 0.9％
その他の金融機関 0.8％
証券会社 2.7％
事業法人等 20.0％
外国法人等 30.4％

出所 東京証券取引所「株式分布状況調査（2021年度）」

第3章　株式市場に関する用語

政府系ファンド

政府が設立し、政府が資金の出し手となって運用されている基金。近年は、オイルマネーのほか、為替介入や製品輸出収入が資金源のファンドも目立つ。

> 政府系ファンドは将来の世代のために資金を管理する目的のはずが、投機的な運用を行う国のファンドもあるようで。為替市場や商品取引市場で存在感を発揮する国も。

　政府系ファンド（Sovereign Wealth Funds：**SWF**）は、その名の通り、政府の資金を運用する目的で政府が設立した基金です。中東やロシアなどの産油国が原油を輸出して得た外貨や、中国、シンガポール、韓国などが貿易黒字で生まれた外貨を運用しているケース、自国通貨売り・外貨買いの為替介入で外貨準備を膨らませている国もあります。

　「**オイルマネー＝政府系ファンド**」と言われるのは、中東の国々で政府系機関が石油を取り扱っているために、オイルマネーが政府の管理下にあることが背景です。

　政府系ファンドは、国際**分散投資**を行い、そのほとんどが投機的ではないと伝えられています。最近では、新興国の政府系ファンドが先進国の会社を買収することも珍しくありません。

●●● 移り変わる政府系ファンドの勢力 ●●●

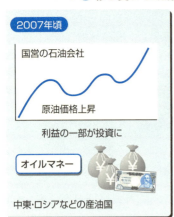
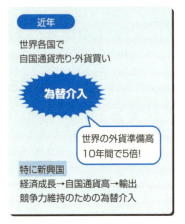

3-3 市場参加者には、どのような投資家がいるか？

オイルマネー

主に中東を中心とした原油産出国が、原油を世界各国に輸出して得た利益を蓄積した資金。自国に投資した余剰資金が海外投資に向かう。

> 米国などで活発なシェールガスやシェールオイルの開発が進み、流通量が増えれば、中東など従来の産油国は不利。今後のオイルマネーの動向にも影響します。

産油国が原油を輸出して得られた利益は、インフラ整備などに使われます。原油価格が高騰すると産油国の利益は増え、余った分が運用に回されます。この運用資金を**オイルマネー**と呼んでいます。

中東の国々では、政府系機関が石油を取り扱っているため、政府がオイルマネーを管理しているのが通常です。使い道も政府系機関が決定しています。このため、「オイルマネー＝**政府系ファンド**」としても認識されています。しかし、実際には、その資金を運用しているのは、欧米の運用担当者であることも多いようです。

潤沢なオイルマネーを持っている代表的な国として、サウジアラビア、アラブ首長国連邦、カタール、クウェートなどが挙げられ、先進国の会社の**株式**を取得するなど、金融市場で存在感を増しています。この場合、経営権の取得目的というよりも、将来の原油の枯渇に備えて先進国の経済のノウハウを得ることも期待しているようです。

オイルマネーの使い道

ヘッジファンド

本来は、さまざまな投資手法を使い、運用資産のリスクヘッジを行う投資方針のファンドを指す。自由な設計で運用するため特徴はいろいろ。

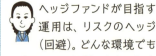
ヘッジファンドが目指す運用は、リスクのヘッジ（回避）。どんな環境でも収益を上げる設計。本来は投資家向けですが、公募投信に組み入れて庶民が買えるものも。

ヘッジファンドは、本来、**相場**環境に左右されずにリスクヘッジを行い、運用資産の絶対収益を得ることを目標にするファンドのことです。契約形態は、特定の投資家を対象にした私募で、投資家のニーズに応じたオーダーメイドの運用をしています。私募ファンドは、広く一般の投資家を対象にしていないので情報の開示義務はなく、投資家保護の規制も緩いために、幅広い運用手段が可能です。ファンドの設立場所は、オフショアのタックスヘイブン（租税回避地）がほとんどです。

ヘッジファンドは、運用の手段に**空売り**や**先物取引**など**デリバティブ**を用いることができます。証拠金の数倍の取引を行い、純資産を上回る損失額や利益額が出ることもあるので、一般にヘッジファンドは**ハイリスク・ハイリターン**になる傾向があります。

ヘッジファンドと公募型の投資信託の違い

	ヘッジファンド	公募型の投資信託
募集形態	特定の投資家への私募	広く一般の投資家から公募
当局の規制	緩やかで比較的自由	厳格な投資家保護
設立場所	主にオフショア	主に国内
投資家の数	少数（人数は国による）	上限なし
投資対象や運用手法	有価証券に限らず金融派生商品も対象とし、空売り、先物取引などが可能	原則として有価証券の現物取引が基本
運用の目標	絶対収益の確保	相対収益でベンチマークと同じかそれ以上の利益追求

※ヘッジファンドは自由な運用設計ができるため、上記に当てはまらない運用を行っていることもある

デイトレーダー

一般に、短期売買をする投資家を指すことが多い。買ったその日に売るなど、1日に何度も売買を繰り返すことからデイトレーダーと呼ばれる。

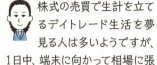

株式の売買で生計を立てるデイトレード生活を夢見る人は多いようですが、1日中、端末に向かって相場に張り付いて神経を使います。意外と楽ではないでしょうね。

1日の間に何度も売買を繰り返すスタイルの短期売買は、「デイトレード」と言います。小さな値幅でもある程度の利益を得るために、1回の売買でまとまった株数を注文することが多いようです。

また、買った**株式**をその日のうちに売る、というような短期の売買を目的にした投資家を**デイトレーダー**と呼んでいます。**信用取引**を使い、売り建てた**銘柄**をその日のうちに買い戻す場合もあります。**株価**が大きく動いている時は、1日といわず、数時間後または数十分後に**反対売買**を行うケースも見られます。

インターネットを通じて株式売買ができるネット取引の普及とネットのインフラ向上が、デイトレーダーを生んだ背景です。株式等の売買益を収入源に生活をしているデイトレーダーもいます。

デイトレードには、会社の理念や魅力に投資をするよりも、株価の変動による「さや取り」を基本とする取引が多いようです。

短期売買を目的にしたデイトレーダー

第3章 株式市場に関する用語

3-4 その他の市場用語には、どんなものがあるか？

株式・証券取引を始めると、実務的な用語に出会います。取引をさらに理解するための専門用語を紹介します。

監理ポスト/整理ポスト

上場廃止基準に該当する事実確認の間に売買される場が監理ポスト。廃止基準に該当した銘柄の売買の場が整理ポスト。

上場廃止を突然宣告されると、投資家は困ります。上場廃止の判断期間、廃止決定銘柄の処分期間に売買できる機会を与えます。

　上場している**株式**や**債券**などの有価証券が**上場基準**に適合しない疑いがあると、**証券取引所**はその事実確認を行います。確認期間中、既存**株主**や投資家に上場廃止になる恐れを注意させながら売買する場が**監理ポスト**です。監理ポストに置かれても、売買は行われます。審査の後、上場廃止基準に該当しないとはっきりすれば、通常の取引に戻ります。

　上場廃止基準に該当すると**整理ポスト**に移行します。整理ポストは、上場廃止が決まった**銘柄**が整理のために売買できる場です。原則として、1ヵ月間の取引猶予期間の後に上場廃止になります。上場廃止日が近づくにつれて**株価**は極度に低くなるのが通常です。

　上場廃止になると**流通市場**を失います。換金は未公開企業としての評価額で、発行会社に株式を買い取ってもらうのが一般的です。

監理ポストと整理ポスト

3-4 その他の市場用語には、どんなものがあるか？

地合い

市場の中に流れるムード。相場の状況を意味し、「地合いが良い・強い」「地合いが悪い・弱い」などのように使われる。売買動向などから推察される。

 相場の解説で、特に理由が見つからずに値下がりした場合に、地合いの悪さのせいにされてしまうことがよくあります。

　地合いとは、**相場**の雰囲気です。漠然としていますが、まったく何も感じさせられない状況よりは、むしろ相場が良いか悪いかどちらかの方向に向いている時に使われることが多いようです。

　「地合いが良い」「地合いが強い」は相場環境が良く、ちょっとしたことでも**株価**が上がりやすいムードの様子を指しています。**出来高**や**売買代金**も比較的多く、市場が明るい時です。

　「地合いが悪い」「地合いが弱い」はその反対です。大きな悪**材料**ではない些細なことでも株価が下がる状況です。もしくは良いニュースにもほとんど株価が反応せず、売買代金も増えずに投資家が期待したほどの株価上昇が見られないといった様子を指しています。

地合いが良い・地合いが悪い

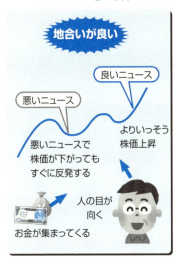

● 第3章　株式市場に関する用語 ●

循環物色

株式市場の中で、値上がりする銘柄や業種が次々と移り変わっていき、順番に幅広い銘柄・業種に活気が巡っていくこと。

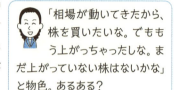

「相場が動いてきたから、株を買いたいな。でももう上がっちゃったしな。まだ上がっていない株はないかな」と物色。あるある？

　投資家が**株式**を買うことを「物色する」と言います。株式市場内で注目される**銘柄**や**業種**が次々に移り変わって買われていく様子が**循環物色**（または**循環株投資**）です。幅広い銘柄・業種に順々に買いの手が広がると市場は活気づき、**相場**は盛り上がります。盛り上がると、さして上がる理由のない銘柄まで勢いに押し上げられて値上がりすることもあります。しかし、一通り買われると「一巡した」と言われる調整が入ることもあります。

　例えば、まずは設備投資が活発だと報じられて機械株が買われて上昇し、次に素材関連株に買いの手が回り、次に自動車株や電機株が買われ、次にはそれまで調整をしていた不動産株が買われる……、といったように市場で注目される投資対象が移り変わっていくことです。まさに物色対象が循環する様子です。

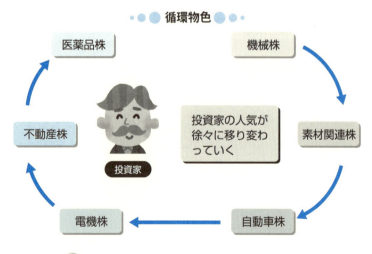

⚠️ 移り変わる順番や業種はその時々によって異なる

3-4 その他の市場用語には、どんなものがあるか？

換金売り

株式などを売って、現金を確保すること。投資家の不安心理が強まった時などに「とりあえず売っておこう」という感じの売り。明確な定義はない。

> イヤ〜な胸騒ぎ。「特に売るような理由はないけれど、一旦ここで売って、お金に換えておこう」という投資家の動きが換金売り。

　一般的に手持ちの**株式**などを売却して現金に換えることが**換金売り**です。強い売却理由があるわけでなく、将来の**株価**変動**リスク**に備えて現金を確保しておくというニュアンスが含まれています。

　換金売りが出やすい場面は、**相場**全体に不安心理が強まり、投資家が資産の目減りを防ごうとする時などです。お正月やゴールデンウィーク、祝日などの休み中には、大きな悪い出来事が起こっても売り逃げられないので、念のため、休み前に換金売りをするケースも見られます。判断の難しい**材料**の発表を目前に控えている時、そのニュースが悪かった場合の株価下落を防ごうと、事前に換金する動きが出ることもあります。また、大規模な公募・**売出し**の直前に、その買付け代金を用意するために保有株式を換金売りすることもあります。

換金売りが多いと……

明日の相場がどうなるか、わからない → よし、念のため保有株式を全部売却しておこう！　換金売り

投資家の換金売りが多いと……
・株価の水準に関わらず売却を急ぐため、相場の下げを加速しやすい
・ファンダメンタルズを無視した売りになりやすく、株価が本質的価値に見合わぬ割安な水準になりやすい

第3章 株式市場に関する用語

ボックス相場

株価の上下が決まってしまい、高値近辺にくると値下がりし安値近辺で値上がりするという動きを続ける市場の様子。

 株価の動きがボックス圏内を行ったり来たり。値動きが安定していると見るか、じれったいと思うかは投資家しだい。

　ボックスは、箱（box）です。**株価チャート**を描くとすっぽり箱の形に収まってしまう値動きが**ボックス相場**です。ある期間において、**株価**が何度も「上がってもこの水準まで・下げてもこの水準まで」という一定の価格帯に収まってしまう**相場**の状況です。この一定の価格の幅を「レンジ」と呼ぶことから**レンジ相場**とも言います。また、このような状態は、買い手と売り手がほぼ互角であり、ボックス圏内の値動きの上げ下げを「もみ合い」とも呼んでいます。

　ボックス相場になる背景は、良きにつけ悪しきにつけ、株価を一方向に動かす**材料**が乏しい状況が一般的です。高値と安値の間を行ったり来たりしながら売買を重ね、ある時何かのきっかけでボックスを抜けてレンジから外れていきます。この瞬間は、株価が上昇すれば「上離れ」、下落すれば「下離れ」と言います。

ボックス相場

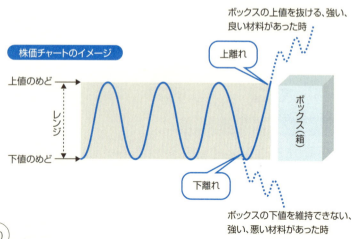

第4章

株式の種類や特徴に関する用語

株式には、特徴によって分類された名称がついています。初心者向けの用語を揃えました。

第4章 株式の種類や特徴に関する用語

4-1 株式には、どのような種類・分類があるか？

株式は、株式会社の規模や特徴、株価の水準、取引市場などによって分類することができます。

大型株/中型株/小型株

上場会社の株式を会社の時価総額や流動性に応じて規模別に分類した3段階の区分。株価の高い安いは関係ない。

皆さんは、何を基準に「大きい会社」「小さい会社」を判断しますか？ ここでは、流通する株式の規模の大小を指しています。

大型株、**中型株**、**小型株**は、**発行済株式数**や**時価総額**で規模の大小を区別した分類で、**株価**の高安ではありません。

東京証券取引所の「規模別株価指数」では、TOPIXの構成**銘柄**について、大型株を時価総額と**流動性**が高い上位100銘柄とし、大型株に次いで時価総額と流動性が高い上位400銘柄を中型株としています。ここまでに含まれない銘柄は、すべて小型株です。

大型株は、売買が活発なことから値動きが比較的小幅です。反対に流通する株式数が少ない小型株は、ちょっとしたニュースでも株価が乱高下しやすいという特徴があります。

●●● 東証株価指数（TOPIX）における規模別株価指数算出の際の区分 ●●●

種類	東証一部に上場する銘柄
大型株	時価総額と流動性の高い上位100銘柄
中型株	大型株に次いで高い400銘柄
小型株	大型株・中型株に含まれない全銘柄

4-1 株式には、どのような種類・分類があるか？

優良株

収益性、成長性、安定性などが優れている会社の株式。グローバルな事業展開で知名度が高い銘柄に多く、機関投資家や外国人投資家などからの評価も高い。

> 優良株は、株の中の優等生。比較的安心して買える反面、成長の余地に限りもあり、面白みに欠けるところもあるかもしれません。

　優良株とは、一般的に**企業業績**が好調で安定した成長が期待でき、財務体質が健全な**銘柄**を指します。特に中長期的な運用資金の投資対象として**機関投資家**や**外国人投資家**に好まれています。国際的に活躍しているその国を代表する会社を指すことが多いため、「国際優良株」とも呼ばれます。一般的に**NYダウ**との連動性が高く、**米国株**の値動きの影響を受けやすい特徴を持ちます。

　一方、業績や事業内容などから成長力はあるものの、会社の規模が小さい銘柄は「成長株（グロース株）」と言います。時代に先行する業態や新技術の開発に努めている会社に多く、投資家からは「将来性を買う」といった投資目的で注目されています。

●●● 成長株と優良株 ●●●

成長株

来期最終利益
30億円

今期最終利益
10億円

前期最終利益
5億円

優良株
・業績好調！
・配当金増額！
・財務体質健全！
・国際的な事業展開
・安定成長

株式会社

93

第4章 株式の種類や特徴に関する用語

割安株

本来の価値から見て割安な株価の状態にある銘柄のこと。業績や財務内容から判断した株価より、市場の評価が低くなっている銘柄。

> ただ値段が安いだけの株は、ボロ株。割安株とは言いません。実力があるのに、何かの理由で値下がりしているものが割安株です。

　割安株（バリュー株）とは、本来の価値から見て**割安**な状態の**銘柄**です。一般に会社の**収益性**や資産価値、**株価**の推移などと比較・分析して判断します。**割高・割安**を見る指標は、EPSやBPSを基準としたPER、PBRなどです。**株価チャート**でも割安な状態かを見られます。好業績で配当金が高いにもかかわらず、割安な株価のまま放置されている場合、配当利回りは高くなります。

　割安株投資は、上記の指標やチャートなどから株価が割安な水準にある銘柄を探して投資し、「いずれ株価は理論上の適正な水準に戻る」と考えて長期的に保有する取引方法です。割安株は、すでに株価の下げ余地が小さい状態なので、比較的、「〇〇ショック」といった株価の暴落場面でも下げ余地が小さく、耐え得ることが多い銘柄です。

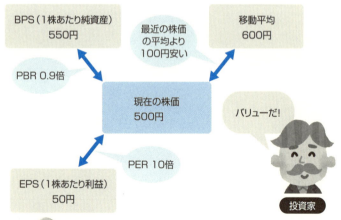

！ 割安株とは本来の価値から見て割安な株価の状態にある銘柄のこと

4-1 株式には、どのような種類・分類があるか？

低位株/値嵩株

低位株とは株価水準が低い銘柄のこと、値嵩株とは株価が高い銘柄のこと。特にボーダーラインはなく、あいまい。

> ひと昔前の値嵩株は、大枚をはたいて買う銘柄でした。今は株式分割や単元の見直しもあり、手が届きやすい株になりました。

単純に、**株価**水準が低い**銘柄**のことを**低位株**、高い銘柄を文字通り値がかさむ株という意味で**値嵩株**と言います。株価水準が中くらいの水準の**株式**は「中位株」となります。

株価の水準に応じて低位株や値嵩株と呼びますが、いくら以下が低位株で、いくら以上が値嵩株という明確な定義はありません。一般的な概念として、株価が500円以下ぐらいの銘柄を低位株、株価が5ケタであれば値嵩株と呼ぶことが多いようです。

2018年10月、**証券取引所**の働きかけで、すべての**上場**会社の単位株が100株に統一されました。従来1,000株単位だった銘柄が100株単位になり、それまで低位株とされていた銘柄の株価が調整されて1ケタ増えました。反対に1株単位だった銘柄が1単元100株になると株価が2ケタ下がります。低位株、値嵩株の概念が薄れてきています。

低位/値嵩と大型/小型を混同しない

第4章　株式の種類や特徴に関する用語

優先株

種類株の1つで、普通株に比べて何かが優先する株式のこと。日本では配当金を優先的に受け取れる優先株がほとんどで、社債に近い性質を持つ。

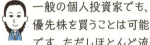
一般の個人投資家でも、優先株を買うことは可能です。ただしほとんど流通していないので、手に入れるのも換金するのも困難です。

　証券取引所などで通常売買されるほとんどの**株式**は「普通株」です。普通株に比べ何かの**株主の権利**が優先的に得られる株式が**優先株**です。優先株には、**配当金**が普通株より多いとか、会社の解散時に残った財産を受け取る権利（残余財産分配請求権）を優先的に持つ、などがあります。その代わり何かを犠牲にするのが通常で、例えば配当金を優先する場合は、経営参加権（議決権）が制限されるケースが一般的です。

　リストラ資金を集めたい状態の会社は、配当金支払いというコスト面の負担よりも経営に口出しをされないメリットに重きを置く場合があります。さらに、一定期間後に買い戻せる条件を付けておけば、**企業業績**が良くなって財務体質が回復したら、その優先株を買い戻すこともできます。しかし、業績が悪化して約束通りの配当ができないと、普通株に転換される可能性もあります。

優先株とは

普通株より　優先　する株
何が？
●株主配当金が多い
●解散時の残余財産を
　優先的に受け取れる
　　……など

優先株の方がいい？
投資家

NO!要検討！

代わりに……
●議決権がない　などの条件

優先株発行の例
資本増強
買収
ベンチャー企業

●優先株の発行株数が少なく流通性に乏しい
　→適正な株価で流通しないことも！

4-1 株式には、どのような種類・分類があるか？

浮動株/固定株

株式市場における売買が活発な銘柄を浮動株という。一方、浮動株、特定の大株主が保有したままで、ほとんど売買されない銘柄を固定株（特定株）という。

浮動株は投資家の売買が頻繁で、あっちの株主、こっちの株主へと居場所が移り、固定株は一個所の株主のもとに留まる様子を意味しています。

　市場内の取引の活発さの度合いで**株式**を分類した用語です。定義の基準は、定める側によってまちまちです。

　浮動株は、**証券取引所**での売買が活発に行われ流通量が多い株式です。それに反して、親会社や創業者、経営者、取引先が保有する株式や、銀行その他の事業会社との持ち合い株式は、一度保有したらその**株主**はなかなか手放さず、安易に売却されないので**固定株**（**特定株**）と呼ばれます。

　発行済株式数のうち浮動株や固定株の占める割合を「浮動株比率」や「固定株比率」と言います。浮動株比率の高い**銘柄**は比較的**株価**の動きが安定しており、むしろ値動きが重いくらいです。しかし、流通量が多いほど、価格形成には公正であると言えます。**機関投資家**の大量注文にも耐えられるため、浮動株比率は高いほうが好ましいとされています。固定株比率の高い銘柄は流通している株式が少ないため、ちょっとしたニュースで株価が大きく変動するという特徴があります。

● ● ● 東証での浮動株と固定株の定義 ● ● ●

浮動株

各企業の上場株式のうち、「実際に売買される可能性の高い株式」
上場株式から固定株を控除したもの

固定株

以下の合計
・大株主上位 10 位までの株式数
・役員保有株式数
・自己株式数
・他の上場会社等が保有する当該上場会社の株式（政策保有株）

第4章 株式の種類や特徴に関する用語

4-2 主な外国株式には、どのようなものがあるか？

日本国外で発行される株式について説明します。

外国株 海外に籍を置く会社が発行する株式。国内投資家が外国株を取引するには、証券会社に「外国証券取引口座」を開設する必要がある。

 インターネット証券を中心に、国内の一般の個人投資家でも外国株を買いやすくなってきました。手数料と為替リスクに気をつけて。

日本国内の**証券会社**を通じて**外国株**を売買する方法には、「外国委託取引」「国内店頭取引」「国内上場外国株式を売買する方法」「カントリーファンドや外国ETFを売買する方法」の4つがあります。いずれも株式の価格変動に加え、為替変動によっても価値が増減します。

 外国株の取引方法

外国委託取引
- 顧客が取引する国内証券会社から外国証券業者を通じて現地市場に送り、注文執行
- 取引成立後、外国から顧客の取引証券会社を通じて取引報告
- 取引の対象は、世界の主要市場に上場する株式
- ただし、対象市場でも個別に扱えない銘柄もあるため要確認

国内店頭取引
- 顧客の注文に対し、取引証券会社が相対取引
- 銘柄、株価など顧客の注文内容と合致すれば取引成立
- ただし、すべての外国証券を扱うわけではない

国内上場外国株式を売買
- 東京証券取引所に上場する、外国企業の株式取引
- 株価は円表示。売買方法、売買手数料等は、日本株と同じ

東証でカントリーファンドや外国ETFを売買
- 東京証券取引所に上場する特定の国や地域へ投資する会社型投資信託
- 価格は円表示。売買方法、売買手数料等は、日本株と同じ

4-2 主な外国株式には、どのようなものがあるか？

米国株

ニューヨーク証券取引所やNASDAQ証券取引所といった、アメリカの証券取引所に上場している米国籍企業が発行する株式のこと。

朝起きて、寝ぼけまなこで米国株をチェックしたところ、大暴落にビックリ目が覚めた！　反対に値上がりしてガッツポーズ！

　世界の経済大国である米国は、証券市場も世界最大です。それだけに、**米国株**の動向は世界中から注目されます。**NYダウ**や**ナスダック総合指数**は日本でも大きく報じられます。米国株に連動して翌朝の日本の**株価**が動くのは珍しくありません。

　日本の個人投資家が米国株を取引するには、ほとんどの場合、日本の**証券会社**に注文を出します。ただし、証券会社により取扱**銘柄**が異なります。大手のインターネット証券会社では、数千銘柄以上の米国株の取引ができるところもあります。

　日本の市場に**上場**している**株式**に銘柄コードがあるように、米国株にも銘柄を識別するコードがあります。「ティッカーコード」と呼ばれ、社名を略したアルファベット大文字で構成されています。

●●● 米国株とは ●●●

日本の証券会社で取引できる米国株式等		
	米国株	ニューヨーク証券取引所、ナスダック証券取引所等に上場している株式
	ADR銘柄	米国外の会社が発行する預託証書（株式を裏付けにした証書）
	米国ETF	米国内外の金融市場の株価指数や債券インデックス、オプション指標、商品指数などに連動する上場投信
	米国REIT	オフィスビル、マンション、倉庫、商業施設などに投資をする不動産投信

99

第4章　株式の種類や特徴に関する用語

ADR

米国市場で外国企業の株式を裏付けに発行する証券で、米ドル建ての記名式で譲渡可能な預かり証書。株式を所有するのと同じ効力がある。

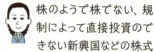
株のようで株でない、規制によって直接投資のできない新興国などの株式を、米国市場で取引できる形にしたものがADRです。

　ADR（American Depositary Receipt：**米国預託証書**）は、米国の投資家が米国外の会社に投資できるように作られた、米国市場に**上場**する**証券**です。有価証券の所有権を示す証書です。

　日本をはじめ、欧州各国や**BRICs**（ブラジル、ロシア、インド、中国）、南アフリカや台湾など、世界中の数多くの優良企業がこのADRの制度を使って証券を発行し、米国市場に上場しています。日本からニューヨーク株式市場やNASDAQ市場に注文を出すことで、日本からの投資が難しい国々の**株式**にも投資できます。また、ADRは、ニューヨーク株式市場やNASDAQ市場の上場株式とほぼ同じ開示基準が適用され、一般にADRの発行会社の**ディスクロージャー**は厳格で情報量が豊富だと言えます。

　2008年の法改正により、ADRの対象になっている会社が関与せずに米国の預託銀行がADRを発行できるようになりました。これを「スポンサーなしADR」と言い、本来のADRが「スポンサー付き」です。

「スポンサー付きADR」と「スポンサーなしADR」

（図：X社株式（日本や新興国など、米国で株式を流通させたいX株式会社）は米国の預託銀行に「関与」してスポンサー付きADRとしてX社ADRを発行し米国市場に流通。Y社株式（特に米国市場で株式を上場させたいとは思っていないY株式会社）は「関与せず」、米国の預託銀行がスポンサーなしADRとしてY社ADRを発行し米国市場に流通）

4-2 主な外国株式には、どのようなものがあるか？

中国株

中国の会社が発行する株式。香港市場と、中国本土の上海市場・深セン市場がある。A株は人民元建て、B株は外貨建て。香港には、新興市場もある。

日本国内の証券会社のうち数社は、中国株に特に力を入れ、中国株に特化した社風をアピールしています。豊富な情報力が特徴です。

　中国の**証券取引所**は、香港、上海、深センの各市場です。

　上海と深センは、本土と呼ばれます。それぞれの本土市場は、中国国内投資家および特定の条件を満たした投資家向けの「A株市場」と、中国人および中国から見た**外国人投資家**が取引できる「B株市場」があります。香港市場は香港ドル建て、上海B株市場は米ドル建て、深センB株は香港ドル建てで取引されています。A株は人民元建てで取引されています。

　香港市場には、「H株」や「レッドチップ」と呼ばれる**銘柄**があります。H株は中国本土で登記され中国本土で事業展開をし、香港市場に**上場**する純中国企業です。レッドチップは海外で登記された会社が中国本土で主な事業を行い、香港に上場している銘柄です。香港は、メインボードとGEM（Growth Enterprise Market）という**新興市場**に分かれています。

　2014年11月以降、上海A株が香港取引所経由で一般の外国人投資家も取引可能になりました。

●●● 中国株の主な分類と特徴 ●●●

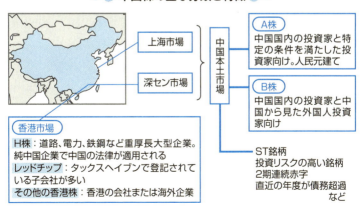

第4章　株式の種類や特徴に関する用語

アセアン株

ASEAN(東南アジア諸国連合)域内の国々の市場に上場する株式。経済の成長力はあるが、先進国に比べてリスクは高い。

マーケットの小さいアセアン諸国は、ハイリスク。取引手数料や為替のコストが割高で、値動き幅が大きいので注意が必要です。

　ASEANは、東南アジア10カ国が加盟する地域協力のための組織です。加盟国のうち、日本の**証券会社**で取引を取り扱っているのはインドネシア、シンガポール、タイ、フィリピン、マレーシア、ベトナムなどの市場に**上場**する**株式**です。これらの国々の産業は、金融や不動産の構成比が比較的高いのが特徴です。

　ただし、取り扱いは日本の証券会社の間でも差があります。インターネット証券を中心に一部の証券会社では**アセアン株**の取引を導入していますが、大手証券会社では扱っていません。大手証券では、米国市場でアセアン諸国の会社を対象とした**ADR**のいくつかの**銘柄**か、アセアン株式を組み入れた**投資信託**を販売する程度です。

　アセアン諸国の会社は**成長性**が期待でき、投資対象としては魅力があると言えます。ただし、市場が未成熟で、為替交換手数料は**割高**、為替**相場**の規模が小さいなど、**リスク**があるので注意が必要です。

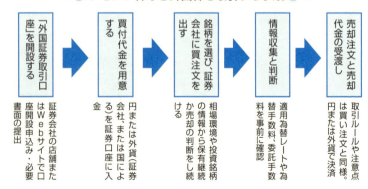

●●● **アセアン株など外国株を取引する手順** ●●●

「外国証券取引口座」を開設する	買付代金を用意する	銘柄を選び、証券会社に買注文を出す	情報収集と判断	売却注文と売却代金の受渡し
証券会社の店舗またはWebサイトで口座開設申込み・必要書面の提出	円または外貨(証券会社、または国による)を証券口座に入金	相場環境や投資銘柄の情報から保有継続か売却の判断をし続ける	適用為替レートや為替手数料、委託手数料を事前に確認	取引ルールや注意点は買い注文と同様。円または外貨で決済

※日本の証券会社を利用する場合

● 第5章 ●

株式会社に関する用語

株式を買うことは、株式会社に出資を
すること。株式会社の仕組みや事業に
関する用語をおさえておきましょう。

第5章 株式会社に関する用語

5-1 株式会社は、どのような仕組みになっているか？

株式会社は、資本主義社会における非常に優れた制度です。株式会社に関わる基本的な用語を解説します。

株式会社

株式を発行して資金を集める会社。株主の責任は、出資額に限定される。資本と経営が分離しており、事業は経営者が担う。

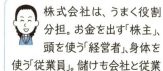

株式会社は、うまく役割分担。お金を出す「株主」、頭を使う「経営者」、身体を使う「従業員」。儲けも会社と従業員と株主で分け合う仕組みです。

株式会社は、会社の所有と運営が分かれています。**株主**が事業資金を提供し、**株主総会**で経営を託せる人を選び、事業内容もチェックします。もし倒産しても、その穴埋めに株主が私財を投じる責任はありません。

株式会社のうち、発行する株式の売買に制限をかけることなく、誰でも株主になれる会社を**上場**会社と言います。その株式は**証券取引所**で売買され、流通しています。

株式会社とその他の会社組織の違い

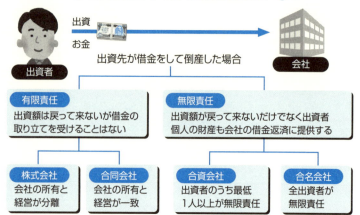

5-1 株式会社は、どのような仕組みになっているか？

会社法 2006年5月1日に施行された、それまでの会社に関する法律を見直して一本化した法律。会社の設立や運営の基本などについて定めている。

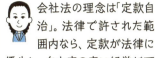
会社法の理念は「定款自治」。法律で許された範囲内なら、定款が法律に優先し、自由度の高い経営が可能。半面、責任も問われます。

会社法施行前、会社の利害調整や**株主・債権者保護**の規定は、商法などに分散されていました。市場や会社経営の環境変化に対応できるように、商法のうちの会社に関する有限会社法や、**株式会社**の監査等に関する商法の特例に関する法律等を1つにまとめたものが会社法です。起業や組織再編に必要な条件が緩和された一方で、**コンプライアンス**が強化されました。

会社法では、会社の事業目的や正式名称、本店所在地、出資額、発起人、発行可能な株式総数などを定款に記載することを定めています。また、公開会社の定義、**取締役会**や委員会の設置・非設置などの株式会社の形態も、会社法で定めています。

さらに、**株主の権利**、責任、**株主総会**に関する事項も規定しています。株式会社は、事業資金を出した株主の利益が最大になるように運営されます。そのための経営体制を整えることが会社法の目的になっています。

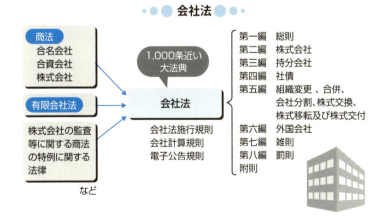

第5章　株式会社に関する用語

株主総会

株式会社の基本的事項を決める株式会社の最高機関。株主によって構成され、株主全体の総意を確認する際に集まり、審議する機関。

議事進行を妨げる「総会屋」、形式だけの「シャンシャン総会」、配当よこせと「モノ言う株主」。時代は変わり、試食会など「開かれた総会」へ。

　株主は事業資金の出し手ですが、日々の業務は**取締役**に任せています。しかし、事業に関する重要な決定事項は、株主の総意を確認しなければなりません。年1回の定時総会と、場合によっては臨時に開催されます。

　株主総会で決定する主な事項は、定款の変更、取締役・**監査役**の選任、会社の解散・合併などです。**取締役会**がある会社では、通常、取締役会が、株主総会の招集、開催日、議題などを決定します。公開会社の場合は、原則として2週間前までに総会の招集通知を発送することとなっています。改正により、2022年9月1日から、総会に必要な書類をWebサイトから提供できるようになりました。さらに2023年3月以降の株主総会からは、Webサイトでの公開が原則になります。総会資料の郵送を希望する株主は、書面交付請求の手続きが必要です。

　株主総会の決議には、普通決議、当別決議、特殊決議の3種類があります。株主は、本人が株主総会に出席するほか、代理人を出席させることができます。また、株主総会に先立ち、会社や特定の株主が全株主に**委任状**を送り、株主から会社への委任を受ける方法もあります。買収などの事案で繰り広げられる委任状争奪戦(プロクシーファイト)は、このケースです。

株主総会の決議は3種類

	普通決議	特別決議	特殊決議
決議事項	通常の決議事項(役員報酬、自己株取得、取締役の選任、など)	重要な決議事項(定款変更、解散、合併、会社分割、事業譲渡など)	株式に新たな譲渡制限をつける場合、株式が譲渡制限株式等に変わる場合
成立条件	議決権の過半数の株主が出席し、出席株主の過半数賛成で成立(定款で変更可)	議決権の過半数(定款で1/3まで可)の株主が出席し、出席株主議決権の2/3の賛成で成立	議決権を持つ株主の半数以上(定款で変更可)の出席かつ出生株主議決権の2/3の賛成で成立

5-1 株式会社は、どのような仕組みになっているか？

取締役

株主総会で選任された株式会社の経営者。会社経営の必要事項を決定し、実際に経営を行う。任期は原則2年。

 近年は企業統治への意識が高まり、株主の目も厳しくなりました。取締役は株主に「取り締まられる役」？

会社法や商法では、具体的に「社長」についての定めがありません。それに対して、**取締役**は、会社に対して責任を持つ立場の「役員等」として、定められています。取締役は、**株主総会**で選ばれます。取締役は、会社の経営に必要な事項を決定し、**株主**の資本で事業の利益を上げるための業務を行います。業務遂行に当たっては、「法令・定款・株主総会決議を遵守する義務」「善管注意義務」「忠実義務」を守らなければなりません。また、取締役はお互いに他の取締役の監督をします。

取締役会は取締役全員がメンバーで、重要な事項を決定します。取締役会の取締役は3名以上ですが、取締役会を置かず1人の取締役でも良くなりました。代表取締役は、複数人でも構いません。

独立社外取締役は、過去も現在もその会社や子会社と直接利害関係のない人から選ばれます。**コーポレートガバナンス・コード**に基づき、**東証**は、プライム市場上場会社に対し、独立社外取締役を少なくとも3分の1以上、必要に応じて過半数を選任すべきとしています。

取締役、取締役会、代表取締役

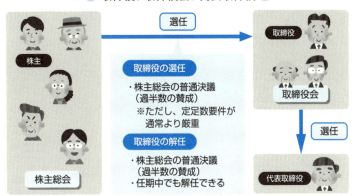

第5章 株式会社に関する用語

取締役会

取締役全員で構成される、株式会社の業務執行に関する意思決定機関。株主総会での決定事項以外を決める権限を持つ。上場会社には、取締役会を置く必要がある。

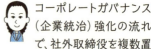

コーポレートガバナンス（企業統治）強化の流れで、社外取締役を複数置いたものの、その効果は？ 形式だけでなく、内容が問われています。

現在の**会社法**の下では、**株式会社**であっても、必ずしも**取締役会**を置かなくてもよくなりました。取締役会を置くか置かないかによって、会社法で適用する規定が異なります。例えば、取締役会のない株式会社は、**株主総会**ですべての事柄を決定できます。

上場会社では、取締役会を設置しなければなりません。取締役設置会社では、取締役が3人以上必要です。株主総会が会社の最高意思決定機関で、経営に関する意思決定機関が取締役会です。株主総会の決議事項以外の業務執行に関することを決定します。具体的には、株式譲渡の承認、**株式分割**、重要な財産の処分や譲渡・引受、多額の借財、株主総会の招集、代表取締役の選任などです。

株主総会と違い、状況に応じて迅速に会議を開催できるのでスピーディです。また、株主の意向を伺わずに意思決定ができる点もメリットです。

取締役会の仕組み

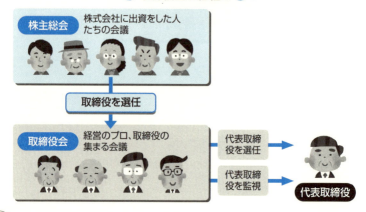

(108)

5-1 株式会社は、どのような仕組みになっているか？

監査役 株式会社のお目付け役として、株主の利益のため取締役や会計参与の職務執行を監査する職責を負う。株主総会で選任・解任される。

繰り返し起こる企業の不祥事。不祥事防止や早期発見のために、監査役には毅然と職務を遂行してもらいたいところです。

監査役は、**取締役**が法令、規制、社内規定などのルールを守って業務を行っているかについて、第三者の立場でチェックする機関です。**会社法**では、**取締役会**を置く会社には、監査役が必要と定めています。**上場**会社は取締役会設置会社なので、監査役が置かれています。監査役の任期は4年。**株主総会**の普通決議で選任され、解任される場合は特別決議によります。監査役は独立した存在で、子会社の役員を兼任できません。

監査するのは、取締役の業務執行の違法性（業務監査）や、取締役が作成した**財務諸表**に虚偽がないか（会計監査）など。是正すべき点があれば指摘します。監査役が任務を怠ったり、悪意や重過失によって会社や第三者に損害を与えたりした場合、損害賠償責任を負います。会社に対する監査役の責任は、**株主代表訴訟**で追及されます。

監査役会は、すべての監査役で構成されます。監査役会を設置するか否かは任意です。上場会社で監査等委員会設置会社・**指名委員会等設置会社**のどちらでもない場合は、監査役会を置かなければなりません。

上場大会社の監査役制度

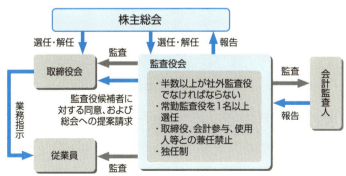

109

第5章 株式会社に関する用語

会計監査人

取締役が作成した会社の計算書類などを監査する、公認会計士または監査法人などの専門家。会計監査報告を作成する。

株式会社の帳簿を、会計の専門家の目線でチェックします。監査役に比べると、こちらは厳しい目を持ったプロフェッショナルです。

会計監査人は、公認会計士または監査法人でなければなりません。**株式会社**に会計監査人を置くのは任意です。ただし、資本金または負債額が一定額以上の株式会社（大会社）の場合は、**上場**、非上場を問わず、**監査役**による監査のほかに、会計監査人を置かなければなりません。また、監査等委員会設置会社や**指名委員会等設置会社**でも会計監査人が必要です。

会計監査人は、監査役会の同意を得て、**株主総会**で選任されます。**会社法**では、株主総会に提出する会計監査人の選任・解任等に関する決議案は、監査役（監査役会）の決定事項です。会計監査人が任務を怠って会社に損害を与えた場合、**株主代表訴訟**を起こして責任追及ができます。また、会計監査報告に記載する重要事項について**虚偽記載**をし、第三者が損害を被った場合、その第三者に対して損害賠償責任を負います。

会社の内部統制が重視されるに従い、コーポレートガバナンス（企業統治）の仕組みが強化されています。

大会社の内部統制

監査役
- 取締役の業務執行を監査
- 会社から独立した立場で経営をチェック

監査役は会社内部に近い関係なので会計監査人を別に置く必要がある

会計監査人
- 株主総会で選任される
- 公認会計士、監査法人など専門家
- 会計に関する帳簿の監査

指名委員会等設置会社

監査役を置かず、指名委員会、監査委員会、報酬委員会が経営のチェックを行う株式会社。意思決定の迅速化と監督強化を高めた制度設計になっている。

頭数だけ揃えた受け身の取締役。「指示待ち」「右へならえ」「事なかれ主義」が生み出した強力な1人の権力者に権限が集中するのを避ける狙い。

2003年4月施行の商法改正で導入された「委員会等設置会社」が、2006年5月施行の**会社法**で委員会設置会社となり、2015年5月の改正会社法で**指名委員会等設置会社**となりました。この時に創設された「監査等委員会設置会社」と区別するためです。

指名委員会等設置会社では、**取締役会**が選任した執行役や代表執行役が、担当業務に専念します。従来の取締役会のように、大勢の取締役が会議で意思決定をするのでは時間がかかります。指名委員会等設置会社では、経営に関する事柄の決定権限は執行役に集中し、独断で決められます。その分、執行役への監督監視を強化する必要があるため、指名委員会等設置会社は、指名委員会、監査委員会、報酬委員会を置かなければなりません。各委員会は、それぞれ取締役3名以上で、そのうち過半数は社外取締役で構成されます。

指名委員会等設置会社の企業統治

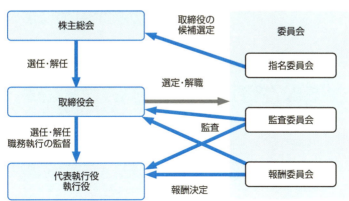

第5章 株式会社に関する用語

CEO/COO

主に米国の会社で定着している、経営組織における名称。CEOは最高経営責任者、COOは最高執行責任者。

> 従来の日本の会社組織では、経営者は創業者やオーナーがほとんど。米国型の経営者は、株主の代理人である取締役会で選ばれます。

　米国型コーポレートガバナンス（企業統治）では、会社の所有と経営がはっきり分かれています。**取締役会**は日本と異なり、**株主**を代表する機関です。**CEO**（**最高経営責任者**）は、経営の意思決定と経営を監視し、会社全体の経営方針を決める最高権力者です。取締役会で、任命されます。**COO**（**最高執行責任者**）は会社運営の実務担当です。CEOが定めた経営の方針や戦略に従って、実務を担います。CEOが戦略を立てて、COOが実行するという役割に分担され、責任の所在が明確です。

　日本の**指名委員会等設置会社**は、米国型経営に近い制度です。しかし日本の**会社法**では、代表権を持つのは取締役または代表取締役、指名委員会等設置会社では代表執行役です。CEOやCOOは経営責任の所在を明確にするためにの呼称で、法的な役割ではありません。

米国型のCEO、COO、CFO、CIO、CAO

(株主総会における)委任状

株主総会に出席できない株主は、代理人による議決権の行使が認められており、委任状とは代理権を証明する書面のこと。

> 一定数の株式を持てば、株主名簿が閲覧可能。
> 全株主に委任状を発送し、会社側の委任状とどちらが多くかき集めるか。委任状争奪戦です。

　会社法では、**株主**が**株主総会**に出席できない場合に、代理人による議事の賛否を表明することを認めています。そのために必要な書類が**委任状**で、株主または代理人が会社に提出します。ただし、会社によっては株主総会の代理人になれる資格の規定や定款で代理人を株主に限定するなど、誰でも代理人になれるわけではない場合もあります。

　株主総会の委任状は、本来、総会当日に都合の悪い株主が代理の人に出席してもらうための書類です。しかし、一定数の**株式**を持つ株主であれば、会社提案の否決や、株主議案の賛同を求めて委任状を送ることができます。敵対する会社側と買収者側のどちらが支持を得るか、委任状を取り合って争うことを「プロクシーファイト」と言います。

株主総会における委任状の役割

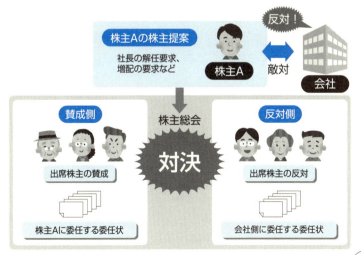

第5章 株式会社に関する用語

5-2 事業資金は、どのように集められるか？

株式会社が株式を発行して出資を募る仕組みや、資本を知るために、必要な基本用語を学びましょう。

資金調達 事業のために必要な資金を集めること。株式の発行、債券の発行、借入れなどの方法がある。会社の創業時や事業拡大時に行われる。

一戸建てが欲しいけど頭金が……。銀行ローン、社内融資、親にも援助してもらおうか……。まさにこれが「資金調達」です。

　事業に必要な資金を集めることを**資金調達**と言い、**株式**や**債券**の発行や借入れなどがあります。資金調達は創業時だけでなく、すでに事業を行っている会社でも、工場の新設や新規事業への参入、企業買収などさらなる事業拡大のために行うことがあります。

　株式を発行して投資家に買ってもらい、事業資金を集める方法が「エクイティ・ファイナンス」です。これには**CB**の発行など、株式に準ずる性格の**証券**で調達する方法も含まれます。

●●● 株式発行と債券発行・借入れによる資金調達の違い ●●●

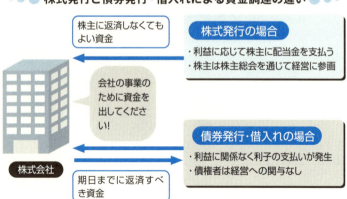

(114)

増資

事業資金となる資本金を増やすこと。出資する投資家には新しい株式を発行して交付する。増資により発行済株式数は増える。何のために資金を集めるかが重要。

増資した分、株式の数が増えます。会社の実力が同じなら、1株あたりの株式の価値、つまり株価は下がってしまいます。

会社が投資家から新しい資金を募り、資本を増やすことを**増資**と言います。増資の目的は、新規事業や買収資金に使うなど、前向きに事業資金を集める場合もありますが、必ずしも良い話ばかりではありません。不況の中で事業再編を進めている時期には、リストラ資金のための増資をするケースも多く見られました。

増資の方法には、**株主**割当発行増資、**公募発行増資**、第三者割当発行増資があります。株主割当発行増資では、発行する**新株**を購入できるのは既存株主に限られますが、購入は義務ではありません。広く一般から投資家の資金を募る場合には、公募発行増資が行われます。

企業業績が悪く、リストラ資金を集めるような会社や、創業時など知名度が低い時には、一般の投資家からの事業資金は集まりにくく、スポンサーに資金を求めて、第三者割当発行増資を利用することが多いようです。

増資の種類と特徴

増資の種類	出資者	特徴
株主割当発行増資	既存株主	時価より安い株価で既存株主に対して発行。株主は割安に買い増しができるところがメリット
第三者割当発行増資	特定の第三者	スポンサーに対して出資をお願いするようなケース
公募発行増資	広く一般から公募	発行価格は時価。成長過程にある会社や資金集めに自信がある場合に選択

第5章 株式会社に関する用語

減資
企業が事業資金の元となる資本金を減らすこと。過去から積み上がった赤字を解消するために資本金を取り崩して欠損金の補てんに充てることが多い。

 体重を減らすと、体が軽くなり動きが良くなります。会社も同じ。会社の規模を縮小すると、身軽になり効率のよい経営ができます。

税務上の赤字は、翌年の**貸借対照表**の**資産の部**に「繰越欠損金」として計上されます。欠損金は、まずは剰余金や法定準備金で穴埋めします。それでも足りなければ資本金を減らして同額の欠損金も帳簿からなくし、貸借対照表の総資産と総資本を同じだけ減少させる最終手段に出ます。これが**減資**の目的です。減資は、**発行済株式数**を減らす方法と、株数を変えずに資本金だけを減らす方法の2つがあります。

減資は、100％の減資でない限り、**株主の権利**や利益、ひいては**株価**に対しても直接の影響がありません。例えば、50％の減資は理論的には株価が2倍になるからです。しかし、減資をするほど最悪な状態なのだと投資家が捉えて悪**材料**となった結果、多くは株価が下がります。

●●● 減資の後に増資が行われるケースが多い ●●●

減資の後に増資が行われるケースが多い

株主Aさんの持ち株数	2000株	50％減資 →	1000株
発行済株式数	20万株		10万株

↓

もともと20万株のうちの2000株（1％）の株主だったが、減資後は10万株のうちの1000株（1％）の株主。だから持分割合は変わらない

↓

しかし、この後に増資をすることが多い。もしこの後、10万株の増資をされるとAさんの保有割合は0.5％に半減してしまう！
　1000株÷(10万株+10万株)＝0.5％

5-2 事業資金は、どのように集められるか？

公募発行増資

新しい株式を発行し、広く一般の投資家からその株式の購入を募る資金調達方法。この手段で発行する株式を一般に「公募株」という。

相場環境の良い時には人気があり、まるで宝くじのよう。なかなか手に入らず、株価が上昇することもありますが、公募株は必ず儲かるものではありません。

　公募発行増資（**公募増資**）は、**増資**の方法の1つです。公募発行増資は「公」に「募集」を行うことで、広く一般の投資家に対して株式買付けの募集をします。募集時の**株価**は、通常の株式市場で流通している時価より5%～2%ほど低く設定されるのが一般的です。

　公募発行増資で購入した株式が値上がりするかどうかは、**相場**環境と発行する株式数、調達資金の使い道に左右されます。相場環境が良ければ株式に対するニーズが高いので、公募株式にも人気が集まり、株価の上昇につながります。新しく発行する株式数が、すでに発行されている株式数に比べて割合が高い場合、**需要と供給**のバランスが悪くなります。その結果、株価の下落を招きます。また、調達資金の使い道が積極的な設備投資や研究開発など前向きな用途であれば株価上昇につながり、負債の返済などの後ろ向きの用途なら株価下落の要因となります。

公募発行増資が株価に与える影響

プラス材料になるケース

・株式市場の環境が良いとき
・増資で集めた資金が利益を生む事業に使われるなど、前向きな使い道だと投資家に判断されるとき

マイナス材料になるケース

・株式市場の環境が悪いとき
・発行する株式数が多すぎて、1株あたりの株主の価値が薄くなってしまうと思われるとき
・増資資金が借金返済などに使われるとき

第5章 株式会社に関する用語

売出し

それまで大株主などが持っていた株式を、市場で取引をする一般の投資家に対して売却すること。発行済株式数は増えない。

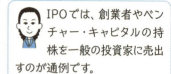

IPOでは、創業者やベンチャー・キャピタルの持株を一般の投資家に売出すのが通例です。

売出しの多くは、**公募発行増資**と一緒に「公募・売出し」として同時に行われます。両者の違いは、新しい**株式**を発行するか否かです。

公募発行増資は前ページの通り、**増資**の方法です。投資家から新しい資金を募集し、株式を発行します。一方、売出しは新しい株式を発行しません。すでに発行され、**大株主**などが保有している株式を一般の投資家に対して売出すので、市場での**流動性**が高まります。売出しの資金は、売り出した**株主**の手元に入ります。

売出しでは**発行済株式数**が増えませんが、それまで市場に出回っていなかった株式が売出しによって流通することから、株式市場での**需要と供給**のバランスを崩す要因にはなります。

政府や証券業界では、**IPO**に伴う公募や売出し価格と**上場**後の初値の価格差が大きいことを問題視しています。**日本証券業協会**では、**公開価格**決定プロセスの見直しに取り組んでいます。

公募と売出しの違い

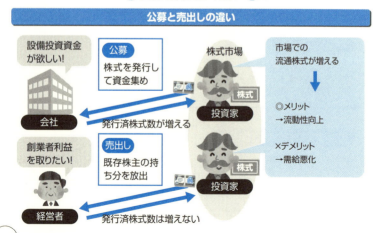

5-2 事業資金は、どのように集められるか？

株式分割

株式会社が株式を細分化して発行済株式数を増やすこと。資本金は増えないが、発行済株式数が増える。株主数を増やすのに有効。

> 八百屋さんがカブを半分に切って1個の半分の値段で売るように、1単元の株式を半分に分割すると理論上の株価は半値になります。

株式分割は、既存の**株主**に、持株数に応じて新しく発行する増加分の**株式**を無償で分配します。株式数が増える分、**株価**が急に下がったように見えます。しかし、これは株式分割の前後で株主の持つ時価が同じになるようにするための調整です。**発行済株式数**が増えるものの、資本金が増えるわけではないので、**資金調達**を目的に分割するのではありません。

株式分割をすると、株価が調整される分、1株あたりの株価が安くなります。自社の株価水準を引き下げたいと思う場合に行うことがあります。**単元株**あたりの投資金額が低くなるので、個人投資家を増やす目的や、株式の**流動性**を高めたい場合に行うこともあります。**浮動株**が増えるため、株価が安定します。

株式市場が好調な時に株式分割が行われると、投資家に好感され、株価が上昇することが多いです。しかし、株式分割で流通株式が増えると、**需給と供給**の関係悪化を招き、下落要因にもなりやすいので投資環境には注意が必要です。

株式分割の株価への影響

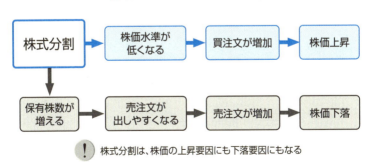

! 株式分割は、株価の上昇要因にも下落要因にもなる

第5章　株式会社に関する用語

潜在株式

転換社債やワラント、ストックオプションのこと。転換や権利を行使すれば普通株式となるが、現在はまだ株式ではない証券。

> 洗剤メーカーの株式ではありません。……当たり前ですね。潜在的に株式になる可能性を秘めている株式のことです。

潜在株式とは、もしかしたら**株式**となるかもしれない、というような「株式を取得できる権利」や「株式に転換できる権利」が付いた**証券**や契約です。近い将来、株式となる可能性を持ったものなので潜在株式と呼ばれます。具体的には、この後に述べる**CB**、**WB**、**ストックオプション**などが該当します。

　潜在株式が実際に株式になると、その**株式会社**の発行済株式数が増えます。この時、利益の額が変わらないままであれば、計算上は**EPS**（1株あたり利益）が減ります。投資家にとっては良くない話で、通常はその**銘柄**の普通株式の**株価**が下がります。このようなことから潜在株式は、その会社の普通株式を持つ**株主**にとっても「いつか**株主の権利**が**希薄化**するかもしれない」という**リスク**を背負っていると言えます。潜在株式の有無とその数量は重要です。

潜在株式が普通株式に与える影響

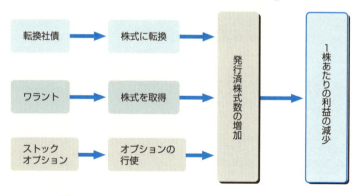

!　発行済株式数の増加により、株主の権利希薄化が起こる

5-2 事業資金は、どのように集められるか？

CB発行時に決められた条件で、発行会社の株式に転換できる社債。転換するまでは、一定の金利を受け取れる社債としての側面も持つ。転換せずCBとしても売却できる。

> CBはバブル期に多く発行されました。バブル崩壊で額面割れCBが続出。償還まで持てば高利回りになり個人投資家に大ブーム。

CB（Convertible Bond）の正式名称は、**転換社債型新株予約権付社債**です。発行時は**債券**ですが、投資家の選択により**株式**と交換（これを「転換」という）できます。転換の有利・不利は株式市場の状況しだいです。CBの発行会社の**株価**が転換価額（行使価格ともいう）より高い時、投資家はCBを株式に転換して売却すると差額分の**値上がり益（キャピタルゲイン）**を得られます。転換しなければ債券として償還されます。

CBは、株式に転換される可能性を持つので、**潜在株式**と言われます。CBの市場価格は、ほぼ株価に連動します。債券としての側面と、株式としての側面を併せ持つ金融商品です。

転換価額は発行時に決められますが、最近では途中で転換価額が変わるCBも出ています。転換時期は、発行日の翌月から償還日の直前に設定されるのが一般的です。

CBの発行、保有、転換、償還

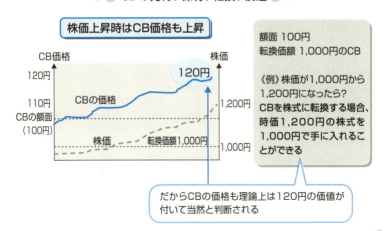

第5章 株式会社に関する用語

WB 一定期間内に、あらかじめ決められた値段で発行会社の新株を買うことができる権利（ワラント）の付いた社債。新株予約権付社債。従来の非分離型ワラント債。

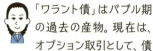

「ワラント債」はバブル期の過去の産物。現在は、オプション取引として、債券の付いていない新株予約権証券が取引されています。

2002年4月の商法改正により、「ワラント債」の法的な位置付けがそれ以前と変わりました。「ワラント」は一種の**コールオプション**（**オプション取引**）で、発行時に決められた**権利行使**価格で**新株**を買うことができる権利の部分だけです。その権利に価値が付いて売買されますが、ワラントは権利行使の期間が終了すると価値はなくなります。権利行使とは、新株を買うことを指します。

ワラントと**債券**が一緒についているワラント債が**WB**（Warrant Bond：**新株予約権付社債**）と呼ばれるもので、従来の非分離型ワラント債のことです。**CB**と違う点は、権利行使をして発行会社の**株式**を買っても償還までは債券が消滅せず、債券部分の発行残高全体が変わらないことです。債券部分は普通社債と同じで、通常よりは低いですが金利が付き、額面金額で償還されます。

● ● ● ワラント債の内訳 ● ● ●

ワラント債（新株予約権付社債）

↓

ワラント（新株予約権）	＋	社債
値動きが激しく、権利行使期間が過ぎると価値がなくなる。コールオプションのようなもの		**普通の社債** 権利行使をしても、社債としては存在する

ストックオプション

自社株購入権のこと。株式会社が取締役や従業員などに、あらかじめ決めた株価でその会社の株式を取得できる権利を与える制度。

> 現在はまだ知名度が低く、資金繰りに苦労するベンチャー企業。優秀な人材を確保すべく、報酬代わりに「将来上がる見込みの株価」を支払う制度。

ストックオプション（**自社株購入権**）は、一種の報酬制度です。**取締役**や従業員が自社の**株式**を取得し、**権利行使**をする時点での市場の**株価**（時価）との差益を、報酬と見立てたものです。**潜在株式**の1つです。

ストックオプションは、まず「あらかじめ定められた株価（権利行使価額）で自社の株式を取得することができる」という権利を取締役や従業員に与えます。その株価が将来上昇した時に権利行使価額で株式を買い、値上がりした時価との間の差益を報酬と考えます。その差益は、株価が上がるほど大きくなり、**企業業績**によって増減するとの考えから、ストックオプションを受け取った取締役や従業員は、株価が上昇するように業績向上への高い意識を持つ、というインセンティブの効果があります。

ストックオプションの仕組み

現在

よくがんばったね。君にストックオプションを与えよう。

ABC社

ストックオプション
ABC社の株を1,000円で1,000株購入できる権利

従業員

将来

証券取引所でABC社の株式が1,800円の値がついている

ストックオプションの権利を行使しよう！

従業員

（1,800円－1,000円）×1,000株＝80万円が報酬とみなされる

第5章　株式会社に関する用語

エンジェル/ベンチャー・キャピタル

新製品や新技術を持つ創業期の中小企業に対する投資や投資家のこと。エンジェルは個人投資家、ベンチャー・キャピタルはファンドや法人。

> 「ビジネスの優れたノウハウを持っているけれど、それを実現させる資金がない」という若い会社に、資金を提供する人。見返りは成長した後に期待します。

エンジェルと**ベンチャー・キャピタル**は、成長する可能性のある、未公開の会社に投資をする投資家や投資資金を意味します。投資資金を受けた会社が資金を有効活用して事業が拡大し、**IPO**を果たせば、エンジェルやベンチャー・キャピタルは**株式**を売却して利益が得られます。

エンジェルは、資金を出す投資家が個人の場合です。資金の回収時期も特に限定せず、起業家の夢に託すというイメージです。ベンチャー・キャピタルは、投資そのものが事業です。**投資会社**や**投資ファンド**などとも呼ばれています。投資家から資金を集めて投資家のために運用を行います。運用目標や運用期間を定めて、投資家の期待する運用益を出すために投資先ベンチャーの経営に関与するなど、育成・発展のコンサルティングも手掛けます。

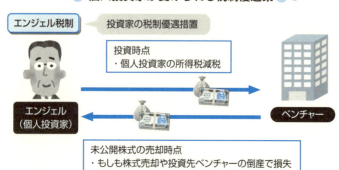

個人投資家が受けられる税制優遇策

※個人投資家がベンチャー企業の新規発行株式を金銭の払込みにより取得した場合に本税制の対象となります（発行済株式を他の株主から買ったり、譲り受けたりした場合は対象となりません）。

クラウドファンディング

ユニークなアイデアなどをインターネットを介して広く呼び掛け、不特定多数の人から出資を募る仕組み。目的に賛同した個人が少額から出資できる。

ちょっと、そこのあなた！ 単なる金欠だからって、クラウドファンディングでお金を集めようなんて、ムリムリ！ 支援者を集めるのは、そんな単純じゃないわよ。

　クラウドファンディングの語源は、「群衆（クラウド）」+「**資金調達（ファンディング）**」。その多くはプロジェクトの実行や独自のアイディアで製品を作るために必要な資金を集めます。資金を求める人を「実行者」、資金提供者を「支援者」と言います。ほかの出資方法に比べ、プロジェクトの実行者と支援者のコミュニケーションが密に取れる点が特徴です。

　クラウドファンディングのタイプには、「購入型」「寄付型」「金融型」があります。「購入型」は、起業にも活用されやすく、中小企業とのタイアップ事例が増えています。「購入型」の支援者は、モノやサービス、権利などが得られます。「寄付型」は、支援者に見返りはありません。「金融型」は、金銭的なリターンを得るものです。

　予定額まで資金を集められない場合、プロジェクトが実行されず支援金が返金されるケースと、目標額に達しなくてもプロジェクトが実行されるケースがあります。

クラウドファンディングの実行者と支援者

従業員持株会制度

従業員が給与天引きを利用し、自分の勤務する会社の株式を積立式で買う、資産形成の福利厚生制度。1,000円程度の積立から利用できる。

給与天引きでいつの間にか資産形成……のはずが業績低迷で年収減、資産も減少ダブルパンチ！とならぬよう、資産が勤務先に偏重するのも要注意。

従業員持株会制度は、給与天引きによる**単元未満株**の積立です。**単元株**にまとまれば、通常の**株式**と同様に、**証券会社**を通じて売却もできます。一般的には、勤務先から「持株会奨励金」という補助金が出ます。この奨励金でも株式を買います。

なお、**会社法**の制定や信託法改正がきっかけで「信託型従業員持株制度」の導入事例が増えました。このスキームは、3～5年程度の間、会社が用意した信託を通じて自社株を買付ける制度です。制度が導入された当初は「日本版ESOP」と説明されることが多かったのですが、現在では米国で普及する従業員持株制度（ESOP）とは制度設計が異なっているとの見解が主流です。

従業員持株会制度のメリット

会社側のメリット

- 持株会奨励金が福利厚生費に→会社の費用、節税になる
- 従業員が会社の業績に関心を持つ→業績向上につながる
- 株式公開をすれば、従業員の働きに報いることができる
- 株式公開後は、安定株主作りに効果

従業員のメリット

- 経営に参加している意識を持つことができる
- 給与天引きで財産形成になる
- 持株会奨励金という会社からの補助を得られる
- 株式公開をすれば、資産価値が増える

5-2 事業資金は、どのように集められるか？

自社株買い

発行会社自身が、自社株式を買い戻すこと。買い取った株式を貸借対照表（バランスシート）上で消却する目的で行うことが多い。

> 自社株買いで市場に出回る株式の需給が引き締まります。会社の資金を無駄に余らせている場合、有効な使い道として好感されます。

　株式市場からその会社自身が**株式**を時価で買い取ることを、**自社株買い**と言います。自社株買いを行った自社の株式を**貸借対照表**上で消却すると、その分の資産（買付け代金としての現金）とそれに対応する出資資本が減ります。その結果、貸借対照表を圧縮することができ、資本効率が良くなって投資家からは好感されます。しかし、これによって会社の財産が減り、**自己資本比率**が低下します。そのため、従来は原則として商法で自社株買いを禁止していました。

　1994年に限定的に自社株買いが認められ、その後いくつかの段階を経て、2003年には実質的に自社株買いが解禁、**株主総会**での定款変更により**取締役会**で自社株買いの時期や量を決められるようになりました。後に2006年の**会社法**で規定が整理されました。

　自社株買いの資金は、原則的に**配当金**に回せる剰余金に限られています。剰余金で株式を買い入れると、**発行済株式数**が減り、結果として**株価**上昇につながるため、自社株買いは重要な**株主還元**策と見られています。

自社株買いの効果

自社株買い ➡ 自社株消却 ➡ 発行済株式数の減少

発行済株式数が減ると……
- 利益総額が同額でも、EPS（1株あたり利益）が増える
- 自己資本が同額でも、BPS（1株あたり純資産）が増える
- 配当総額が同額でも、1株あたり配当金が増える
- 市場に流通する株式が減り、需要が供給を上回る期待が高まる

 魅力が増すので、株価が上昇しやすい

● 第5章　株式会社に関する用語 ●

5-3 上場とは、どのような意味か？

> 株式の上場は、その株式会社の株式を広く一般の投資家が保有できるようにすることです。

上場 有価証券等が証券取引所などの市場で取引可能になっている状態や取引できるようになった瞬間のこと。上場するには取引所の審査を受ける必要がある。

> 上場すると知名度が上がり、社会的信用も高まります。反面、企業情報はガラス張り。自由に取引されるので買収されるリスクも。

　株式会社の**株式**が**上場**すると、広く一般の投資家が**証券取引所**を通じて、その株式を売買し、保有できる状態になります。

　株式が上場されていない株式会社は、「非上場会社」と言います。経営者の縁故者や取引関係者、銀行などが出資し、株式を保有するのがほとんどです。上場会社は、自社と特別な関係がない人でも投資判断ができるように、**ディスクロージャー**の義務が課せられます。

● ● ● 非上場株式会社と上場株式会社のディスクロージャー ● ● ●

非上場株式会社

・創業者一族、縁故者、知人、取引銀行、取引先企業など出資者が限られる
・情報開示も出資者の範囲でよい

上場株式会社

・広く一般の投資家から出資を募ることができ、株式の売買により株主が異動する
・情報開示は、株主のみならず、投資を検討している人にも広く開示

⚠ 上場するということは、会社を公にすること

5-3 上場とは、どのような意味か？

上場基準

株式会社が発行する株式を取引所に上場するために、取引所が定めた条件。基準を満たしているかどうかの審査を受ける。

> 旧・東証一部上場銘柄の多くがプライム市場に行ったけれど、ガバナンスの厳しい基準を満たし続けるのは大変ですよ～。

株式を発行し、**上場**することは、広く投資家から**資金調達**を行うことなので、発行会社には健全性や公平性、取引の安定性などが求められます。その最低条件を**上場基準**と言います。

株式の上場基準は投資家保護が目的で、新規上場の際の「上場審査基準」と、すでに上場している会社の「廃止基準」とがあります。

2022年4月、**東京証券取引所**は市場区分を見直し、プライム、スタンダード、グロースの3つに再編されました。プライム市場の主な上場審査基準は、下の表の通りです。プライム市場に上場するためには、**機関投資家**の投資対象となり得る**時価総額**や**流動性**がなければなりません。スタンダード市場では、一定の時価総額を持ち、基本的なコーポレートガバナンス（企業統治）を備える必要があります。グロース市場では、高い成長可能性を実現するための事業計画や**適時開示**が求められます。

●●● 東証プライム市場の上場審査の内容 ●●●

上場審査基準	内容
①企業の継続性及び収益性	継続的に事業を営み、安定的かつ優れた収益基盤を有していること
②企業経営の健全性	事業を公正かつ忠実に遂行していること
③企業のコーポレート・ガバナンス及び内部管理体制の有効性	コーポレート・ガバナンス及び内部管理体制が適切に整備され、機能していること
④企業開示等の開示の適正性	企業内容等の開示を適正に行うことができる状況にあること
⑤その他公益または投資者保護の観点から東証が必要と認める事項	―

出所 日本取引所グループHP

第5章 株式会社に関する用語

未公開株

一般に、株式公開をせず、原則として自由に売買できない株式。会社法施行後、厳密には「非上場」と「未公開」は同じ定義ではなくなった。

> 本来、その会社と縁がなければ未公開株は手に入りません。未公開株購入の勧誘には安易に応じないよう気をつけて。

　会社法制定以前は、証券市場に**株式**を**上場**していない会社が未公開会社でした。そのため、当時は株式の非上場と未公開は同じ意味でした。会社法で非公開会社の定義は「すべての株式を定款で譲渡制限している会社」となりました。ただし、以前の名残か、いまだ一般的には「非上場株＝**未公開株**」と扱われることが多いようです。

　未公開株は、証券取引のインフラである**証券取引所**を通じてではなく、売買の当事者同士で価格などの条件を決めて取引します。通常、一般の投資家は簡単に購入できません。昨今、未公開株のトラブルが多発しています。**証券会社**でない会社が「今後、上場予定の会社ですが、上場すれば値上がり確実です」などと、勧誘する詐欺が多いので注意が必要です。

未公開株の株主は、特定の縁故関係者

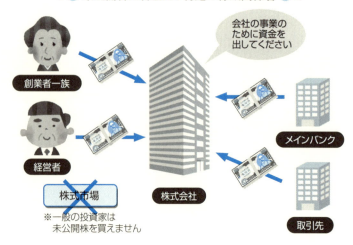

5-3 上場とは、どのような意味か？

IPO
少数の株主により所有されていた未公開会社の株式が、株式市場に上場し、広く一般的に自由に売買される状態になること。

人気IPO株を手に入れるのは狭き門。取扱証券会社の上得意客か、抽選に当たる幸運が必要。

未公開株は、自由な売買が制限されており、特定の少数の**株主**が**株式**を保有しています。その状態から不特定多数の投資家に株式を**売出し**して、市場で株式を自由に売買し保有できるようにするのが**IPO**(Initial Public Offering：**新規公開**)です。証券市場に**上場**することです。

IPOのメリットは、**資金調達**の幅が広がること、社会的信用が付いて知名度が上がること、それによって優秀な人材が確保できること、社内管理体制が充実することなどです。デメリットは、**企業業績**や事業展開などについて一般に広く**ディスクロージャー**をしなければならないことです。

以前から、IPOの公募・売出し価格が低すぎるのではないか、という議論がなされていましたが、適切な価格に向けてルールが整備されています。今後、上場後の初値との差が大きくなり過ぎないように、IPOの値決めが適正に行われるようになる予定です。IPO価格の適正化は、投資家のみならず、起業家育成の一助になると期待されています。

IPOで株式は流通する

非上場会社の場合

非上場会社

不特定多数の人に売買

株式 株式 株式

少数の特定の人が株主

上場すると……

上場会社

株式 株式 株式

証券取引所

第5章 株式会社に関する用語

幹事証券会社

株式会社が新規公開や上場後の資金調達をする際に、アドバイスや関係機関との調整手続きをする証券会社。

> 飲み会の幹事と同じ意味です。資金調達が多額になると複数の証券会社が資金集めをします。そのお世話係が幹事証券会社です。

株式会社が**IPO**をしたり、**増資**や**債券**の発行など有価証券による**資金調達**を行ったりする際には、**金融庁**や**証券取引所**などへの諸般の手続きが必要です。また、IPOをするに値する経営内容や情報公開などが求められます。**上場**株式会社には、このようなトータルアドバイスをする**幹事証券会社**（または**幹事会社**）がバックについています。通常は数社の**証券会社**がこの役割を担っていますが、そのうち中心になる証券会社を「主幹事証券会社」と言い、それに次ぐ副幹事証券会社、幹事証券会社がこれらの業務を担当します。

幹事証券会社は、有価証券の発行に関する業務と同時にその引受も行います。簡単に言えば、IPO株の取扱証券会社です。IPO株の購入をしたい投資家は、幹事証券会社を通じて、ほとんどの**銘柄**の場合は**ブックビルディング**に参加する必要があります。

●●● IPO時の幹事証券会社の役割 ●●●

上場のアドバイス

- 株主数、利益、資産額などが証券取引所の上場基準をクリアすること
- 上場の目的が健全なこと
- 上場会社としての経営が安定していること
- 上場後の利益が確保できそうなこと

上場時の実務支援

- 公募価格の算定
- 公募・売出しにかかる引受、投資家への販売
- 上場後のディスクロージャー

5-3 上場とは、どのような意味か？

ブックビルディング

新しく発行する株式の公募価格を決める際に、投資家がどの程度、買いたいと思うかの需要を把握し、公開価格を決める方法。

> IPOの仮条件は、ある程度の幅を持たせて提示されます。が、たいてい、最高価格で買う申し込みをしないと当たりません（苦笑）。

　ブックビルディング（需要積み上げ方式）は、IPOや公募発行増資などの売出しの値段を決める方法です。株式の発行会社は、機関投資家や証券投資の専門家の意見を基に、上場予定日の2週間程度前に「仮条件」と呼ばれる価格帯を設定します。仮条件が提示されると、購入希望の投資家は、仮条件の範囲内で幹事証券会社に申し込みます。このこと自体が、投資家の需要を把握することになるため、その銘柄へのニーズや市場動向に見合う公開価格（発行価格）が決まるのです。

　本来、公開価格は、その会社の実力に見合う株価になるはずですが、これまでは適性価格より、かなり低い水準に決まることが多くありました。今後、IPOの際の値決めに関し、適正価格となるようルール整備が進んでいます。投資家に事前に需要を聞き取り調査する「プレヒアリング」を拡充し、米国などと同じ方式で行われる予定になっています。

●●● ブックビルディングの手順 ●●●

ヒアリング
幹事証券会社が機関投資家などに発行価格のヒアリングをし、新規発行株式をいくらなら何株を買いたいかを回答

仮条件の決定
幹事証券会社が機関投資家の意見を参考にブックビルディングの仮条件を「○○円〜○○円」という幅を持たせて決定

仮条件の提示
幹事証券会社から一般の投資家に仮条件を提示、需要を聞く

購入の申込み
一般の投資家が、仮条件の範囲内で購入の申し込み

価格の決定
幹事証券会社が投資家の需要を基に、発行価格を決定

新株の購入
購入申込をした投資家が発行価格で新株を購入（ほとんどが抽選）

133

公募価格/公開価格

株式を発行し、広く一般から資金を集める際に、株主になる人が払い込む価格が公募価格。新規公開時なら公開価格。

上場初日の取引が過熱し、初値で買って鳴かず飛ばずの例も。公募価格と上場後の初値に大きく差があることが問題視されています。

　広く一般の投資家を対象に資金を集める公募の際の**株価**が**公募価格**です。また、それまで非上場だった会社の**株式**が、新規に**上場**する際に発行する**新株**の公募価格を**公開価格**と呼んでいます（**発行価格**とも言います）。商法では、発行条件を均等にし、価格が著しく不公正にならないことを定めています。**証券会社**の内部で、発行者や投資家と密接でない部署が価格の妥当性を確認することになっています。

　なお、「売出し価格」は、**大株主**などが保有する株式の**売出し**の際の取引価格です。新規上場の際は、公募と売出しを同時に行うことが多く、この場合、公募・売出し価格と表現します。すでに上場している会社が新株を発行して公募を行う場合（**公募発行増資**）の公募価格は、市場で取引されている同社の株価から数％程度割り引かれた価格が通常です。

　公開価格を決める方式には、競争入札と**ブックビルディング**があります。ブックビルディングが1997年に本格導入される前は競争入札がメインで、現在はすべての**IPO**で適用されています。

公開予定の株式購入時における、競争入札とブックビルディングの違い

	申込時の価格提示方法	投資家の申し込み	公開価格	投資家の購入価格
競争入札	最低入札価格を提示	最低入札価格以上の価格で入札	落札価格を加重平均した価格を元に総合判断をして決定	投資家それぞれが落札した価格
ブックビルディング	投資家から需要を積む仮条件を提示	仮条件の価格範囲内で申し込む	ブックビルディングにより把握した投資家の需要状況と相場環境を総合判断して決定	公開価格

5-4 事業再編は、どのように行われるか？

日本経済が成熟期に入り、事業再編が珍しくなくなりました。事業再編に関する用語を解説します。

経営統合 2つ以上の会社組織が、会社の経営母体を統合すること。共同で新しく親会社となる持株会社を設立し、その傘下になる形が代表的。

異分野の複数の会社がお互いの強みを持ち寄って経営統合をする事例も。新たな付加価値を生み、競争力を高める狙いです。

経営統合とは、明確な定義がないまま幅広く使われていますが、通常は2つ以上の会社の経営母体が「○○ホールディングス」などの共同の**持株会社**を設立し、それぞれが対等に持株会社の100％子会社に移行する形態を指すことが多いようです。リーダーとなる1つの会社がほかの会社を吸収して存続会社となる場合は合併と言います。

経営統合では1つの会社組織にせず、持株会社の傘下に各会社を存続させたまま、事業を行います。持株会社が全体の事業戦略を立てて経営の効率化を図る企業再編の1つの方法として活用されています。

経営統合のモデルケース

! 統合後は、両社ともABホールディングスの100％子会社になる

第5章 株式会社に関する用語

業務提携/資本提携

独立した会社同士が協力し合うことが業務提携。さらに、持株比率10%弱程度の出資をし合うと資本提携。

日本企業同士の提携のみならず、海外企業と日本企業の提携も増加。アジア企業による日本企業への出資や買収も珍しくありません。

　会社同士の提携関係は広義の**経営統合**スキームの1つで、独立した複数の会社がお互いに協力し合うことです。

　業務提携は、コスト削減や販路拡大等で利益が増大するように事業や業務を提携することです。共同の技術・研究開発、共通商品の取り扱い、物流システムの共有などが挙げられます。

　資本提携は、お互いの**株式**を持ち合い、資本関係を提携することです。経営支配権を持たない程度の持株比率で、基本的にお互いが独立している関係が前提です。資本関係によって事業の成果や利益面で相乗効果を生むもので、単なる**株式持ち合い**とはニュアンスが異なります。将来、持株比率を引き上げ、合併や**持株会社**の設立を視野に入れている場合も見られます。

業務提携と資本提携

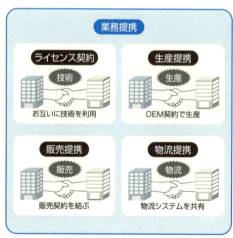

5-4 事業再編は、どのように行われるか？

株式持ち合い

会社同士が、お互いの株式を持ち合うこと。互いに安定株主として機能し、買収防衛の目的で最近再び活発化している。

ひと昔前は、株式持ち合いの理由が「ただのお付き合い」というケースも。目的が不明確な資金の使い道は、株主から糾弾されます。

　株式持ち合いとは、会社が互いに**株式**を保有し合うことを言います。買収防衛や取引関係の強化が目的で、互いに安定株主となります。

　株式を持ち合う状況は、時代とともに変化しています。戦後に財閥解体で株式が分散したので、旧財閥が買収防衛目的で株式買い占めを行い、持ち合いが進みました。1990年初頭に**バブル**経済が崩壊し、**時価会計**を導入すると、持ち合いは減少しました。業績が悪く、**株価**が低迷する会社の株式を持てば、自社の業績に悪影響を与えるからです。

　近年は、「合理的な理由がない限り、株式持ち合いを縮小すべき」との声が上がっています。経営上の都合など、何らかの事情で株式を持ち合う場合、その理由が開示されていれば、投資家がその企業の経営戦略を理解し、投資判断がしやすくなります。

買収防衛目的で進む、株式持ち合い

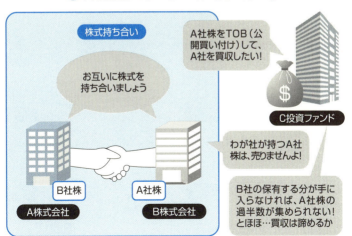

第5章 株式会社に関する用語

持株会社

ほかの会社の事業活動を支配する目的で、その会社の株式を多数保有する会社のこと。自らはグループ全体の経営戦略を立てるなどが本業。

> 複数の会社を統合する場合だけでなく、1つの会社のいくつかの部署を切り離して会社にし、持株会社形態にするケースもあります。

　複数の会社の**株式**を保有することによって、それらグループ会社の経営を支配し、グループ全体の経営計画の立案に関わっている会社のことを**持株会社**と言います。グループ全体を「○○ホールディングス」などと名付けています。持株会社は、子会社の株主です。

　持株会社には、「純粋持株会社」と「事業持株会社」とがあります。純粋持株会社は、ほかの会社を支配することが本業です。主な収入源はグループ会社からの**配当金**収入で、自らは事業を行いません。事業持株会社は、本業を行う一方で、ほかの会社を支配します。一般に持株会社という場合は、純粋持株会社を指しており、事業持株会社のことは「親会社」と呼ぶことがほとんどです。

純粋持株会社と事業持株会社の違い

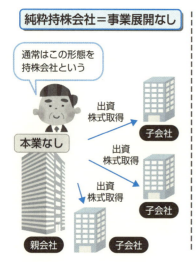

純粋持株会社＝事業展開なし

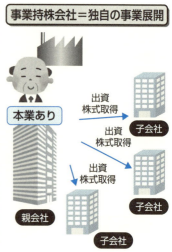

事業持株会社＝独自の事業展開

株式交換/株式移転

株式交換は子会社になる側の株主に親会社の株式を、株式移転は各子会社の株主に新設親会社の株式を渡す、統合の手段。

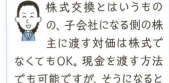

株式交換とはいうものの、子会社になる側の株主に渡す対価は株式でなくてもOK。現金を渡す方法でも可能ですが、そうになると株式の売却と一緒ですネ。

　どちらも複数の会社を**経営統合**する際の方法ですが、完全親会社を作り出す手段が違います。従来のM&Aの資金は、主に現金でした。しかし、経済のグローバル化で統合規模が拡大し、法改正により**株式交換**で買収ができるようになりました。

　株式交換では、統合で親会社になる会社が完全子会社になる会社の**株主**の**株式**を受け取り、親会社の株式を渡します。元からの親会社の株主と完全子会社になった会社の元株主が親会社の株主になります。

　株式移転では、統合で複数の完全子会社の**持株会社**である親会社を新設します。各子会社の株主は子会社の株式を渡して持株会社の株式を受け取り、新たに持株会社の株主になります。

株式交換と株式移転

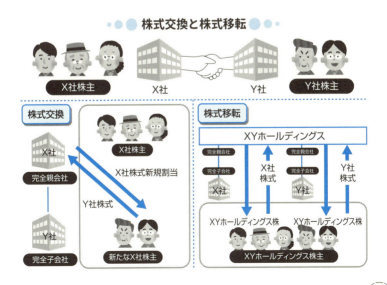

第5章 株式会社に関する用語

M&A

企業の合併・買収のこと。企業のリストラクチャリング(事業の再構築)や事業拡大にも活用される。広い意味では、提携までを含める場合もある。

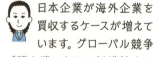
日本企業が海外企業を買収するケースが増えています。グローバル競争で勝ち残るための規模拡大のため、「時間を買う」戦略です。

M&A (Mergers and Acquisitions) は、**企業の合併・買収**のことです。2つ以上の会社が1つの会社になるのが合併、1つの会社が別の会社の議決権株式の過半数を買い取ったり事業部門の資産を買い取ったりすることが買収です。会社が一から新規事業を立ち上げるよりも、素早く新規分野への進出ができます。既存分野や関連事業の強化、グループ全体の再編など、時間とコストの節約が可能になります。

度々の制度改正によって**株式交換**や会社分割、**持株会社**などの合併・買収に関する手続きが簡単になっています。その結果、昨今のM&A件数の増加を後押ししています。

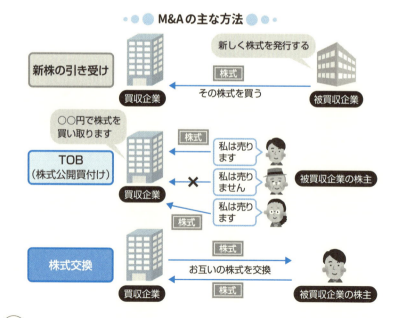

5-4 事業再編は、どのように行われるか？

TOB 経営権取得などを目的にした株式の購入希望者が、買い取り期間や株数、株価を公表して不特定多数の株主から株式を買い取る方式。

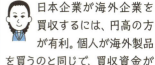

日本企業が海外企業を買収するには、円高の方が有利。個人が海外製品を買うのと同じで、買収資金が少なくてすむからです。

TOB（Take Over Bid：**株式公開買付け**）は、株式市場を通さずに、広く不特定多数の**株主**から**株式**を買い取る制度です。購入希望者は、株数や価格などを公表、どの株主からも同一条件で買い取ります。主に買収や関連会社等の出資比率の引き上げ、**自社株買い**等が目的です。

買収会社にとっては、市場で株式を購入するのに比べ、一定の価格で短期間に集めやすい点がメリットです。買付け予定数の株式が集まらなかった場合は株式を返却してキャンセルできます。デメリットは、買収を仕掛けていることが明らかになることです。

金融商品取引法によりTOBの規制が強化され、突然、**大株主**に浮上するような株式の買い集めはできなくなりました。

TOBのモデルケース

第5章　株式会社に関する用語

MBO

経営陣らが、その会社の経営権の取得を目的に株式を買い取ること。会社の買収の手段の1つ。購入資金は、金融機関や投資ファンドなどから調達する。

経営陣でなく、従業員が自分の会社や所属部署を買い取るケースもあります。この場合はEBO(Employee BuyOut)です。

　MBO（Management BuyOut：**マネジメント・バイアウト**）は**M&A**の1つで、**株式会社**の経営陣が**株主**からその会社の**株式**を買い取ることで成立します。オーナーでない経営者が金融機関などから融資を受け、市場やオーナー、親会社から株式を買い取るケースが多いようです。

　日本では、**バブル**崩壊後の1990年代後半頃から事業再編の一環として普及しました。リストラが一巡した後は、敵対的**TOB**の防衛策として行われる事例が相次ぎました。

　MBOでは、株式を買い取った後、その会社を**上場**廃止にする例が多いです。経営陣自らが新しい株主になるので、経営陣以外の発言を抑えて自由な事業戦略を展開する目的で上場廃止を選ぶ場合があります。資金力が豊富なら、上場を継続して広く一般の投資家から**資金調達**をする必要性も低く、総合判断でMBOを選ぶのでしょう。

●●● MBOのメリットとデメリット ●●●

メリット
- 第三者による企業買収を防ぐことができる
- 経営陣自らが株主になるため、経営の自由度が高まる
- 後継者のいないオーナーが経営陣に事業を譲渡できる
- 経営陣に対する株式売却資金を事業資金に回すことができる

デメリット
- 上場廃止により経営へのチェック機能が低下
- 上場廃止により今後の資金調達手段が限定される
- 一般の株主が多いと、買い取り時の手続きが煩雑になる

買収ファンド

投資家の運用資金で会社を買収し、経営権を得て、会社価値を高めた後に、その株式の転売などで利益を得る投資会社のこと。

> かつてドラマが大ヒットした小説「ハゲタカ」の世界が買収ファンド。最近の買収ファンドは安値で買いあさるのではなく、友好的な交渉で進める傾向のようです。

買収ファンドは、価値の下がった会社の**発行済株式数**の過半を取得して経営に参画し、会社の価値を上げて**株式**を売却する方法で、投資家から集めた資金を運用します。

買収ファンドのほとんどが私募ファンドで、富裕層や**機関投資家**の資金を運用します。投資家の資金を元手に融資を受け、資金を膨らませて買収し、価値を高めて換金後に投資家に資金を返します。

買収対象は、成長過程にあるベンチャー企業、経営不振・経営破たんした会社やその事業部門などです。会社の価値を高めるためには、さまざまな経営努力を施します。**収益性**向上につながるビジネスモデルの見直しやアウトソーシング等による業務の**効率性**向上、資産圧縮やリストラなどが代表例です。

買収ファンドのスキームと運用手法の概要

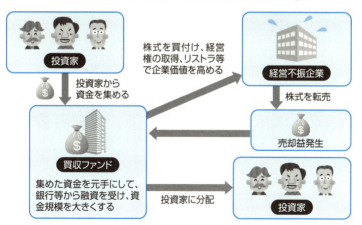

第5章　株式会社に関する用語

会社更生法

経営の行き詰ってきた株式会社が、株主や債権者の利害を調整しながら再建するための手続きについて定めた法律。

> 「事実上の倒産」でも、会社がなくならないことがあります。会社更生法は再建を目指すためのもの。借金免除のルールなのです。

　一般に、会社が借入金を返済できず事業を続けられない状態が「倒産」です。倒産した**株式会社**が再建を目指して法的処理をする手続きを定めた法律が、**会社更生法**です。倒産状態に陥った株式会社が、裁判所に更生手続の開始を申請して受理されると会社更生法が適用され、裁判所が財産保全命令を出すことで更生手続が開始されます。

　会社更生法は、手続きの迅速化と合理化を図り、再建手法を強化する目的で、2003年4月に改正されました。従来の更生手続では経営者はすべて退任し、裁判所が管財人を選任しましたが、改正後は破たんに直接責任のない経営者は管財人になることが可能です。

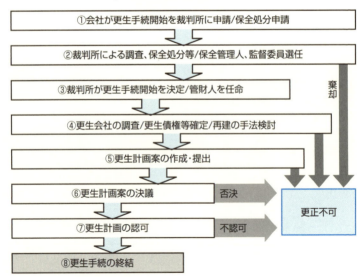

会社更生法手続の流れ

5-4 事業再編は、どのように行われるか？

民事再生法

破産する恐れのある会社が再建するための手続きを定めた法律。裁判所が認めれば経営陣が撤退しなくても良い点が特徴。

> 倒産状態でも事業を継続して再建を目指すためのルール。会社更生法に比べると手続きが簡単で速く、再生計画成立がスムーズ。

　2000年4月施行の**民事再生法**は、事業継続が困難になった債務者の再生が目的です。対象は会社だけでなく個人にも適用できます。同法施行に伴って廃止された「和議法」と同様、簡素な手続きが特徴です。倒産手続きを迅速にし、早期再建を促します。事業継続に著しく支障をきたす場合、再建が手遅れにならないように破たん前でも申請できます。再生計画が可決する要件も緩やかで、債権者の過半数かつ債権額の過半の同意で承認されます。

　また、原則として現経営陣が引き続き経営を行うことが可能です。とはいえ、重要事項の決定については、裁判所によって選ばれた監督委員の同意を得なければなりません。社員の技術やスキルは、そのまま残したいケースが多く、リストラがなければ継続して勤務できます。

民事再生手続と会社更生手続の違い

	民事再生手続	会社更生手続
適用対象	限定なし／特に中小企業の再生手続きに有効とされる	株式会社のみ／社会的影響の大きい会社などのケースが多い
事業経営者	原則として現経営者が経営を継続、裁判所の判断で例外的に管財人	裁判所の選任した管財人（破たんに責任のない現経営者は管財人になれる）
手続関係者	範囲を限定	すべての利害関係人
担保権の取扱い	一定の場合を除き、原則として担保権の行使を禁止することはできない	すべて再建手続きの中で処理される
手続きの煩雑さ	関係者の範囲限定／決議要件の緩和により容易	抜本的な再建計画立案／複雑かつ厳格な手続

145

第5章　株式会社に関する用語

> **Column　銘柄を指す用語**
>
> 本文中で解説できなかった銘柄を指す用語を簡単にご紹介します。
>
> ●金利敏感株
> 　金利の変動が株価の変動要因になりやすい銘柄のこと。金利の低下が株価のプラスに働く銘柄。一般的には不動産、金融、総合商社、電力などの業種を指す。
>
> ●市況関連株
> 　資源・素材などの商品市況の変動が、株価の変動要因になりやすい銘柄のこと。一般的には化学、繊維、鉄鋼、非鉄金属などの業種を指す。
>
> ●ディフェンシブ銘柄
> 　全体の株式市場が活況の時にはほとんど値上がりせず、市場が低迷している時期に下げが小さいとか値上がりするような銘柄のこと。一般的には食品、医薬品、電力、ガスなどの業種を指す。
>
> ●内需関連株
> 　事業基盤が国内にある企業の株式のこと。一般的には建設、不動産などの業種を指す。
>
> ●輸出関連株
> 　輸出中心の事業を行う企業の株式のこと。一般的には、自動車、電機、精密機械などの業種を指す。
>
> ●好配当銘柄(高配当銘柄)
> 　配当利回りの高い銘柄。好業績で安定している優良株や株主還元の意識が高い企業に多い。

第6章

決算書に関する用語

株式取引、証券取引の判断には、決算書を読み解くことが欠かせません。本章では、初心者にとって必要な用語を解説します。

第6章 決算書に関する用語

6-1 決算書とは何か？

まずは決算書を読み解くために必要な基本用語から理解しましょう。

決算 事業活動を一定の期間で区切り、その期間内の事業活動をまとめたり、お金の流れと残高の集計をしたりすること。

自分のお金を事業に提供したら、それをどう使ってどうなったかを知りたいでしょう。その報告が決算です。

決算は会社に限らず、個人や法人格のない団体、自治体などの行政機関でも行われます。1年を単位にし、さらに半年、3ヵ月（四半期）、1ヵ月等の単位に区切ったものもあります。

決算を行い、その期間の活動報告と次期の計画や見通しを書面で示したものが決算書で、そのうちのお金の流れと状態に関する書類が**財務諸表**です。決算をすることで事業の改善点や進捗状況、先の計画などが見えてきます。会社組織のように、継続的に事業を行い存在する責任（「ゴーイング・コンサーン」という）を果たすためや投資家に説明するために、決算は非常に重要で欠かせない作業です。

税法で定められている決算書

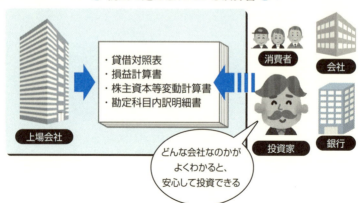

6-1 決算書とは何か？

財務諸表

会社の事業の成果として、一定期間で稼ぎ出した利益やある日の財産の残高を集計した計算書。会社の好調・不調の状態を知ることができる。

数字の並んだ財務諸表は、一見すると「難しそう」と思うかもしれませんが、客観性に優れています。敬遠せず見るようにしましょう。

　会社は、**株主**や債権者など外部の利害関係者（ステークホルダー）に開示する目的や、会社の内部で経営計画を策定して結果を検証するために事業の成果を集計します。その集計表を**財務諸表**と言います。会社が**決算**をして作成する決算書のうちの、お金に関する書類です。財務諸表を作成して公表する目的は、社会的・公共的な責任が伴うからです。そのため、作成にあたっては制度上多くの規制が設けられています。

　財務諸表の中でも特に重要な計算書は、**貸借対照表**（バランス・シート）、**損益計算書**、**キャッシュフロー計算書**です。貸借対照表は決算末時点での財産の状況を示し、損益計算書は一定期間に行った事業の売上・費用・利益を示し、キャッシュフロー計算書はその決算期間内のお金の出入りを示します。

主要な財務諸表

貸借対照表 —— 決算日の財政状態が分かる

資産	負債
現金	買掛金
預金	社債
有価証券	純資産
土地	株主資本
建物	非支配株主持分
その他権利	ストックオプション
資産合計	**負債・純資産合計**

損益計算書 —— 1年間の稼ぎが分かる

売上高
　−原材料費
　−人件費・広告宣伝費
営業利益
　±本業以外の収入・支出
経常利益
　±特別利益・特別損失
　−法人税
最終利益

キャッシュフロー計算書 —— 現金の動きが分かる

営業キャッシュフロー
投資キャッシュフロー
財務キャッシュフロー

株主資本等変動計算書

附属明細表

第6章　決算書に関する用語

連結会計

親会社だけではなく、子会社や関連会社まで含めた企業グループ全体を1つの組織ととらえて、財務や業績を集計する会計制度。

> 働き盛りの息子と、定年後嘱託で働く父。父の収入だけでなく、父と息子の収入全体で家計を考える……、これぞ連結会計。

　親会社を頂点に企業グループ全体を1単位にまとめて**決算**をする会計制度が**連結会計**です。親会社だけでなく、連結対象子会社・関連会社も含めた集計を「連結決算」と言い、株式投資の判断で重視されます。親会社1社分の事業の結果は「単独決算」です。

　親会社と子会社や子会社同士の取引を「内部取引」と言います。内部取引は、グループ内でお金や商品が移転するだけで、新たな利益を生みません。連結決算の計算では、内部取引による資金の貸し借りや利益は排除され、企業グループの実態がわかります。

連結対象子会社とは

子会社の定義
一般的には「経営権を支配している」という意味で使われる

連結対象子会社の定義
・A社がB社の発行する株式の50％超を持つ
・出資比率が50％以下だが、B社社長はA社の出身など関連が深く、実質はA社の支配下にある場合

持分法適用会社

グループ会社のうち、連結対象子会社ほどの出資比率ではないが、親会社から資本と人材を送り込んでいる関連会社のこと。

> 大手グループ会社の中で、子会社の独立性をある程度保ちつつ、グループのネームバリューを活かしたいといったケースが一例。

連結会計において、グループ会社のうち、ある程度重要な関係を持つ会社が**持分法適用会社**です。そのグループの親会社による出資が連結対象となる水準に満たないものの、資本の提供を受けていて、親会社出身の経営陣が多いなど人的関係も深く、そのグループの一員としての影響度が大きい会社のことです。通常、連結対象になるのは、親会社が子会社の議決権株式の50%超を保有する場合などです。

持分法適用会社の利益は、親会社の連結決算上、**経常利益**に反映します。例えば、A社がC社の**発行済株式数**の30%を保有していたとします。C社はA社の持分法適用会社となり、A社の経常利益を計算する過程で、C社の**最終利益**（損失）の30%が「持分法投資損益」として加算または減額されます。この会計方法を「持分法」と言います。

子会社と持分法適用会社の違い

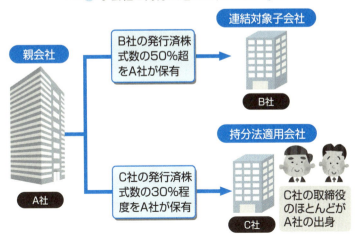

第6章　決算書に関する用語

セグメント

連結財務諸表の注記として、その会社の業績や資産などを事業部門ごとや国別・地域に区分して集計した情報。

セグメントとは「もともと大きかったものを分割した1つの部分」。テレビの「ワンセグ(1セグメント放送)」も同じ語源だとか。

セグメントとは、**連結会計**の**財務諸表**(ざいむしょひょう)において、親会社やグループ会社を事業部門や所在地別に区分し、その単位ごとに**売上高**、売上総損益、**営業利益**(損失)、**経常利益**(損失)、その他の財務情報をまとめた開示情報のことです。その企業グループが、どの事業部門で、またはどの国や地域で稼いでいるかを見ます。また、複数年度のセグメント情報を比較すると、どの部門が成長したかがわかります。

セグメントの部門は、その会社の経営者が意思決定や業績評価を行うにあたって効果的な構成単位で区分しています。セグメントの区分から、その会社の経営面での将来像を予測できる場合もあります。

セグメント別に決算内容を集計

キャッシュフロー計算書

1事業年度内の資金の収支バランスを活動区分別に集計した計算書。営業、投資、財務に区分されている。

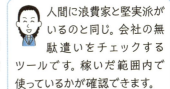
人間に浪費家と堅実派がいるのと同じ。会社の無駄遣いをチェックするツールです。稼いだ範囲内で使っているかが確認できます。

　会社は、どれだけ利益を上げても、現金が入らなければ倒産してしまいます。**キャッシュフロー計算書**では、お金の出入りを集計して、経営の健全性を読み取ります。

　「営業キャッシュフロー」は、本業でどれだけお金を稼いだかを表します。キャッシュフロー計算書の中で最も重要です。「投資キャッシュフロー」は、土地や建物、設備投資、出資などの投資に使った額です。通常は支出なのでマイナスになります。大きな資産を売却したような年度はプラスになることがあります。「財務キャッシュフロー」は事業に必要なお金の流れを表します。本業でお金が足りなくなった場合に、借入をしたり、**株式**を発行したりして**資金調達**を行った時の資金繰りです。

　このうち、営業キャッシュフローと投資キャッシュフローの合計を「フリー・キャッシュフロー」と言います。その年度に獲得した自由に使えるお金で、新規事業の資金や**配当金**の原資になります。

● ● ● フリー・キャッシュフローの考え方 ● ● ●

営業キャッシュフロー
＋ 投資キャッシュフロー
──────────────
フリー・キャッシュフロー

マイナスの場合
過剰投資の可能性あり
→ 設備投資の内容をチェック。将来性があるか否か？

多すぎる場合
現金が余りすぎ？
→ 現金は将来の利益の源泉にならない。TOBを仕掛けられるケースも！

第6章 決算書に関する用語

国際会計基準

欧州やアジアなど、約120の国や地域で採用している会計基準。国際標準だが、日本ではグローバル企業以外ではあまり採用されていない。

独自の商習慣が存在する日本は、会計の世界でも、ガラパゴス。世界では、国際会計基準が会計の標準語なんだって。

　企業業績や財政状態を示す**財務諸表**の作成には、一定のルールが必要です。主要なルールには、①日本の会計基準、②**米国会計基準**、③欧州企業が採用する**国際会計基準**（国際財務報告基準、International Financial Reporting Standards：**IFRS**）があります。グローバルに事業展開する会社は、②か③を採用し、近年では③の国際会計基準が主流で、この動きは「コンバージェンス」と呼ばれています。

　3つの基準の間には、項目や計算上のルール、資産の評価方法、収益を認識するタイミングなどにおいて、共通点や相違点があります。国際会計基準のメリットは、世界中の資金を呼び込める、投資情報を比較しやすい、世界に子会社を持つグローバル企業の**連結決算**が効率的に行える、などです。

　2023年5月現在、国際会計基準を採用、または採用予定を発表している**東京証券取引所**の**上場**会社は268社で、東証上場会社の約6.9%です。

国際会計基準に移行する日本企業が増加

日本企業＝親会社
日本の会計基準

欧州子会社
国際会計基準

米国子会社
米国会計基準

グループ会社内で会計ルールがバラバラだと決算作業が煩雑!

国際会計基準に統一

米国会計基準

米国で資金調達を行う会社が財務諸表を作成する際に義務付けられた、米国ルールの会計基準。米財務会計基準審議会(FASB)が作成。

> 長さの単位はメートル、尺、フィート、重さの単位はグラム、貫、ポンド。面積は㎡、ha、坪。基準がバラバラでは、わかりにくいですよね。会計基準も同じこと。

　米国会計基準（SEC基準）は、米国証券取引委員会が米国内の**証券取引所**に**上場**する証券に対して義務付ける会計報告の基準です。**ADR**（**米国預託証書**）の発行など、米国での**資金調達**には、米国の会計基準に基づいた**財務諸表**の作成が必要です。米国会計基準を採用する日本企業は、米国市場に上場するためだけではなく、ガバナンスの面で信頼性を高める目的も考えられます。

　日本の会計基準は、米国会計基準を参考に作られたため、両者は似た部分が多いものの、相違点があります。例えば、企業の合併・買収の際の「のれん代」は日本の会計基準では減価償却しますが、米国会計基準では償却せず、定期的にのれん代の価値を見直し、下落した場合には減損処理をします。**損益計算書**上の**経常利益**（損失）という概念がなく、特別損益もありません。事業に関するものは営業費用に、不動産売却の損益などは「その他」とされます。

●●● EU、米国、日本では会計の考え方が違う ●●●

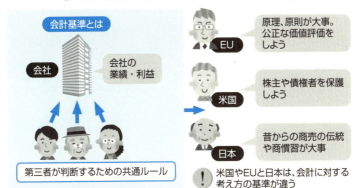

6-2 損益計算書には、何が書かれているか?

損益計算書は、業績について集計した決算書です。損益計算書の理解に必要な用語を確認しましょう。

損益計算書 会社の1事業年度の経営成績として、売上高から費用を引き、最終的な利益を算出する計算書。最終的な利益を求める過程も示されている。

損益計算書は、売上高から順次コストを引いていく形式。じっくり見ると、赤字や黒字の理由を突き止めるヒントが隠れています。

損益計算書は、**売上高**と利益に関する通信簿で、売上高からかかった費用を引いたり、本業以外の損益を加減したりして算出します。

損益計算書は1事業年度分だけでなく、複数年度の推移に注目します。前年からの売上高や利益を比較し、その増減率を見ることで、その会社の**成長性**がわかります。

なお、**決算**を終えた損益計算書はあくまでも終了した年度の結果であり、投資判断には今後の利益予想の方が重要です。

損益計算書の例

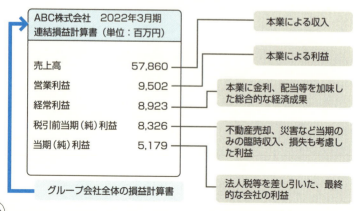

6-2 損益計算書には、何が書かれているか？

売上高 会社が製品や商品を販売したり、サービスを提供したりして、その対価として顧客から得られる代金。業態によっては、営業収益と呼ぶ。

相変わらず売上重視の業界もありますが、「売ってナンボ」の時代は終わったのでは？ 今は資金回収とアフターフォローでしょ！

　売上高とは会社の利益の源泉で、製品や商品の販売やサービス提供から得られる代金です。売上高は（単価）×（数量）で表され、販売単価も重要です。売上高の複数年度の推移を見ることによって、その会社の**成長性**を判断することができます。金融業やフランチャイズで事業展開する会社、商品という形のあるものではなくサービスを提供する会社では、売上高ではなく営業収益と表されます。

　売上高は、通常、販売した段階で計上されます。販売をした時に代金を受け取らず売掛金となり、その後も代金を回収できなかった場合、見かけ上は売れていても資金繰りは悪化します。代金回収ができずにいると、最悪の場合は黒字倒産にもなりかねません。帳簿上の売上高だけでなく、実際に現金が入ってきているかといったキャッシュフローの状況も併せてチェックしたほうが良いでしょう。

　なお、業界内順位やシェアは、売上高を基準にします。連結事業部門における海外事業比率も、売上高をベースに計算されています。

●●● 売上高と利益 ●●●

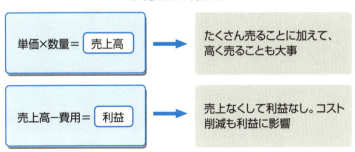

! 売上高の複数年度の推移で、会社の成長性を測ることができる

第6章　決算書に関する用語

営業利益

会社の本業による儲けを表したもの。売上から本業にかかるコストを引いて残った利益。残らず赤字になれば、営業損失という。

販売費や人件費を減らせば、同じ売上高でも営業利益が増えます。うだつが上がらないと自覚したら、せめて交際費を減らしては？

　営業利益は、**売上高**から売上原価を引いた売上総利益から、販売費・一般管理費（主に広告宣伝費や従業員の給料など）を引いて求められます。売上からコストを引いた後の利益の額（赤字なら営業損失）なので、投資家や**証券アナリスト**などは、会社の本業による実力を評価する項目として注目します。販売にかかる経費を多く支払うほど、営業利益は低くなります。売上高に対し、極端に少ないのは問題です。

　粗利と呼ばれる売上総利益は、費用部分の仕訳があいまいで単純に他社との比較ができないこともあります。人件費や消耗品などの費用を売上原価とする会社もあれば、販売管理費にする会社もあります。そのため、同業他社同士で本業の儲けを比較する際には、売上原価と販売管理費を引いた後の営業利益がよく用いられます。

　売上高の増加に伴って営業利益が増える会社が理想的ですが、売上が伸び悩むような場合には、販売費や一般管理費を削減して営業利益を確保しようとします。しかし、広告宣伝費や販売促進費を必要以上に削ると、将来の売上が減少する恐れもあります。

売上高から費用を支払うと営業損益

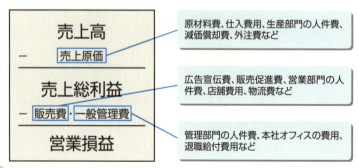

経常利益

営業利益（損失）に、本業には関係ないが毎期コンスタントに発生する収入やコストを加減した後の利益。財務内容が影響する。

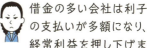

借金の多い会社は利子の支払いが多額になり、経常利益を押し下げます。せっかく本業で儲かっても、利払いが落とし穴に。

営業利益（損失）に、営業外収支と持分法投資損益を加減した項目が**経常利益**（赤字なら経常損失）です。財務面も含めた、企業グループ全体の総合力を示す指標として使われます。

「営業外収支」とは、営業外収益と営業外費用で、本業には直接関係がないものの、毎期継続的に発生する利益や損失です。具体的には、支払金利や受取**配当金**、為替の差損益などです。

「持分法投資損益」とは、**連結会計**上で**持分法適用会社**の損益を出資比率に応じて親会社の**決算**に取り込む損益です。持分法適用子会社とは、子会社のように連結対象になるほどは出資していなくても、出資や役員の派遣など関連会社として損益の影響があり、親会社の連結決算に取り込む必要があるグループ会社です。

なお、**国際会計基準**や**米国会計基準**による開示を採用する連結会社の**損益計算書**には、経常利益という項目がありません。営業利益から、その他の収益として受取利子および配当金、支払利子、その他（日本基準でいう特別損益など）を加減し、税引前当期純利益を算出します。

経常損益は営業損益に本業以外の損益を加減

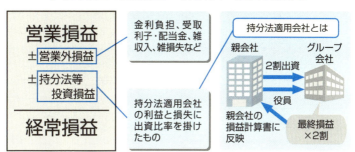

第6章　決算書に関する用語

最終利益

会社の事業年度の最終的な利益、または損失の額。事業活動の最終結果と言える。純利益ともいう。赤字なら最終損失、最終赤字。

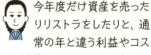

今年度だけ資産を売ったりリストラをしたりと、通常の年と違う利益やコストを計算に入れている場合もあるので気をつけて。

　日本の会計ルールでは、**経常利益**にその年度だけの事情による損益（特別損益）を加減して「税引前当期純利益」を求めます。さらに法人税等を引いたのが**最終利益**（純利益）です。赤字になれば最終損失です。投資先の最終損失は会社の事業活動の結果で、とても重要です。

　「特別損益」は、土地や子会社を売却した場合に発生する損益や、年金制度の解散などによる損益など、臨時に発生した損失や利益です。従って、特別損益は企業価値の判断にはそれほど大きな影響を与えないのが通常です。しかし、特別損益の扱いには注意も必要です。会社が実際以上の利益を計上したいとか、節税目的で利益を小さくしたいなどの思惑がある場合、特別利益や特別損失を使って帳簿上の損益を操作することもできるからです。

　また、税引前当期純利益から控除する法人税等は、実はその年度に実際に支払った税金額ではありません。会社が当期の税金と判断した額であり、税務署の判断と異なっていることもあります。

●●● 最終損益は事業の最終的な結果 ●●●

```
経常損益
　±特別損益         ──── 土地売却損益、投資有価証券売却損益、
税引前当期純利益          関係会社整理損益など
　−法人税等         ──── 法人税、住民税および事業税、法人税等
　±非支配株主損益(連結の場合)  調整額
最終損益
                    会社の考える利益の範囲と、税務署の判断
                    が異なれば、税額に差が出る
```

6-3 貸借対照表には、何が書かれているか？

貸借対照表は、財務について集計した決算書です。財務に関して知っておきたい用語を確認しましょう。

貸借対照表 ある時点における、会社の財政状態を示した計算書。資金の調達手段と、その資金を元手に保有する資産の状態がわかる。

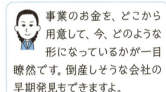

事業のお金を、どこから用意して、今、どのような形になっているかが一目瞭然です。倒産しそうな会社の早期発見もできますよ。

貸借対照表（バランス・シート）は大きく3つの部門に分かれています。**資産の部、負債の部、純資産の部**です。「資産」は、「負債」で借りてきた資金と、「純資産」で投資家から調達した資金を元手に事業を行う中、ある時点で保有している資産の一覧です。

負債の部は、流動負債と固定負債に分かれています。純資産の部は、**株主の出資による「資本」と評価益など、ストックオプション**などの**新株予約権**、非支配株主持分などが計上されています。

貸借対照表の例

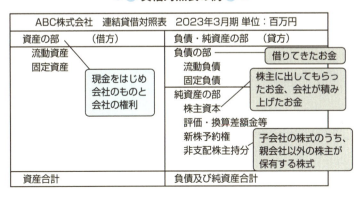

第6章　決算書に関する用語

資産の部

貸借対照表のうち、会社が決算期末などのある時点で持っている現預金や有価証券、在庫、不動産などの残高明細とその合計。

> 資産といえども滞在期間はまちまち。出入りの頻繁な運転資金から、お金に換えにくい資産、売れない在庫、不良債権などまでです。

貸借対照表の左側の項目は、**資産の部**（または「借方」）と言います。右側の貸方で調達した事業資金が、ある時点（通常は**決算**日）でどのような資産なのかを表します。資産の部の合計が、「総資産」です。

資産の部は、現金化しやすい順番に上から並んでいます。そのうち、1年以内に現金化できる資産を「流動資産」と言い、現金・預金、受取手形、一時保有の有価証券、製品、原材料などです。1年を超えて長期にわたって使用したり運用したりするものは「固定資産」と言います。そのうち、土地、建物、機械などは「有形固定資産」で、営業権（のれん）、特許権、借地権、商標権などは「無形固定資産」です。「投資とその他の資産」も固定資産です。

総資産は、**売上高**、従業員数、資本金などと同様に会社の規模を示します。また、総資産と売上高の割合や総資産と利益の割合を使って、売上高や利益が会社の規模と比べて妥当な水準かを分析できます。

●●● 含み損の資産 ●●●

減損会計の対象

・帳簿上の価格に比べて5割程度以上の下落
・その資産から得る利益が2期連続赤字で次も黒字になる見込みがない場合…など

 減損会計により投資採算の合わない資産を持つ会社は、利益額にも影響が出る

6-3 貸借対照表には、何が書かれているか？

負債の部

貸借対照表の貸方のうち、他人資本による部分。借入金や買掛金などいずれ返済すべき資金の、残高明細やその合計のこと。

> 「すぐ返せ」と言われる流動負債。「返済は少し先でもいいよ」と言われる固定負債。流動負債が多すぎる会社はあの世行きです。

貸借対照表で、右側の貸方のうちの借入金や未払金の残高が「負債」です。負債の部と、その下にある総資産の部の合計を「総資産」と言います。

資産の部と同様に、負債の部もその返済期限によって「流動負債」と「固定負債」に分けられます。流動負債は、返済期限が1年以内の負債で、支払手形・買掛金などの仕入債務、1年内借入金、1年以内に償還日の到来する社債などです。すぐに返すべき流動負債は、資金繰りを見る上で重要です。固定負債は返済期限が1年超の借入金や社債です。

負債が多すぎると会社の財務内容に問題があるので、毎年の負債額の推移を確認します。負債の部には、商売上、決算日に発生する仕入などの売掛金や未払金も含まれます。注意したいのは、これらよりも特に金利負担が利益面に影響する有利子負債の残高です。

負債の部の記載項目

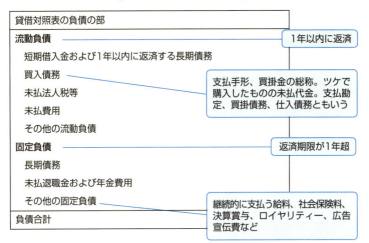

第6章　決算書に関する用語

純資産の部

貸借対照表上で記載される、株主資本と評価・換算差額金等と新株予約権の残高。会社法によって定義が見直された。

> 事業の元手資金と事業で儲けたお金の合計。誰に返すわけでもなく会社が自由に使えます。ビジネスチャンスが到来すれば活用可能。

　貸借対照表の貸方は、**負債の部**と**純資産の部**で構成されます。このうちの純資産の部は返済義務がない資本です。さらに「**株主資本**」と、本来の株主資本ではない項目に分けられます。

　会社法では、貸借対照表上の株主資本は、本来の株主に帰属する部分と規定しています。株主の出資分と、そこから生み出した毎年の利益の積み重ねの合計です。資本金は、原則として**株式**の発行価額です。本来の株主資本ではない項目は「評価・換算差額金等」、「新株予約権」、**連結会計**の場合の「非支配株主持分」です。非支配株主持分とは、子会社の資本のうち、親会社以外の株主の資本です。

　自己資本とは、純資産から新株予約権や非支配株主持分という連結親会社の株主の出資には当たらない部分を除き、さらにその他の評価・差額金を加えたものを指します。

株主資本、自己資本、純資産の範囲

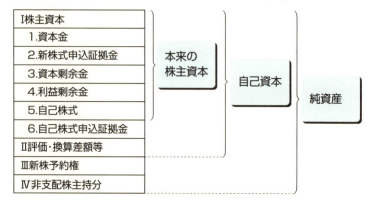

6-3 貸借対照表には、何が書かれているか？

自己資本

他人資本の対義語で、返済の義務がない資金。会社法が施行される前は、株主資本と同じ意味に使われていたが、今は定義があいまい。

自己資本は他人資本と違い、業績が悪ければ出資者に無配当で良く、安全弁となります。しかし、業績好調なら高配当が求められます。

資本主義の初期段階では、経営者自らが**株式会社**の事業資金を準備して**株式**を持っていたため、株式発行で集めた資金を**自己資本**と呼びました。借入金など他人資本に対する言葉です。会社の規模が大きくなると出資と経営が必ずしも同一ではなくなっていきます。事業資金は外部の**株主**から集められ、「出資者は株主」という意味合いで、株主資本という表現が適するようになりました。

それでも**会社法**施行前は、「自己資本＝株主資本」という扱いが残っていました。他人資本でない部分は自己資本という理解で良かったのです。しかし、会社法でそれまでの「資本の部」の構成を見直し、株主資本に含まれる項目を定義したことで、現在は「自己資本＝株主資本」ではなくなりました。他人資本に対する一般的な言葉と考える方がよさそうです。

自己資本と株主資本

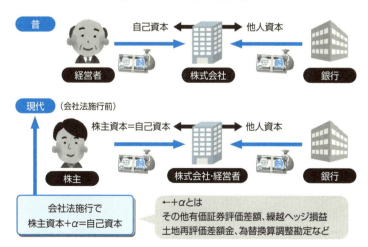

引当金

将来引かれると見込まれる、特定の費用や損失の補てんとして当期の費用に計上する見積額。発生前にあらかじめ準備する目的で記載する。

アイツとの関係は引当金がドンドン積み上がるばかり。割り勘の飲み代、貸したお金。もうアイツには、不渡り出して精算だわ！

引当金は、将来の**リスク**に対する準備金です。その事業年度かそれ以前に発生理由があり、将来に支払う可能性が高い費用や損失で金額が合理的と認められる場合に、今期の**決算**で記載されます。将来の支出や支払義務は確定していなくても、支払うことが予測できれば**貸借対照表**に引当金として計上できます。

引当金には、貸借対照表の**負債の部**になる引当金と、**資産の部**になる引当金があります。現金等の引渡しを通じて発生する費用または損失の計上による引当金は「負債性引当金」と言い、将来の支払い額です。そのため、負債に計上します。一方、現金以外の保有財産が目減りしたためにその期の決算で計上する引当金は「評価性引当金」です。資産の部のマイナス項目として計上されます。

引当金の考え方

販売	代金未収	決算日	将来
売上債権が発生	回収が困難	貸倒引当金を計上	回収＝引当金の取崩し

負債性引当金
負債に計上する。退職給与引当金（債務性あり）、修繕引当金（債務性なし）など

評価性引当金
資産に計上する（控除項目）。貸倒引当金など

有利子負債

金融機関などから借りた借入金や社債など、金利を付けて返済する必要がある借金のこと。手元資金と比べて多いと安全性が劣る。

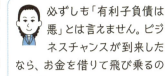

必ずしも「有利子負債は悪」とは言えません。ビジネスチャンスが到来したなら、お金を借りて飛び乗るのも大事。

有利子負債は、その名の通り、「利子」の「有る」負債です。**貸借対照表**上の「貸方(かしかた)」の**負債の部**に記載される借入れのうち、利息を払う義務のあるものです。具体的には、短期借入金や長期借入金、社債、1年内返済金、償還社債などです。反対に、金利の発生しない無利子の負債は、買掛金や未払金です。貸借対照表では、有利子負債と無利子負債を区別して記載しているわけではありません。上記の項目から判断します。

有利子負債の妥当な金額は、**業種**や会社の規模によりまちまちです。目安は、1年間の**売上高**です。日々、金利が発生するので、金額が大きいほど会社の利益を減らします。身の丈に合った借金でないと、経営が苦しくなります。総資産のうち、有利子負債の比率を見る「有利子負債依存率(度)」や、**自己資本**に対する有利子負債の比率である**有利子負債比率**でチェックできます。

●●● 負債の部の記載項目 ●●●

貸借対照表のうちの負債の部
流動負債
短期借入金および1年以内に返済する長期債務
買入債務
未払法人税等
未払費用
その他の流動負債
固定負債
長期債務
未払退職および年金費用
その他の固定負債
負債合計

有利子負債 金利を支払うべき負債

! 有利子負債が多いほど、その会社の利益は減っていく

第6章　決算書に関する用語

内部留保

会社が生み出した利益のうち、次年度以降の事業資金などのため社内に蓄積する部分。「余ったお金」のイメージがあるが、現金や預金として保有されているとは限らない。

私のお腹まわりにも、十分な内部留保がたまっています。おかげで、食糧難になったとしても、しばらくの間は生き延びられるかもしれません。

内部留保は会計用語ではなく、**決算書**を隅々まで見ても「内部留保」という項目は見当たりません。**財務諸表**で探すのであれば、**貸借対照表**の「利益剰余金」が該当します。

具体的には、**企業業績**の**最終利益**（当期**純利益**）のうち、配当金の額を引いたものが単年の内部留保です。事業による利益から、**株主**に支払う分を差し引けば、会社の手元に残る金額が求められます。この残ったお金が内部留保です。余剰資金を使い切らずに残しておき、毎期の内部留保を蓄積したものが、貸借対照表の利益剰余金となります。

総資産に対して内部留保の比率が高いほど、財務がより健全だということができ、**安全性**を重視する投資家からは好感されます。一方、「株主への配分より社内に資金を残すことを重視している」と判断する立場の投資家は、高い内部留保の企業に対して否定的な見方をします。

●●● 内部留保の「内部」は会社のこと ●●●

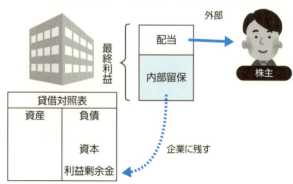

債務超過

貸借対照表において負債が資産よりも多い状態を指す。純資産がマイナスの状態で、全部の資産を売却しても負債が残る。

> 「債務の株式化」は、奥の手の債務解消マジック。債務超過の会社が、債務を株式と交換し、一気に負債を減らす手法です。

貸借対照表の**負債の部**の残高が、**資産の部**の残高を上回っている状態を**債務超過**と言います。会社の資産をすべて売却しても負債の全部を返せないのですから、会社にとってかなり危機的な状態です。**東京証券取引所**では、原則として、債務超過になって1年以内に債務超過が回復しなければ**上場**廃止とします。

通常、事業で赤字を出した場合、利益剰余金などの**自己資本**を取り崩します。それでも賄えないのは、借入れで首の皮をつないでいる状態です。新規の借入れも難しい状況にもなり、財務悪化がここまで来ると非常に危険で、倒産の可能性も濃くなります。

債務超過の状態から回復する方法としては、一般的に**増資**をして資本を増強するか、負債を免除してもらうか、負債を**株式**に振替えるなどの手立てをします。理想は、利益を出せるようになって資産を増やすことです。それができれば、債務超過は解消します。

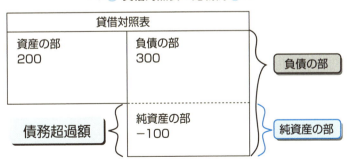

負債が資産よりも多いと債務超過

第6章　決算書に関する用語

時価会計

資産と負債を時価で評価する会計。その資産を購入した時点でなく、現在の価値に基づいて評価。

以前は、不動産や証券を買値のまま評価して、値下がりしても見ないフリ。今考えるとコワイ……。

売買目的の有価証券や**デリバティブ**など、価値が変動する金融資産、販売用不動産などに適用します。以前は、これらの**含み益**や**含み損**は**決算**に反映されず、売却時に計上されました。毎期の決算では、取得時の価額（＝帳簿価格、「簿価」）で評価していたため、簿価と時価の差が見えず、会社の真の評価ができませんでした。

時価会計の導入により、**貸借対照表**では資産を毎期の時価で記載し、買った時の簿価と時価の差額は**損益計算書**に「評価損益」として記載することになったのです。このおかげで資産評価がより正確になりました。

国際会計基準や**米国会計基準**では、早い時期から時価会計を導入していました。日本では、原則として2020年4月1日以降開始する事業年度から時価会計が導入されています。導入前は、保有資産の含み損は、売却しなければ表面化しませんでした。時価会計では、評価が低い資産を保有していると一目瞭然です。

時価会計の導入による影響

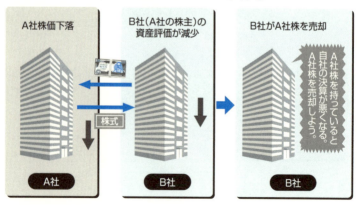

! 時価会計が「持ち合い解消」を招いた

第7章

企業分析に関する用語

株価は会社の価値を表します。会社の
価値を判断するための基本的な用語を
学んでおきましょう。

第7章　企業分析に関する用語

7-1　企業分析は、どのように行うか？

株式市場では、主に会社の価値を基準に株価を決定していきます。
会社を評価するための用語を学びましょう。

ファンダメンタルズ分析

投資対象の本質に着目、その評価が投資対象の本来の価値と考える分析手法。マクロ経済指標や個別銘柄が分析の対象。

「株式投資の極意は、良い銘柄を見つけ良いタイミングで買い、良い銘柄である限り持ち続けることに尽きる」とは、バフェットの言。

　ファンダメンタルズは、「経済等の基礎的要因」という意味で、国・地域の経済状況や会社の経営状況などです。国なら経済指標や金利・為替・政治情勢など、会社なら財務内容や**企業業績**、**株価指標**などです。

　これらを重視して投資判断をするのが**ファンダメンタルズ分析**です。**株式**の本質的価値と市場の評価にギャップがあったとしても、いずれ**株価**は本質的価値に近づいていくという考え方に基づきます。会社の実力を見極めて投資をする、中長期的な運用に向いています。

●●● ファンダメンタルズ分析で用いる項目 ●●●

企業のファンダメンタルズ

・財務内容の良し悪し　　　　・事業効率の良し悪し

・利益の伸び/損失の拡大　　・株価の割高/割安性

・企業の規模　　　　　　　　・株主還元率

・企業の保有資産　　　　　　　　　　　など

⚠ ファンダメンタルズ分析における株価の判断基準は、企業の基礎的な条件

172

時価総額

株式市場における上場会社の評価価値。(発行済株式数)×(株価)で、その会社を100%買収するための必要資金とも言える。

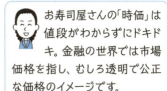

お寿司屋さんの「時価」は値段がわからずにドキドキ。金融の世界では市場価格を指し、むしろ透明で公正な価格のイメージです。

時価総額は、ある会社の時価による価値総額の意味にも使えますし、株式市場全体の時価による規模を示す意味にも使います。

「ある会社の時価総額」は、株式市場におけるその会社の評価を示す指標にもなります。時価総額は、**株価**が上がれば増加し、株価が下がれば減少します。理論上は、**増資**をして**発行済株式数**が増えれば時価総額も大きくなりますが、現実はそうではありません。増資を嫌って株価が下落することも多いからです。近年は**株式交換**による買収防衛の観点から、自社の買収金額ともなる時価総額を引き上げることを経営の1つの目標にする会社も出てきました。

「株式市場全体の時価総額」は、その株式市場の規模を示します。例えば市場全体の時価総額が増加すれば、株式市場での取引が活発になったことを意味します。日々の株式取引が活況かどうかの傾向を知るために、株式市場の時価総額の推移を使用することもあります。

時価総額は会社の価値

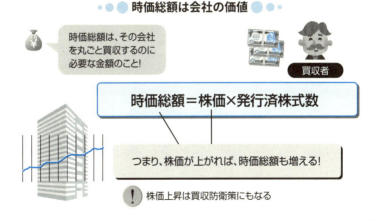

第7章　企業分析に関する用語

企業業績

会社の事業活動の成果。事業における儲け。損益計算書で示される売上高や利益の各項目、または利益構造の全体像。

> 株価は企業業績にリンクするのが通説。短期的に人気で株価が動いたとしても冷めやすく、結局は業績が判断の核となります。

　会社の最終的な使命は、利益を追求することです。会社の利益は、**売上高**からかかった費用を引いて求められます。この計算は**損益計算書**に示され、その計算の過程の一つひとつにも意味があります。投資家が**営業利益**、**経常利益**、**最終利益**などそれぞれの項目が持つ意味を踏まえて投資判断を行った結果、**株価**が動きます。したがって**企業業績**は株価に大きな影響を及ぼしていると言えます。また、企業業績は、利益を投資家に分配する**配当金**の計算の元にもなっています。

　上場会社の業績は、3ヵ月ごとの四半期、半期ごとの中間期、1年ごとの通期で集計し、公表されています。

●●● 投資判断では先の業績予想を使う ●●●

2023年10月

2023年3月期業績

売上は1,000億円、最終利益は20億円

→ 参考程度

2023年3月期は、終わった年度。2024年3月期予想をしっかりチェック！

投資家

上場会社

2024年3月期業績予想

売上は1,030億円、最終利益は21億円の予想

→ 重要

❗ 企業業績は、結果より将来予想が重要

7-1 企業分析は、どのように行うか？

会社四季報

会社の財務、業績、資本、事業内容などの主要データが掲載された書籍。年に4回発行され、株式投資には欠かせない資料。

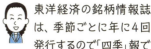
東洋経済の銘柄情報誌は、季節ごとに年に4回発行するので「四季」報です。ご年配の方向けに大きな文字のワイド版もあります。

会社四季報は、「株式投資のバイブル」とまで言われる存在の、企業データが満載の書籍です。東洋経済新報社から発刊されています。年に4回、3月、6月、9月、12月の中旬に発売されます。書籍で発行されるほか、「四季報ONLINE」の有料プランも用意されています。

掲載される内容は、会社の基本情報ともいうべき財務、**企業業績**、資本、事業内容などの**財務諸表**から転記した主要データと、編集部による企業業績予想などの独自調査やコメントです。マニアの投資家や専門家は、この予想数字などを参考に株式取引をしている人が多く、発売日には「四季報相場」という言葉もあるほどです。

会社四季報の主要なデータ

- **銘柄の概要** 銘柄名、銘柄コード、本社所在地、設立年月、上場年月、決算月、取引銀行、幹事証券
- **事業（セグメント）** その会社の特色（業界内の地位、資本系列、海外事業の比率など）、連結事業内容
- **本文記事** 業績動向、財務体質の変化、新製品の話題など
- **株式データ** 発行済株式数、1単元の株数、みなし取得価格
- **財務データ** 貸借対照表より主要データの抜粋
- **株価の推移** 直近の月間、年間、上場来の高値/安値
- **業績の推移** 損益計算書より主要データの抜粋、今期・来期の業績予想など
- **資 本** 大株主の状況、持株数と持株比率、浮動株比率など

● 第7章　企業分析に関する用語 ●

証券アナリスト/テクニカルアナリスト

証券アナリストは会社の情報分析と価値評価をする人。テクニカルアナリストは価格変動の統計から投資タイミングを判断する人、またはそれらの職業や資格。

> ウォール街の格言「相場が底を(天井を)つけた時にベルを鳴らしてくれる人はいない」。誰も教えてくれません。アナリストの意見を踏まえて、最後は自分で判断を。

証券アナリストは、一般に、**証券会社**の調査部門や金融機関系の経済研究所などに所属し、マクロ・ミクロ両面の経済調査に基づいた個別**銘柄**の分析や**株価**の評価を行う職業、またはその資格を有する人です。アナリスト資格は、米国でも日本でも法律で定められた資格ではありませんが、日本では社団法人日本証券アナリスト協会(SAAJ)が検定制度を実施し、資格を与えています。

テクニカルアナリストは、**株価チャート**などの価格変動の推移や需給動向など市場内の統計分析を行い、投資タイミングの適否を判断する職業またはその資格を持つ人を指します。日本では、国際テクニカルアナリスト連盟に加盟するNPO法人日本テクニカルアナリスト協会(NTAA)が資格試験を実施しています。

● ● ● 証券分析の専門家はいろいろ ● ● ●

個別企業のファンダメンタルを中心に株価を評価

証券アナリスト

個別企業のチャート分析でタイミングを判断

テクニカルアナリスト

投資環境に照らし合わせ、個々の投資信託を分析・評価

ファンドアナリスト

債券発行企業などの信用調査、分析をし、信用格付けなどを判断

クレジットアナリスト

176

ストラテジスト/エコノミスト

> 銘柄分析や、投資戦略を練ることに長けていた専門家も、退職して自分で投資をすると、冷静な判断ができずにうまくいかないらしいです。人の心は、扱いが難しいようで。

ストラテジストは、経済環境全体を踏まえた総合判断から、その環境下で最も資金効率の高い投資戦略を練り、提案をする業務を専門とする人。

　個別**銘柄**の分析を行う**証券アナリスト**に対し、**ストラテジスト**は経済全体を調査・分析した総合判断を行います。判断にとどまらずに、投資にあたって資金効率が最も高いと考えられる戦略を練り、クライアントに提案することも重要な業務です。経済の動向を見極め、**相場**環境全体の流れなどを分析し、**機関投資家**やファンドマネージャーなどに提言します。一般に、**証券会社**や投資顧問会社、金融系のシンクタンク、**投資信託**会社などに所属している人が多いようです。証券アナリストなどと違い、ストラテジストという資格はありません。

　なお、経済全般を分析する業務には、ほかに**エコノミスト**という専門家もいます。エコノミストは、ミクロ・マクロ両面の経済環境から、今後の経済動向などを予測する人で、具体的には経済学者や経済研究に携わっているような人を指します。

アナリスト、エコノミスト、ストラテジスト

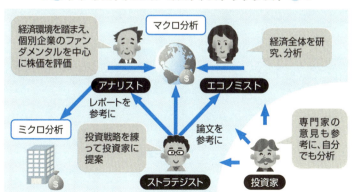

第7章 企業分析に関する用語

レーティング

業績と株価水準を根拠に、証券アナリストなどが予測をする個別銘柄の将来の株価推移。株価格付、投資格付ともいう。

> レーティングは証券会社が独自に出しているもの。今後の値動きの方向性や目標株価など、各社の表現はまちまちです。

レーティングは、個別**銘柄**の**株価**推移について、市場全体の株価と比べてどれだけ上回って動くか、どれだけ下回って動くかの相対評価を予測したものです。ただし、**企業業績**や株価の水準に基づくものの、確実ではありません。定義や表現は、判断をする**証券アナリスト**が所属する**証券会社**や調査会社などによってさまざまです。日本株の場合には、市場全体を示す**ベンチマーク**に **TOPIX**(トピックス)を採用するのが一般的です。

ある銘柄についての初めてのレーティングは、新規レーティングと呼ばれます。その後、株価の変動やアナリストの継続調査に応じて、レーティングは変更されていきます。投資家はレーティングやそれを解説するレポートなどに注目し、投資判断の参考にします。そのため、レーティングそのものが市場の売買動向に影響し、株価変動の直接的な原因になることも少なくありません。

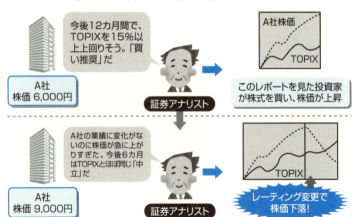

レーティングが株価を動かすことも

178

7-1 企業分析は、どのように行うか？

スクリーニング

投資家が自分の好みの投資条件を設定し、それに合致する個別銘柄を機械的に絞り込んで選び出すこと。

> スクリーニングサイトの操作自体は簡単ですが、条件設定をどうすれば良いかで迷う方が多いようです。まず投資方針を明確に。

スクリーニングは、インターネット証券会社や投資情報系のWebサイトなどで自分の投資方針に合った条件を入力して行えます。投資基準に合う条件に値を設定すると、それに合う**銘柄**が抽出されます。

一般に言われる「良い銘柄」の基準は、投資家によってまちまちです。**企業業績**の伸び率が高い、財務内容が盤石、**株価**が**割安**だ、会社の規模が大きい、株価の変動幅が大きい、**出来高**が多い、株価が動意づいた、などの投資の好みや程度には差があります。これらの投資条件のうち、投資家自身が自分の投資でこだわりたいファクターとその水準を設定し、その条件に合う銘柄を機械的に抽出します。

しかし、機械的に抽出作業を行うと、個別の事情でたまたまその条件に当てはまった銘柄も選ばれてしまいます。最終的には投資家の手で情報を再確認し、投資判断をすることが肝心です。

スクリーニングの例

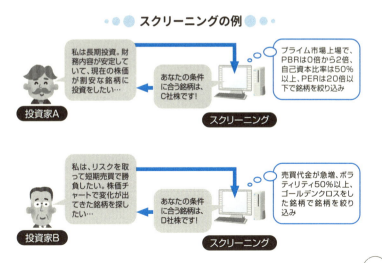

第7章 企業分析に関する用語

7-2 企業が効率よく儲けているかを見るためには？

収益を伸ばす会社、効率の良い会社とは、どのような基準で選べばよいのでしょうか。

収益性 会社を分析する際、どれだけ効率よく利益を生み出したかについて着目した指標。売上高や総資産に対する利益の比率などで表す。

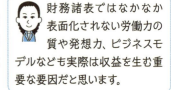

財務諸表ではなかなか表面化されない労働力の質や発想力、ビジネスモデルなども実際は収益を生む重要な要因だと思います。

会社の最大の使命は、利益を生むことです。利益はその額だけでなく、利益を生む過程の効率と中身も重要です。いかにコストを抑えて効率よく利益を残しているかが**収益性**です。収益を生むシステムが構築されていることや、将来の事業に結び付く展開も大切です。

収益性は、**売上高**に対する**営業利益**や**経常利益**の比率を見る**売上高営業利益率**や売上高経常利益率などと、資本を有効に使い効率よく利益を上げたかを見る**ROA**などで示されます。同業他社と比べ、相対的に少ない資本で多くの利益を生めば、収益力があると言います。

収益性を見る2つの視点

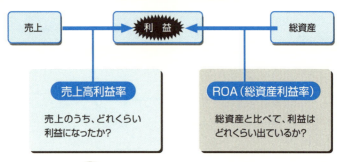

いかに効率よく利益を出すかが収益性

売上高営業利益率

売上高に対する、営業利益の比率。コストを下げて、本業による利益をどれだけ効率よく生み出したかを見る指標。

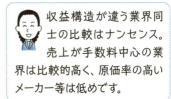

収益構造が違う業界同士の比較はナンセンス。
売上が手数料中心の業界は比較的高く、原価率の高いメーカー等は低めです。

売上高と**営業利益**は、本業に関わる収入と利益です。両者の比較で、本業に関する収益力がわかります。これが**売上高営業利益率**です。

売上高営業利益率は効率よく利益を生んだかどうかを見る指標で、収益が好調か、コストダウンなどの合理化が進んでいるか、などを見るための指標です。営業利益とは、売上高から原材料費などの売上原価と人件費や広告費などの販売費および一般管理費を引いたものです。

もし、売上高営業利益率が同業他社に比べて見劣りするなら、費用の内容を確認します。ただし、費用はすべて無駄とは限りません。設備投資や減価償却が増加傾向なら売上高の増加に伴って設備投資を増やしている証拠でもあり、そのため営業利益が少ない場合もあります。前向きな投資であればそれほど問題ではありません。

●●● 売上高営業利益率の計算方法 ●●●

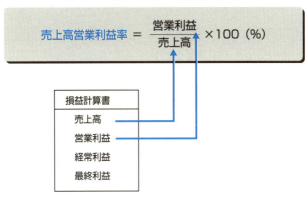

本業における収益力をチェック

第7章 企業分析に関する用語

EPS

最終利益（純利益）を発行済株式数で割ったもの。普通株式1株に対し、普通株式に呼応する利益の額。年々増加していれば、収益力が上がっていると考えられる。

地道な事業活動で利益を増やさず、見掛け上のEPSを大きくもできる点は要注意。発行済株式数を減らせばEPSは増えます。

EPS（Earnings Per Share：1株あたり利益）は、会社の**最終利益（純利益）**を1株あたりに換算したものです。投資家が市場で**株価**を決定する際に重要視されます。株価は1株あたりの**株式**の値段なので、利益を参考にして株価を判断するなら、利益額も総額ではなく1株単位にして株価と基準を揃えると、比較しやすくなります。

EPSの計算に使用する**発行済株式数**は、**優先株**や自己株式を除きます。特に最近では自己株式が増え、実態に合うように計算するためです。普通株式の**株主**からの出資株式数を対象にするためです。また、それに呼応して、利益は普通株式にかかる最終利益を対象にします。

EPSは、**売上高**や利益と同様に、複数年度の推移を見て、過去、現在、未来と時間を追って増えているかをチェックします。

●・●● EPSの計算方法 ●●・●

$$EPS（1株あたり利益）= \frac{普通株式にかかる純利益}{普通株主の期中平均株式数} \times 100（\%）$$

$$= \frac{損益計算書の純利益 - \boxed{普通株主に帰属しない金額}}{期中平均発行済株式数 - 普通株式の自己株式} \times 100（\%）$$

普通株主に帰属しない金額とは？

・優先配当額
・配当優先株式にかかる消却（償還）差額
・普通株主以外の株主が当期純利益から当期の配当後の配当に参加できる額

7-2 企業が効率よく儲けているかを見るためには？

効率性 事業のために投下した資本に対して、どれだけ多くの利益を上げたかを示す指標。ROAやROEなどがある。効率の良さは、投資家から好まれる。

日常生活でも、実感できると思います。効率が良ければ時間やお金を有効に使えてたくさんのことができます。会社も同じこと。

　会社の実力を判断するにあたり、利益の絶対額だけではその利益額が評価に値するかがわかりません。そこで、事業に費やした資本を使ってどれだけ大きな利益を上げたかという**効率性**が大切になります。少ない資本で大きな利益を上げれば、効率が良いと言えます。

　この場合の投下した資本とは、事業に使うすべての資産という意味で総資産を使う場合と、**株主**が出資した分として**自己資本**を使う場合があります。総資産に対する利益は**ROA**と言い、自己資本に対する利益を**ROE**と言います。どちらもよく使われる指標です。

　利益の出し方は業界ごとに異なるため、効率性は同業者間で比較します。また、同一の会社の複数年のROAやROEを比較して効率が向上しているかを分析するのが一般的です。効率よく利益を上げていれば、無駄のない筋肉質な会社として市場での評価も高いのが通常です。

資本効率の判断基準

A 社
利益 500億円　資産 5000億円

B 社
利益 1500億円　資産 5兆円

A社のROA
$$\frac{500億円}{5000億円} \times 100 = 10.0\%$$

B社のROA
$$\frac{1500億円}{5兆円} \times 100 = 3.0\%$$

⚠ A社の方が効率よく利益をあげているといえる

● 第7章　企業分析に関する用語 ●

ROA

総資産に対する最終利益の割合。持っている資産を使って、どれだけ多くの利益を上げたかを示す指標。借入金と株主出資分の合計から見た効率性を表す。

「やせたら着られる」洋服。「いつか使うかもしれない」紙袋。捨てられないモノがあふれて、狭くなった家は低ROA。

ROA（Return On Asset：**総資産利益率**）は、**貸借対照表**の総資産（総資本と同額）に対する**最終利益**の割合で表します。この数字が高ければ、資産を効率よく使って稼いだと言えます。1事業年度を通じて、会社の資産を稼働させた結果、どれだけの利益を上げたのかを見るのです。総資産はその事業年度の期初・期末平均を使います。

投資家が出資した資本や借入金などの負債は、何らかの資産を購入していて、それが事業収益や財務収益をもたらすのが前提です。しかし、例えば稼働率の低い工場や収益の悪い店舗など、無駄に保有する資産があったとしたらどうでしょうか。これらは資産価値があるものの、生み出す利益が小さいので、算出されたROAは低くなります。これは効率が悪い状態です。

●・● ● ROAの計算方法 ● ●・●

$$ROA（総資産利益率）= \frac{最終利益}{総資産} \times 100 \ （\%）$$

損益計算書
売上高
－費用
＋本業以外の収入
－本業以外の支出
－法人税 など
最終利益

貸借対照表	
資産	負債
	純資産

⚠ 資産を効率よく使って利益をあげたかをチェック

7-2 企業が効率よく儲けているかを見るためには？

ROE 自己資本に対する最終利益の割合。株主が出資した資本から、どれだけの利益を上げたかを示す指標。効率性を表す。近年は、経営目標の1つになっている。

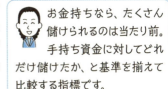

お金持ちなら、たくさん儲けられるのは当たり前。手持ち資金に対してどれだけ儲けたか、と基準を揃えて比較する指標です。

ROE (Return On Equity：**自己資本利益率**)は、**貸借対照表**の**自己資本**に対する、**損益計算書**の**最終利益**の割合です。自己資本は、純資産から本来の**株主**の出資でない**新株**予約権や非支配株主持分を引いたものです。ROEが高ければ、株主の出した資金を使い効率よく稼いだことになります。1事業年度を通じて出資している自己資本を使い、それがどれだけの利益を生み出したかを見るので、純資産や控除項目はその事業年度の期初・期末平均を使います。複数年のROEを比較すれば、**効率性**の改善具合を知ることができます。

近年はROE向上を経営目標とする会社が増えました。中でも欧米の投資家が投資判断にROEを重視するので、より経営者がROEを高める意識を持つようになったと言えます。

ROEの計算方法

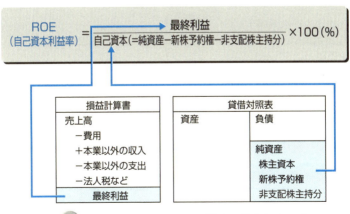

株主のお金を効率よく使って利益をあげたかをチェック

第7章 企業分析に関する用語

成長性

売上高や利益が年々増加し、会社の規模も拡大している状態を見る指標。同じ項目の推移で判断する。設備投資や研究開発にも着目。

「人の行く裏に道あり花の山」。株式投資は皆と同じ判断では儲かりません。成長の種を見つけ、気づかれないうちに投資を。

　会社の**成長性**を測るためには**売上高**や利益の前年比とその要因を見ます。例えば、特許を持っている、市場規模が拡大しそう、新規受注契約が続きそうだ、新製品や新サービスの開発計画がある、同業他社と比べて優れた取引先や販売先を持つ、などは成長性につながります。

　設備投資費や研究開発費などの成長戦略の分析も必要です。これらがその事業規模に見合う範囲なら新規投資への自信と次の成長が確認できます。しかし、行き過ぎると費用が重荷になります。

　また、利益の積み上げは会社の資本を大きくします。総資本の伸び率で、会社の規模がどれだけ拡大しているかを知ることもできます。

成長性の判断基準

売上高伸び率（増収率） 売上高が前期に比べてどれだけ伸びたかを見る指標

$$売上高伸び率（増収率） = \frac{今期売上高 - 前期売上高}{前期売上高} \times 100 (\%)$$

営業利益伸び率（増益率） 営業利益が前期に比べてどれだけ伸びたかを見る指標

$$営業利益伸び率（増益率） = \frac{今期営業利益 - 前期営業利益}{前期営業利益} \times 100 (\%)$$

売上高設備投資比率 売上に対してどれだけの設備投資費が使われたかを見る指標

$$売上高設備投資比率 = \frac{設備投資費}{売上高} \times 100 (\%)$$

7-2 企業が効率よく儲けているかを見るためには？

EVA スタン・スチュワート社が商標登録をする企業業績の評価指標。キャッシュフローをベースにした付加価値分析の方法。米国での会計制度で相性の良い指標。

> 米国のコカコーラ社がEVAを経営指標に導入して成功。ただ、日本式の株式会社経営になじまないとの声もあり、定着していないよう。

EVA（Economic Value Added：**経済的付加価値**）は、米国のコンサルタント会社スタン・スチュワート社が開発した、会社の価値を測る指標です。通常、**企業業績**の指標は会計上の利益を前提にしていますが、EVAでは、現金が増えて初めて会社の価値が高まったと考えます。その会社が総資本コスト（負債コストと株主資本コスト）を上回る現金を一定期間にどれだけ手に入れたかに着目して、会社を評価します。投資家が負う株式投資**リスク**は、株主資本コストとして費用に含めます。

キャッシュフローの指標は**株価**との相関関係が高いため、近年では注目が集まっています。中長期的な会社の存在目的を株主価値の向上と考えた場合、それを計測する「ものさし」としてEVAは有効です。

会計ベースの指標では、会計処理しだいで数字が操作できる点と、実際に動いた現金を反映していない点などが欠点です。EVAは、これらの問題点を補う指標という特徴を持っています。

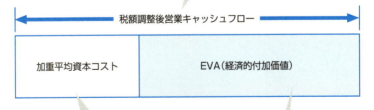

EVAの考え方

第7章 企業分析に関する用語

EBITDA

国際間で企業利益を比較する際などに有効な指標。日・米・欧の会計基準の違いによる影響が最小限に抑えられている。

各国の異なる事情を排除するためにややこしい名前の指標になりました。税制、会計の認識、金利水準の違いを排除して比較します。

EBITDA（イービッダー）(Earnings Before Interst,Taxes,Depreciation and Amortization) は、**税引前償却前金融収支前利益**と訳されます。支払利子、税金、減価償却費を引く前で、無形固定資産または繰延資産を償却する前の利益のことで、それぞれの頭文字をつなげたものです。

例えば、日本と海外の会社の投資価値を比較する場合、会計上のルールや税制の違いで真の実力を判断するのは困難です。また、会社の利益は、会社の資本構成、減価償却の対象資産や無形固定資産の有無やその金額に左右されます。**資金調達**の内訳で負債が多ければ支払利子が多く、**最終利益**が少なくなります。一方、**株主**資本が多ければ支払利子が少ないため税引前利益が多く、税額も多くなります。このような影響を最小限に抑えてキャッシュの収益力を反映させたEBITDAは、国際間での会社の収益比較や財務分析に有効だとされています。

しかし、**ITバブル**以後の米国では、EBITDAのかさ上げをする**粉飾決算**が相次ぎ、EBITDA偏重に懐疑的な見方も出てきています。

EBITDAの考え方

EBITDA ＝ 税引前利益 ＋ 減価償却費 ＋ 支払利子

- 各国の税率の違いが、最終利益に影響することを避けるために税引前利益を用いる
- 国による減価償却の方法の違いが利益に影響することを避けるために、減価償却費を足し戻す
- 国ごとの金利水準の差による影響を抑えるために支払利子を足し戻す

7-3 企業の信用リスクに備える安全性は？

安定している会社に投資したいのなら、自己資本比率や有利子負債比率などをチェックしましょう。

安全性 財務内容がしっかりしているかどうかを示す指標。有利子負債が少ないことや、自己資本が多いことなどが評価される。主に資金繰りを重視する。

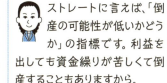

ストレートに言えば、「倒産の可能性が低いかどうか」の指標です。利益を出しても資金繰りが苦しくて倒産することもありますから。

負債が適切な範囲かを見るのが**安全性**です。総資本に占める**自己資本**の割合（**自己資本比率**）や、自己資本と**有利子負債**の比較（**有利子負債比率**）で判断します。また、無理のない設備投資を見る**固定比率**や資金繰りを見る**流動比率**でも安全性を表します。

「有利子負債依存率（度）」や、**売上高**に対する負債の比率の「売上高有利子負債比率」は、会社の規模に対し適切な額の負債かどうかを見ます。売上高と有利子負債が同程度、つまり1倍程度なら望ましく、この倍率が高いほど、会社の危険度は高まります。

安全性の判断基準

有利子負債依存率（度）
総資本に占める負債の比率。借入金や社債への依存度がわかる ➡ 低い方が健全

$$有利子負債依存率（度）＝\frac{有利子負債}{（総資産＋受取手形割引高）}×100（\%）$$

売上高有利子負債比率
売上高に対する負債の比率。身の丈にあった負債かどうかがわかる ➡ 低い方が健全

$$売上高有利子負債比率＝\frac{有利子負債}{売上高}（倍）$$

第7章 企業分析に関する用語

自己資本比率

総資産に占める、普通株主の出資による純資産の割合。安全性を見る指標で、高い方が安全だが、高すぎると収益性の面では問題がある。

> 「レバレッジを効かせる」と言えば聞こえは良いですが、要は多額の借金で事業資金を用意しているということ。自己資本比率は低くなります。積極性と安全性は、二律背反。

自己資本とは、本来の**株主**が出資した資本と毎期に積み上げた利益です。総資産のうち自己資本がどのぐらいを占めるかが**自己資本比率**です。自己資本比率が高いと、事業の元手のうち会社が比較的自由に使える資金がたくさんあると言えます。利益の蓄積や負債の削減などで自己資本比率が高い会社は、堅実な会社と評価されます。

連結会計では、**会社法**により、**貸借対照表**の総資本のうちの負債でない部分が**純資産の部**となりました。これにより、自己資本比率の算式にも変更がありましたが、「総資産に対する本来の株主の出資分の比率」という考え方は変わっていません。

なお、自己資本比率は高ければ安全ですが、高すぎてもよくありません。90％超では利益の蓄積ばかりして積極的な投資をしていないと見られ、**収益性**や**成長性**に問題があると判断されます。

自己資本比率の計算方法

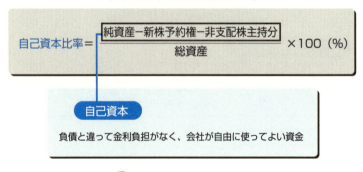

$$自己資本比率 = \frac{純資産 - 新株予約権 - 非支配株主持分}{総資産} \times 100 \, (\%)$$

自己資本
負債と違って金利負担がなく、会社が自由に使ってよい資金

! 財務面の安全性がわかる

有利子負債比率

有利子負債と自己資本を比較した財務内容の安全性を見る指標。有利子負債を自己資本で割って求める。高いほど借入金に依存している。

家計のローンを考えてみれば明瞭です。自分が持っている資産に比べてローンの残高が多いのが、有利子負債比率の高い状態。返せるかどうか心配ですよね。

有利子負債とは、利子を支払う必要がある負債で、金融機関からの借入金や社債などです。これらが多すぎると、金利負担が利益を圧迫するので、有利子負債は少ない方が**安全性**は高いと言えます。

では、有利子負債はどの程度あると多いのでしょうか。有利子負債と**自己資本**とを比較する**有利子負債比率**で、その会社の有利子負債を返済する能力がわかります。実際は負債の返済のために、即、自己資本を使うということはほとんどありません。しかしこれを見れば、自己資本の規模に照らして適正な負債額か、負債の金利が適度かといった判断ができます。ただし、適切な負債の程度は業種によって異なります。また通常、負債は現金化できる資金から返済します。返済額を手元資金で賄えるかどうかを見るには、フリー・キャッシュフローと比較する「有利子負債フリー・キャッシュフロー比率（倍率）」の方が、より現実的でしょう。

有利子負債比率の計算方法

$$有利子負債比率 = \frac{有利子負債}{自己資本（＝純資産－新株予約権－非支配株主持分）} \times 100\ (\%)$$

有利子負債
貸借対照表上の負債の部に記載される項目。短期借入金、長期借入金、社債・転換社債、受取手形割引高、借入有価証券、従業員預り金など

❗ 借入金の返済能力と金利負担をチェック

● 第7章　企業分析に関する用語 ●

固定比率

会社が保有する固定資産について、どの程度、返済義務のない自己資本を使って購入したのかを示す指標。長期的な視野で財務の安全性を見る。

> 家や車を自己資金で買った人と、ほとんどをローンで買ったという人。どちらの家計が安定しているでしょうか。そういう比較です。

　会社は土地や建物、工場、機械など、事業に使うための設備に投資をしています。**固定比率**は、この設備投資に無理がないかどうか、また返済義務のない**自己資本**で設備投資をしているかを見る指標です。これらの設備は、基本的には1年以上にわたって使用される資産で、**貸借対照表**の**資産の部**の固定資産の項目です。

　一般的に、固定資産は返済義務のない資金で購入するのが望ましいですが、高額な設備投資が必要な**業種**では、固定比率が高くなりがちです。自己資本の100%以下が理想的です。100%を超えると負債で土地や建物、機械などを購入していることを意味し、数字が大きいと**安全性**が低いと見られます。100%〜120%の範囲ならまだ健全、200%を超えると危険だと言われます。

　100%未満は自己資本で固定資産のすべてを賄ってもなお残るという意味です。残った資産は流動資産に充てられているので、換金性が高い分、安全性が高いと言えます。

固定比率の計算方法

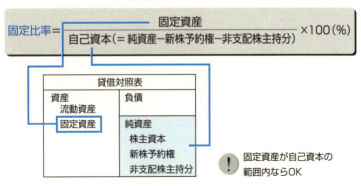

固定資産が自己資本の範囲内ならOK

7-3 企業の信用リスクに備える安全性は？

流動比率

短期返済の資金繰りの面から安全性を見る指標。流動資産の比率。すぐに返すべき借金を賄うお金がどれだけあるかの尺度。

「借金をすぐ返せ」と言われた時、「はいどうぞ」と普通預金をすぐおろして対応できればOK。そこを見る指標が流動比率です。

　流動比率は、**貸借対照表**の**資産の部**にある流動資産と、**負債の部**の流動負債を使い、短期資金の資金繰りを見ます。「そろそろ返せ」と言われるお金に対して、払えるお金がどれだけあるかで判断します。流動資産は現金・預金、有価証券、売上債権、棚卸資産などです。1年以内にお金になる資産や在庫など営業の途中段階の資産が該当します。一方、流動負債は支払時期や返済期間が1年以内に到来する負債です。

　流動比率の目安は**業種**によって違いますが、一般的に150%が標準だと言われ、200%以上だとより望ましいとされています。流動資産を支払いに充てる場合に、通常は安く処分せざるを得ないことを考えると、100%で十分とは言えません。半分ぐらいになってしまっても支払うことができる水準が200%なのです。

流動比率の計算方法

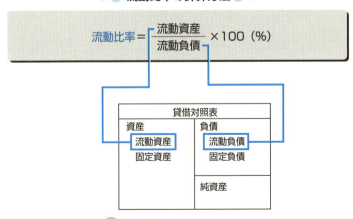

! 短期の資金繰りは流動比率でチェック

第7章 企業分析に関する用語

BPS

貸借対照表上の純資産の部のうち自己資本にあたる資本を、発行済株式数で割ったもの。会社が解散した場合、株主に還元される額。

> 株主は、出資した会社がもしも解散した場合、その会社の財産を分配して受け取る権利もあります。BPSはその尺度。

会社法施行後、**貸借対照表**上に**純資産の部**が新設されました。そのうち、**株主資本**の部分と株主資本によらない部分とがあり、株主資本に起因する部分を**発行済株式数**で割って求めたものを**BPS**(Book-value Per Share：**1株あたり純資産**)と言います。純資産という言葉を使っていますが、**優先株**や非支配株主持分、**新株**予約権などは株主資本によらない部分なので、純資産から除きます。そのため、貸借対照表上の純資産の部とは一致しません。会社法施行前は、「1株あたり株主資本」「1株あたり**自己資本**」と同じ意味で使われていました。

会社の資産価値を1株あたりに計算し直せば、規模の違う会社同士の実力を比較しやすくなります。また、**株価**は会社の評価を1株単位で示した値なので、資産価値と会社の時価を同じ基準で比べるという点でBPSとの比較は有効です。

●●● BPSと株価のバランス ●●●

$$\text{BPS（1株あたり純資産）} = \frac{\text{自己資本（＝純資産－非支配株主持分－新株予約権）}}{\text{発行済株式数}} \text{（単位：円）}$$

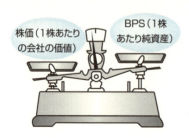

資産価値を1株あたりにすると比較しやすい

7-3 企業の信用リスクに備える安全性は？

流動性

株式などの資産の換金しやすさのこと。出来高(売買高)が多く、取引が成立しやすい銘柄は、流動性が高いという。預金は流動性が最も高い金融商品。

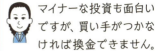

マイナーな投資も面白いですが、買い手がつかなければ換金できません。買い手がまばらだと思わぬ下落に見舞われます。

　流動性とは、**株式**や金融資産、不動産などの資産の換金しやすさです。株式市場は誰でも自由に取引でき、流動性の高い場所です。

　しかし、売買がほとんどされていない**銘柄**は、売ろうと思った時や買おうと思った時にいつでも時価で取引ができるとは限りません。流動性が低いと、いつまでも現金化できないとか、著しく低い金額でしか換金できないということがあります。一般的には、**時価総額**が大きく**出来高**が多い銘柄は、**証券取引所**で取引相手が見つかりやすく流動性が高いと言えます。

　「値付率」は**上場**銘柄数のうちの売買成立銘柄数の割合で、証券取引所全体の流動性を知ることができます。値付率が大きければ流動性が高く、また値付率を見ればその日の取引所全体の売買が活況かがわかります。

　日本経済新聞社が**日経平均株価**への採用銘柄を選定する際には、流動性の基準として過去5年間の**売買代金**と過去5年間の出来高あたりの価格変動率を参考にしています。

出来高と流動性

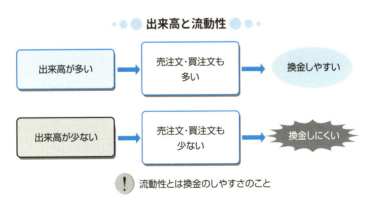

! 流動性とは換金のしやすさのこと

(195)

第7章 企業分析に関する用語

発行済株式数

株式会社が発行している株式の総数。1株あたりの会社の持分を計算する際の基になる株式の数。

「不況の時こそ、その業界代表株を買え」と米国の経済評論家が言いました。発行済株式数が多い会社は、業界代表株と言えます。

　株式会社が発行する**株式**の数は無制限というわけではなく、定款によって定められています。定められた発行枠のうち、その時点で発行している株式の総数を**発行済株式数**と言います。**増資**や**減資**によって変動することがあります。

　株式には「普通株」と「種類株」とがあります。**優先株**のような種類株は、通常の株式市場ではほとんど売買されず、株式としての要素も薄いため、種類株を除いた普通株を発行済株式数とします。なお、発行済株式数は、会社の規模を示します。

　発行済株式数は、EPSやBPSなどを算出する際に使われます。会社の規模によって利益額や**自己資本**額が違うのですから、1株あたりに直すとほかの会社と比較しやすくなります。なお、**自社株買い**が常態化している近年では、発行済株式数から自己株式の数を引いたものを計算に用います。

●●● 発行済株式数に対する持株比率と株主の権限 ●●●

1単元以上
株主総会への参加

1%以上
議案提案権

3%以上
株主総会召集請求権、取締役の解任請求権

10%以上
会社解散請求権

3分の1超
株主総会での特別決議への拒否

過半数
経営権の取得、株主総会での普通決議の可決

3分の2超
株主総会での特別決議の可決（重要事項の決議）

7-4 投資収益を判断するためには？

投資をするからには収益を狙いたいものです。収益を測る尺度について学んでおきましょう。

株式益回り

株主の投資額に対する、会社が生んだ利益の割合。EPSを株価で割って求める。株式と債券の間での利回り比較にも使われる。

配当利回りとの違いがわかりにくいかもしれません。株式益回りの「益」は、会社が事業で得た利益のこと。商売の利回りです。

　株式益回りは、**株主**の投資で会社の事業が何％の利益を生み出したかを表す指標です。EPS（1株あたり利益）を株価で割るので、PER（**株価収益率**）の逆数です。「益回り」ともいい、長期的に見た**株式**への期待収益率です。例えば、今期のEPS見込みが500円だとします。株価が1万円だとすると、1万円を事業に投資して500円の利益を生んだことになり、株式益利回りは5％です。通常、**最終利益**は今期や来期の予想を用います。

　市場全体の株式益回りと新発10年物国債利回りを比較した「イールドスプレッド」は、株式と**債券**のどちらが有利なのかを見る指標です。

株式益回りの計算方法

$$株式益回り = \frac{1株あたり最終利益}{株価} (\%)$$

利益に対して株が売られすぎると、益回りは上昇→割安だと見る

第7章 企業分析に関する用語

配当性向

最終利益のうちの配当金の割合。会社が事業で生み出した利益から、どれだけの配当金が株主に支払われるかの比率。株主への利益還元の度合いを見る。

> 日本中を熱狂させたアイドルホース、名馬ハイセイコーではありません。「会社が事業で生んだ利益、株主にどれだけの分け前をくれますか?」という指標です。

配当性向は、会社と**株主**に配分する利益について、株主にはどれだけ分けるか、という観点の指標です。

1年間の事業の成果である利益は、翌年の事業の元手として会社に残すほか、事業資金を出した株主にも**配当金**が支払われます。配当性向は、株主への利益還元。高い方が魅力的ですが、成長過程の会社は将来の事業資金を社内に残す方が優先という見方もあります。すべての会社において高い配当性向が良いというわけではありません。

なお、会計制度の変更で配当性向の算出方法が変わりました。以前の会計では、**最終利益**から社内留保と配当金のほかに役員賞与を支払っていました。**会社法**施行後は、役員賞与は費用になり利益計算の過程ですでに差し引かれています。

配当性向の計算方法

$$配当性向 = \frac{1株あたり配当金}{EPS（1株あたり利益）} \times 100 \ (\%)$$

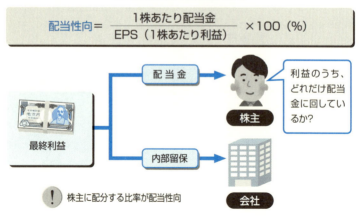

株主に配分する比率が配当性向

7-4 投資収益を判断するためには？

配当利回り

現在の株価で投資をした場合、投資資金に対して1年間に受け取れる配当金は何％か示す、投資収益を見る指標。

> 「上げ相場は株価収益率、下げ相場は利回り」と言われるように、相場が良くない時には値上がり期待より配当利回りを重視のこと。

　株式投資による投資家の収益は、**値上がり益（キャピタルゲイン）**と**配当金（インカムゲイン）**です。このうち、配当収入の部分を利回り計算したものが**配当利回り**です。配当利回りは、現在の**株価**による投資額に対して、どれだけの収益利回りかを示す指標です。指標として配当利回りを計算する際の投資額は、投資家が実際に購入した株価ではありません。なお、配当は終了した年度の実績ではなく、今期予想配当や来期予想配当という今後の配当予測で算出し、投資判断を行います。

　株式市場全体の平均配当利回りを使って、預貯金の利率や新発10年物国債利回りなどと比較することがあります。これにより、株式投資が相対的に有利なのかどうかという投資判断ができます。

●●● 配当利回りの計算方法 ●●●

$$配当利回り（\%）= \frac{1株あたり配当金}{株価} \times 100（\%）$$

A 社
年間配当 100円
株価 1万円

B 社
年間配当 50円
株価 4,000円

A社の配当利回り
$$\frac{100円}{1万円} \times 100 = 1.0\%$$

B社の配当利回り
$$\frac{50円}{4,000円} \times 100 = 1.25\%$$

! B社の方が利回りが有利になる

199

7-5 投資効率を判断するための指標は？

株式投資で利益を得るには、割安な時期に買い、割高になったら売ること。それを判断する基準を見ていきます。

割高 / 割安

現在の株価が、利益や資産または過去の株価の推移と比較して相対的に高いことを割高、相対的に低いことを割安という。

理論上は、割高は売り、割安は買い。しかし、昔から「割高に売りなし、割安に買いなし」と言われ、思うようにはならぬもの。

株価の「**割高・割安**」は、単に株価の絶対値が「高い・安い」とは意味が異なります。「割高・割安」は、**企業業績**の伸びや財務内容、経営方針との比較や、過去の株価の推移から見て、というように、何かの基準で計算した価値より実際の株価が高いとか安い状態を指します。

割高・割安を測る指標としては、その会社の生み出す利益と株価を比べる**PER**や、その会社の**自己資本**と株価を比べる**PBR**があります。どちらもこの倍率が低いほど、その株価が割安だと言えます。また、**株価チャート**などを使って、過去からの株価の流れを見て、現在の株価の水準が割高か割安かを判断することもあります。

割高・割安の判断基準

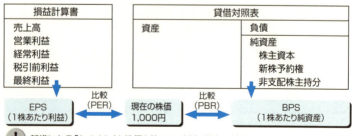

! 基準になる「ものさし」と株価を比べて、割高・割安を判断

7-5 投資効率を判断するための指標は？

PER「株価が1株あたりの最終利益の何倍になっているか」という株価の割安性を見る指標。株式の価値を利益と比較する。将来性のある会社は、高くなりがち。

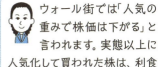

ウォール街では「人気の重みで株価は下がる」と言われます。実態以上に人気化して買われた株は、利食い売りも大きいものです。

PER（Price Earning Ratio：**株価収益率**）は、**株価**を**EPS**（**1株あたり利益**）で割って求めます。会社が1年間事業を行って生み出した**最終利益**に対し、株価は何倍の評価を得ているかを表します。利益水準以外の要素で高い魅力を持つ**銘柄**は、PERの倍率が高くなります。PERが高すぎると、実力の過大評価と見られ、**割高**と判断されます。

一般にPERが高いほど利益に対して株価が割高、低いほど**割安**と言えます。ただし、株価が「安い」と「割安」は意味が違います。会社の実力低下と同時に株価が安いのか、それとも実力はあるが何らかの理由で下がっているのか、という違いです。

PERは会社の実力を示す最終利益と株価の比較です。会社の収益力に見合った株価の水準を推し量るのに有効です。通常、PERの計算には、今期もしくは来期の予想EPSを使います。株式投資は、投資銘柄の将来性から**値上がり益**（**キャピタルゲイン**）が期待できるからです。終了した**決算**のEPSでは、過去の利益と現在の株価を比べたに過ぎず、将来の株価動向には影響しにくいと言えます。

PERの計算方法

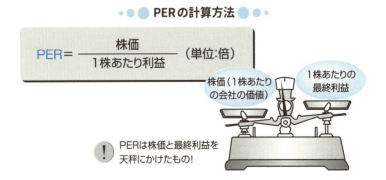

第7章 企業分析に関する用語

PBR

「株価が1株あたりの純資産（株主資本）の何倍になっているか」という、株式の価値を資産と比較した指標。会社の「解散価値」とも呼ばれる。

> 株式市場の評価は移ろいやすいもの。割安な株が魅力的というムードの時もあれば、多少割高でも成長性を評価したい時もあり。

　PBR（Price Book-value Ratio：**株価純資産倍率**）は、**株価**をBPS（**1株あたり純資産**）で割って求めます。**株式会社**が解散した場合に残った財産から**株主**に返される金額と現在の株価とを比較した指標です。

　会社が解散する場合、保有する金融資産や在庫、不動産などを現金化し、負債を返済します。その後に残った財産が純資産で、持株数に応じて株主に分配します（残余財産分配請求権）。解散した場合に株主に分配される金額は、一般に「解散価値」と呼ばれます。

　一般的に、株価とBPSが同等の「PBR1倍」は株価の下限と考えられ、1倍以下だと解散価値を下回り、株価は**割安**だと言えます。ただし比較対象が純資産で、会社の**成長性**を考慮していません。むしろ**東証**は、**上場会社**に対し、低すぎるPBRは高める努力をするよう要請しています。1倍割れで極端に低い場合は、何らかの悪い**材料**で株価を下げていると考えた方が無難です。ほかの**株価指標**と併せて投資判断をするのが望ましいでしょう。

●●● PBRの計算方法 ●●●

$$PBR（株価純資産倍率）＝\frac{株価}{BPS（1株あたり純資産）}　（単位：倍）$$

！ PBRは株価とBPS（1株あたり純資産）の比較

7-5 投資効率を判断するための指標は？

PCFR

営業活動によるキャッシュフローを用い、株価の割高・割安を見る指標。小さければ株価は割安と判断される。国際比較の際によく使われる。

現金ベースで割安性を見ようじゃないか、という指標。会計上で設備を減価償却すると見かけ上の利益が少なく、現金が余るから。

　PCFR（Price Cash Flow Ratio：**株価キャッシュフロー倍率**）は、利益面で**株価**の**割安**度を見る指標です。営業キャッシュフローに対して、株価が何倍まで買われているかの指標で、小さいほど割安と言えます。

　PERと考え方は同じ指標ですが、PERとの違いは、会計上の利益でなく実際に増えた現金の額に対して、株価が何倍かを見る点です。営業活動によるキャッシュフローの金額、または簡便的に「当期純利益＋減価償却費」を1株あたりに換算して用いるのが一般的です。

　減価償却費を足し戻すのは、会計上、減価償却費は費用として引かれるものの、実際には現金を支払っていないためです。減価償却費が引かれた後の**最終利益**に減価償却費を足し戻すことで、実際のお金の動きとほぼ同じになります。また、減価償却方法の異なる会社同士、国際間での会社の比較にも便利です。

　キャッシュフローを用いるPCFRは、1株あたり利益を用いるPERに比べて粉飾しにくい面が優れています。また、同じような指標として**EV/EBITDA倍率**もあります。

PCFRの考え方

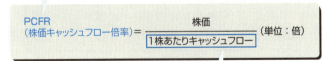

第7章　企業分析に関する用語

EV/EBITDA倍率

会社の価値が、会社の利益の何倍になっているかを示す指標。企業を買収する際の価値判断に用いられることが多く、簡易買収倍率とも呼ばれる。

株式市場で売買される場合の株価の割安性というよりも、買収という側面で見た時の、会社の価値の割安性を判断する指標というイメージ。M&Aの判断材料の1つです。

　EV/EBITDA倍率（**簡易買収倍率**）は、EV（Enterprise Value：企業価値）が**EBITDA**（**税引前償却前金融収支前利益**）の何倍になっているかを表した指標です。

　分子のEVは、**株式の時価総額**に**有利子負債**を加え、現預金の額を引いて求めた会社の価値です。会社の価値の算出方法にはいろいろありますが、EVもそのうちの1つで、会社を買収する際に必要な資金額とも言えます。分母のEBITDAは、1年間に会社が現金ベースでどれだけの利益を得られるかを示しています。

　すなわち、EVをEBITDAで割って求めるEV/EBITDA倍率は、ある会社を買収した場合に、その買収にかかった資金は何年で元が取れるかを意味します。倍率が低いほど、買収資金を早く回収できることを意味するので、**割安**です。

●●● EV/EBITDA倍率の考え方 ●●●

倍率が低いほど、割安→買収されやすい

その会社を買収するために必要な資金額

$$\frac{EV}{EBITDA} = \frac{時価総額 + 有利子負債 - 現預金}{税引前利益 + 減価償却費 + 支払利子} \quad （単位：倍）$$

その会社が1年間で稼ぐ現金

⚠ 倍率が低いほど、買収資金を早く回収できることを意味する

7-5 投資効率を判断するための指標は？

騰落レシオ

テクニカル面から

市場の株価が底値圏にあるか高値圏にあるかを判断する指標。値上がり銘柄数、値下がり銘柄数で算出する。

相場のにぎわい具合やムードを判断する指標です。シンプルでわかりやすいのが特徴。相場全体の過熱感から割高、割安を見ます。

　個別株の**株価**変動は、**銘柄**独自の**株価材料**だけが影響するわけではありません。市場全体の需給と供給の動向やムードも影響します。**騰落レシオ**とは、株式市場全体で、統計的に**株式**の買われ過ぎや売られ過ぎを判断する、いわば物色人気を見る指標です。

　騰落レシオは、市場の取引期間をある一定に区切り、その期間の毎日の値上がり銘柄数合計を値下がり銘柄数の合計で割って求めます。この期間には25日間を用いることが多く、25日騰落レシオは中期的な投資タイミングの判断に活用されています。

　しかし、騰落レシオは**ボックス相場**での高値圏、底値圏を判断するには向いていますが、それぞれのゾーンに入ること自体が珍しく、日常的に利用できる指標とは言いにくい面もあります。

●●● 25日騰落レシオの考え方 ●●●

25日間の合計を用いることが多い→中期的な投資判断

$$騰落レシオ = \frac{値上がり銘柄数の25日間合計}{値下がり銘柄数の25日間合計} \times 100（\%）$$

東証プライムの場合、以下のように判断されるのが一般的

150%	かなりの買われ過ぎ。危険的な過熱感のある水準
130%	買われ過ぎ。株価が高値圏
70%	売られ過ぎ。株価が底値圏
60%	かなりの売られ過ぎ。絶好の買い場と見る人が多い

第7章　企業分析に関する用語

イールドレシオ

長期国債利回りを株式益回りで割って、両者を比較する指標。イールドレシオが小さいほど、相対的に株価が割安だと判断される。

> TOPIXのイールドレシオは、バブル期の1988年で4.5倍、1997年まで1倍以上。現在のような異常な低金利では、計算するのもバカバカしいほど無意味な指標です。

イールドレシオは、長期国債利回りと**株式益回り**の比較です。株式投資が効率的な水準かを測ります。長期国債利回りを株式益回りで割って求める方式が一般的です。この場合は値が小さいほど、**株価**が**割安**だと判断されます。一方、株式益回りを長期国債利回りで割ることで両者を比較する場合もあり、株式投資は**債券**投資の何倍の利回りが得られるかを示します。

株式益回りは、PER（**株価収益率**）の逆数で、1株あたり利益を株価で割ったものです。投資資金に対して投資先が事業でどれだけの収益を得たかを示し、事業への投資利回りを意味します。

なお、長期国債利回りと株式益回りの差でも、株価の**割高・割安**を判断できます。「イールドスプレッド」は**長期金利**から株式益回りを引いて求められ、その差が小さければ株価が割安だと判断されます。

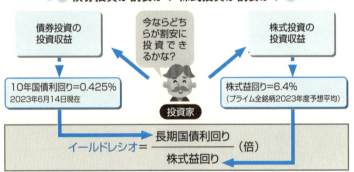

●●● 債券投資が割安か？ 株式投資が割安か？ ●●●

！ 日本の長期国債利回りは、金融緩和政策の影響で異常に低い水準のため、イールドレシオの算出をしても意味がない。2023年6月14日時点で0.066倍。

第8章

情報開示と投資家保護に関する用語

証券取引は自己責任。そのためには正しい情報が公開されていなければなりません。本章では、情報公開と投資家保護に関する用語を解説します。

第8章 情報開示と投資家保護に関する用語

8-1 ディスクロージャーとは何か？

上場会社に義務付けられているディスクロージャーの制度は、公平な投資や投資家を保護する目的です。

証券取引法

投資家保護のため、証券取引に関する規制を定めた法律。2007年9月、金融商品取引法に。

村上ファンドやホリエモンのおかげで、法整備が促進。そういう意味では、功績があると言っていい？

　株式や**債券**などの有価証券の適正な発行、流通を目的としていた**証券取引法**は改正・強化されて、ほかの金融商品や金融取引も加わり、2007年9月30日に**金融商品取引法**（**投資サービス法**）として生まれ変わりました。現在は廃止された法律です。

　従来の証券取引法は、株式や債券の発行体による**ディスクロージャー**、**証券会社**や金融機関の営業活動に関する規制、公正な証券取引に関する規制などを定めていました。金融商品取引法では、さらに投資家保護を強化し、罰則規定も厳しくなっています。

●●● 証券取引法の目的 ●●●

虚偽または不実の表示の禁止
粉飾決算はダメ！ 投資家には会社の正しい姿を公表せよ

虚偽の相場の利用の禁止
ガセネタはダメ！ 相場の変動を狙った噂を流さないこと

相場操縦の禁止
見せかけの取引はダメ！ 売買が活発に見せかけてはいけない

内部者取引の規制
インサイダーはダメ！ 未公表段階の情報での売買は禁止

金融商品取引法

証券取引法、金融先物業法、投資顧問業法などを廃止した上で一本化し、投資家保護の目的を強化した新しい法律。

> プロとアマの取引ルールが異なります。プロは1年以上の取引経験、純資産額3億円以上、投資性のある金融資産3億円以上の人。

　金融商品取引法（投資サービス法）とは、**証券取引法**、抵当証券業法、金融先物業法、投資顧問業法など金融商品ごとに定められていた法律を統一し、共通の勧誘・販売ルールを定めた新しい法律です。2007年9月30日に施行され、それまでバラバラだった投資商品の法体系が1つにまとまりました。商品ファンド法、信託業法の一部も金融商品取引法に組み入れられました。

　金融商品取引法は、制定後も毎年のように改正されています。主なものでは、2008年改正ではプロ向け市場の創設、2010年は世界的な**金融危機**を受けた規制・監督強化、2013年には**インサイダー取引**の規制が強化されました。環境の変化によって、2017年は**高速取引**の対応、2019年には**暗号資産**が規制の対象となり、2020年は金融サービス仲介業者の登録・届け出について改正されています。

金融商品取引法における販売業者のルール

顧客に合った商品を勧めること!

金融商品取引業者

投資経験は？
投資目的は？

顧客

! 顧客の知識や経験、資産状況、投資目的等を確認した上で、顧客に合った商品を勧めることが義務付けられている（適合性の原則）

書面を交付し、重要事項を説明すること!

契約締結前の書面

金融取引業者の名称、住所、登録番号
金融商品取引契約の概要
手数料、リスク　など

第8章 情報開示と投資家保護に関する用語

金融サービス提供法

証券会社等に対して顧客への重要事項の説明義務や、仲介業者に対して健全な運営を定めた法律。旧・金融商品販売法。

業者の説明は、顧客が理解して初めて説明したことになります。ただ「言った」だけでは、説明として認められません。

　金融サービス提供法（金融サービスの提供に関する法律）は、従来の金融商品販売法（金融商品の販売等に関する法律）の改正法で、2021年1月から施行されています。**証券会社**や銀行、保険会社などの金融商品販売業者に対し、販売時に、顧客への重要事項の説明義務を定めています。説明義務を怠って顧客に損害が生じた場合、金融商品販売業者は顧客から求められれば、損害賠償をしなければなりません。

　顧客は、**自己責任**の下で金融商品を選び、購入しています。しかし、顧客と金融商品販売業者との間には、知識や経験、情報の差があるのが現状です。そこで顧客を保護する法律が必要です。重要事項の説明は、顧客の知識、経験、財産の状況や、その金融商品の購入目的に照らして、顧客自身が理解できる方法や程度によるものでなければなりません。ただ説明するだけでなく、顧客が理解できる説明が必要です。

　また業者は、金融商品の提供にあたって勧誘方針を作り、店頭での掲示やWebサイト等で公表しなければなりません。

金融サービス提供法で説明すべき主な「重要事項」

信用リスク
投資先の破たんなどによる元本割れの可能性

市場のリスク
元本割れの可能性
連動する市場の指標
取引のしくみ

期間の制限など
換金できない期間
権利行使期間
クーリングオフの期間

8-1 ディスクロージャーとは何か？

コンプライアンス

「法令遵守」と訳されるが、実務的には幅広く、業務を行う上での高い倫理観や誠実さを持つ姿勢なども含まれる。

今さら言うまでもなく、法律に従うのは当たり前のはずなのに、あらゆる業界で次から次へと出るわ出るわ、コンプラ違反。どうなってるの？

　金融業務は公共性が高く、法令やルールを守ることはもちろん、高い倫理観を持ち、顧客や社会に対して誠実でなければなりません。また、金融取引は公正に行われなければなりません。金融業では、業態ごとに法律や規制が定められています。これらを忠実に守り、適切に営業することや、その姿勢を**コンプライアンス**と言います、

　証券会社やその**外務員**は、証券市場の担い手として、健全な経済発展のための社会的責任を負っています。公正な取引に務め、投資家の保護と市場の信頼性を向上させる使命があります。

　外務員に求められる倫理規範として主なものは、以下の通りです。

・投資の最終決定は、投資家自身の判断と責任に基づくこと
・投資家にアドバイスする際は、合理的な根拠で、十分な説明を行うこと
・投資勧誘は、投資家の知識・経験・資産・目的・性格に適合すること
・**口座開設**の際、反社会的勢力に該当しないことを確認すること

● ● ● 証券会社の外務員に禁止されている主な行為 ● ● ●

①虚偽のことを告げること	⑬空売りに係る確認義務
②断定的判断の提供	⑭損失補てん等
③契約締結交付書面等の説明をせずに契約すること	⑮過当数量の取引
④虚偽表示等	⑯顧客との共同計算による取引
⑤特別の利益提供	⑰ノミ行為
⑥偽計、暴行等	⑱名義、住所貸し
⑦迷惑時間勧誘	⑲仮名取引の受託
⑧無断売買	⑳顧客への書類交付の延引、未交付
⑨インサイダー取引の受託等	㉑顧客との金銭、有価証券の貸借
⑩法人関係情報を提供しての勧誘	㉒職務上の秘密の漏えい
⑪相場操縦等	㉓反社会的勢力との契約の締結
⑫安定操作期間における買付け等	

第8章　情報開示と投資家保護に関する用語

日本証券業協会

金融商品取引法による認可金融取引業協会のうちの1つ。証券会社を協会員とする、証券業の業界団体。

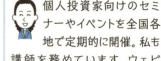

個人投資家向けのセミナーやイベントを全国各地で定期的に開催。私も講師を務めています。ウェビナーで皆さんに会えるかも？

　日本証券業協会は、**金融商品取引法**に規定された業界団体です。協会員は、内閣総理大臣の認可を受けた**証券会社**です。証券市場の円滑な運営、投資家の保護や証券業の健全な発展のために、公正、円滑な証券取引に努め、証券会社に対する自主規制ルールを定めて、監査を行っています。また、公社債店頭市場の整備・拡充も行っています。個人投資家に対しては、資産形成を促す活動をしています。

　各地域にある地区協会に証券あっせん・相談センターの支部を設置。証券会社および**証券仲介業者**の業務に関して、顧客からの苦情・相談に応じたり、証券取引に関する顧客と証券会社の紛争解決のため、金融商品取引法に規定されるあっせんを行ったりしています。

日本証券業協会の主な業務

自主規制業務

- 自主規制ルールの制定、実施、監査、および調査
- 自主制裁の発動　・外交員の資格試験研修と登録
- 証券取引等の苦情、相談、あっせん
- 公社債市場の整備・拡充
- 市場外取引の制度整備・管理

金融商品取引業・金融商品市場の健全な発展を推進する業務

- 証券市場に関する調査研究および意見表明
- 金融商品やその周辺知識の普及、啓蒙
- 統計資料等の公表　・反社会的勢力の排除に関する支援
- 証券市場全体の事業継続に関する支援

投資者保護基金

証券会社が破たんした時に分別管理ができていなかった場合、投資者を保護するために資金援助をするセーフティネット。

> 投資家の運用資産の元本を保証するのではありません。証券会社がルール通りに顧客資産を分別していない場合に備えた保護です。

証券会社が破たんした場合、基本的には、その証券会社が**分別管理（分別保管）**義務を守っていれば、投資家の**保護預かり**証券や現金はすべて投資家の元に返せます。しかし、万が一、証券会社の違法行為などで預かり資産の一部または全部が返還されない事態になった時は、**投資者保護基金**によって補償する制度があります。

保護の範囲は、有価証券、**信用取引**の**委託保証金**、取引所取引の**先物取引・オプション取引**の委託証拠金などで、有価証券店頭**デリバティブ**取引や外国市場証券先物取引に関わるものは保護基金の補償はありません。

証券会社の破たんから資産返還までの流れ

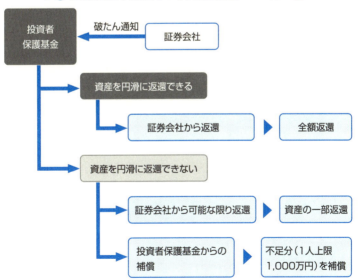

第8章 情報開示と投資家保護に関する用語

ディスクロージャー

情報を開示すること。上場会社や金融機関、投資信託など、投資家や資金提供者などに向けて、経営内容などを公開する。

上場会社の経営はガラス張り。投資家が自己の責任で投資判断するためには、正しい情報提供をしなければなりません。

　上場会社や金融機関、保険会社、**投資信託**、資産運用会社などは、投資家などが資金提供の判断の際に必要とする、十分な情報を公開しなければなりません。情報が不十分であれば、市場での公正な価格形成が成り立たないからです。情報公開することを、**ディスクロージャー**と言います。日本国内でのディスクロージャー資料には、**金融商品取引法**、**証券取引所**、**会社法**がそれぞれ規定するものがあります。

　そのうち、金融商品取引法での**株式**のディスクロージャーは、**発行市場**と**流通市場**で種類が異なります。発行時には、内閣総理大臣に届け出る**有価証券届出書**、その内容を記載して投資家に交付する**目論見書**があります。流通時においては、年度ごとの**有価証券報告書**、四半期ごとの四半期報告書、重要情報が出た時の臨時報告書があります。

　証券取引所のルールでは、**企業業績**などに関する**適時開示**、増資やM&Aなどの決定事項を公開することになっています。

重複するディスクロージャーの負担軽減へ

214

8-1 ディスクロージャーとは何か？

適時開示

証券取引所の規則で上場会社に義務付ける情報開示の制度。広く投資家に、迅速に情報を伝達する。

「ニュースは発表された瞬間、古くさいものとなる」とは米国の著名投資家の弁。

流通市場での公正な価格形成には、正しい情報が十分に提供される必要があります。市場が健全でなければ、投資家は安心して投資できません。**証券取引所**は、**上場**会社に対し、スピーディな情報の公開を義務付けています。これが**適時開示**（**タイムリー・ディスクロージャー**）制度です。

適時開示の主な情報は、**株式**の発行・**減資**・合併などの決定、**企業業績**、損害の発生、**株主**の異動、手形の不渡りなどの投資判断に重要な影響を与える、会社の業務や運営に関する幅広い情報です。上場会社だけでなく、その子会社に関する情報も該当します。

東京証券取引所のWebサイトには、上場会社が行う適時開示情報を公開している「TDnet（適時開示情報閲覧サービス）」があります。東証上場の**銘柄**はもちろんのこと、東証以外の証券取引所に上場する銘柄についても、過去10年分を閲覧できます。

適時開示情報は、いち早く取引所に通告

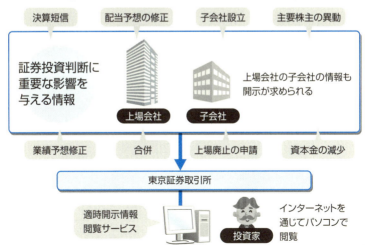

第8章 情報開示と投資家保護に関する用語

決算発表

上場会社が一定期間の事業活動の成果を集計して発表すること。業績や資金の流れ、基準日時点の資産の残高などが公表される。

> 決算と言えば、「決算セール」。そう、決算日までの売上を伸ばすため、あなたのお財布のヒモをくすぐっているのですよ。

　上場会社は、通常、1年を1会計年度として**企業業績**を集計します。業績の集計が「**決算**」で、集計期間の最終日が「**決算日**」です。業績は重要な開示情報のため、迅速な決算発表が求められます。**東京証券取引所**は、上場会社に対して、決算日から30日以内の決算発表が望ましいとし、遅くとも45日以内が適当だとしています（45日ルール）。決算の内容は、統一されたフォーマットの「**決算短信**」にまとめ、**証券取引所**に提出します。この内容は**適時開示**情報として公開されます。

　上場会社には、3ヵ月ごとの四半期業績も公表が義務付けられています。会計期間1年のうち最初の3ヵ月が第1四半期、次の3ヵ月が第2四半期です。ここまでの6ヵ月が「前期」で、この期間の業績が「中間決算」です。その次も3ヵ月ごとに第3四半期、第4四半期と続きます。1年間を通した本決算は「通期」とも呼ばれます。

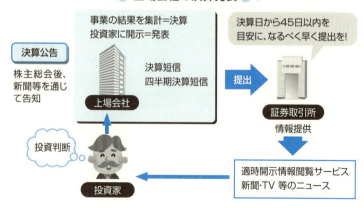

上場会社の決算発表

8-1 ディスクロージャーとは何か？

目論見書 証券の募集や売出しに際しては発行体に関する事項を、投資信託については商品内容を記載した書面。投資家への交付が義務づけられている。

 運用や事業方針の目論見を示した指南書。証券を購入する際はもちろんのこと、保有中も、当初の目論見通りかを確認してください。

目論見書は、**証券**の内容が詳しく書かれた説明書です。**金融商品取引法**に基づいた様式で作成される**ディスクロージャー**資料です。

株式や**債券**の場合は、募集・**売出し**の際、内閣総理大臣に提出する**有価証券届出書**と同じ内容で詳細が記されています。原則として、個人投資家には必ず交付することになっています。

投資信託の目論見書は、2種類あります。投資に必要な事項をわかりやすく記した「交付目論見書」と、有価証券届出書と同じ内容で詳細を記した「請求目論見書」です。前者は投信を購入する人に、事前または購入と同時に交付するものです。後者は、投資家から請求があった時に、直ちに交付する目論見書です。

従来、目論見書の記載内容が難しく、投信を購入する個人投資家には開くことすら敬遠されがちでした。それでは元も子もありません。そこで、最低限必要な事項をわかりやすく記した交付目論見書が誕生したというわけです。

投資信託のディスクロージャー資料

資料	内容
交付目論見書	投資信託の購入時に交付。運用方針やコスト、リスク、換金方法について分かりやすく説明
請求目論見書	投資家から請求された時に交付。詳細な説明
パンフレット	商品概要について簡単に紹介
月次レポート	直近の運用状況、組み入れ銘柄、投資環境など
運用報告書	決算時または半年ごとに作成される法定資料。期中の運用状況や財産、損益状況の報告

※この他、相場環境が急変した時などに、運用会社やファンドマネージャーから臨時のレポートが出されることもある。

第8章 情報開示と投資家保護に関する用語

有価証券報告書

金融庁が上場会社に対し、投資家への情報開示として事業年度終了後3ヵ月以内に提出を義務付けている資料。適時開示情報の年次報告書。

読みこなせればベストですが、100ページも200ページもある分厚い本。個人投資家が目を通すなら、ダイジェスト版の決算説明資料のダウンロードがお勧め。

有価証券報告書は、**上場**会社などに、1年に1回、義務付けられている**ディスクロージャー**資料です。**適時開示**情報の年間集約版になります。**金融庁**の各地方財務局を通じて内閣総理大臣に提出、提出期限は事業年度終了後3ヵ月以内（外国企業は6ヵ月以内）です。

有価証券報告書の内容は、企業の概況や事業内容、**発行済株式数**や**大株主**の状況などの**株式**に関する事柄、さらには**財務諸表**など詳細です。誤りの記載があると訂正報告書の提出を求められ、**粉飾決算**など故意に重要事項をよく見せるような**虚偽記載**は罰せられます。

有価証券報告書は、金融庁や**証券取引所**などで誰でも閲覧することができる資料です。インターネットでは、金融庁の電子開示システム「EDINET」を通じて有価証券報告書が閲覧できます。

●●● 有価証券報告書の記載内容（主なもの）●●●

- 主要な経営指標の推移
- 沿革
- 事業内容
- 関連会社の状況
- 就業員の状況
- 業績等の概要
- 生産、受注および販売の状況
- 対処すべき課題
- 経営上の重要な契約等
- 研究開発活動
- 設備投資等の概要
- 株式状況（株式の総数、大株主の状況、配当政策など）
- コーポレート・ガバナンスの状況
- 連結財務諸表等

8-1 ディスクロージャーとは何か？

大量保有報告書

5%ルールに抵触した株主が内閣総理大臣（財務局）に提出する書類。目的は証券市場の公正性と透明性、投資家保護。

> あの大株主は、何者？どのぐらいの株を持っているの？その目的は？どんなお金で？という情報を他の投資家に知らせる書類です。

　金融商品取引法の**5%ルール**に基づき、**上場会社**の**発行済株式数**の5%を超えて**株式**を保有することになった**株主**は、保有から5営業日以内に**大量保有報告書**を提出しなければなりません。この時、**証券取引所**または**日本証券業協会**、および株式の発行会社にも大量保有報告書の写しを提出することになっています。

　報告の内容は、大量保有者の概要、保有目的、重要提案行為等、保有株券等の取得資金などです。大量な株数の株式取引は**株価**の乱高下を招きやすいものです。経営参加や取引関係の強化を目的とした株式取得だけでなく、マネーゲーム的な株式の買い集めが横行するようになったことが5%ルールを定めた背景です。

　なお、特例措置で**証券会社**、銀行、**信託銀行**などの**機関投資家**は一定の要件を満たせば報告の「5営業日以内」が緩和されています。

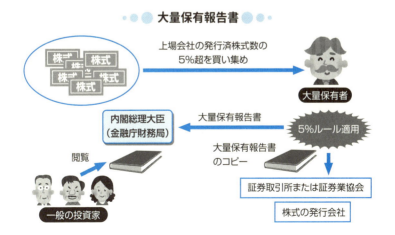

219

第8章 情報開示と投資家保護に関する用語

5%ルール

投資家保護の観点から、上場株式の保有が発行済株式数の5%を超えた場合に株式等の保有状況について届け出をしなければならない制度。流動性の低い銘柄は注意。

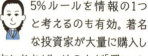

5%ルールを情報の1つと考えるのも有効。著名な投資家が大量に購入したとなれば、その人が「買い」と判断した証。参考にするのもアリかもよ。

株式等の大量の取得、保有、放出に関する情報を、いち早く投資家に開示する制度が**5%ルール**です。正式には**株券等の大量保有の状況に関する開示制度**と言います。目的は、市場の公平性・透明性を高め、投資家保護を徹底するためです。株式を大量に買っても長期保有するなら良いのですが、短期的な株式の買い集めでは**株価**が乱高下することが多いものです。他の投資家が巻き込まれて損害を被ることを防ごうというルールです。**金融庁**の電子開示システム「EDINET(エディネット)」で報告することになっています。

上場会社の**発行済株式数**の5%を超えた株式を実質的に取得した者は、原則として取得日から5営業日以内に内閣総理大臣等に**大量保有報告書**等を提出する義務があります。その後、保有割合が1%以上変動した場合には、5営業日以内に変更報告書を提出しなければなりせん。

5%ルールの仕組み

5%ルール
・5%を超えて保有するなら、投資家保護のために、買付けの事実を公表しなさい！
・今後、もっと買付けるか売却するかで保有割合が1%以上変動したら、その変更も届け出なさい！

コーポレートガバナンス・コード

上場会社（投資される側）に適用される、企業統治の強化が目的の規範。法的拘束力のない5つの基本原則で構成される。

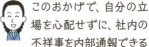

このおかげで、自分の立場を心配せずに、社内の不祥事を内部通報できる体制になったらしいわよ。不正行為の未然防止にもなりますね。

コーポレートガバナンス・コードは、**東京証券取引所**が定めている**上場**規程の別添です。上場会社がコーポレートガバナンス（企業統治）に取り組むことで企業価値が向上するように、上場会社に対して定めた規範です。2015年6月より運用が開始されています。

各企業が透明性を高めた経営を行い、公正な意思決定をしていれば、違法行為を防ぐことができます。その結果、企業は持続可能となり、ひいては日本経済の持続的な発展に寄与するとの考えに基づきます。

コーポレートガバナンス・コードでは、上場会社は、**株主総会**以外にも**株主**との対話を設けるべきとし、コーポレートガバナンス報告書の提出を義務付けています。また、独立社外**取締役**は最低2名以上選ぶべきとしており、プライム市場上場会社の場合は、独立社外取締役を3分の1以上選任しなければなりません。さらに、必要に応じて、過半数の選任を検討すべきとしています。

●●● コーポレートガバナンス・コードの5つの基本原則 ●●●

①株主の権利・平等性の確保
株主が適切に権利行使できる環境を

②株主以外のステークホルダーとの適切な協働
社会的責任を担い、さまざまな関係者と適切に協働する経営理念

③適切な情報開示と透明性の確保
法令に基づく開示とともに、法令に基づく以外の情報提供も主体的に取り組む

④取締役会等の責務
株主への受託者責任・説明責任を踏まえ、経営陣・取締役の適切な監督

⑤株主との対話
株主総会以外にも建設的な対話を

 株主   経営者   社外取締役

第8章　情報開示と投資家保護に関する用語

IR 上場会社が株主や投資家に対し、投資判断に必要な情報や自社株の投資価値を適時に、また継続的にアピールする広報活動。業績の説明会や工場・施設の見学会なども。

> IR活動は、会社が地道に行う株価対策。株主に安心して長く持ってもらうために行う、業績向上とは別の面の努力活動です。

IRとは、「Investor Relations」の略で、**上場会社による「投資家向けの広報活動」**と訳されます。**株式**の発行体が、既存の**株主**やこれから株式を買おうとしている投資家に対して公平に、投資判断に必要な情報を適時、また継続して提供する活動全般のことです。IRを積極的に行えば、投資家の理解を得やすくなり、円滑な**資金調達**ができます。

IR活動は、会社からの一方的な情報開示ではなく、その活動を通した投資家や株主との意見交換も含みます。お互いの理解を深めて市場で評価された結果、株主の裾野がさらに広がるような広報活動全体を指します。いわば、コミュニケーション活動です。株主や将来の投資家などから厳しい批判を受けることもありますが、長い目で見ると経営の質を高める狙いもあります。この積み重ねが**株価**に表れるのです。

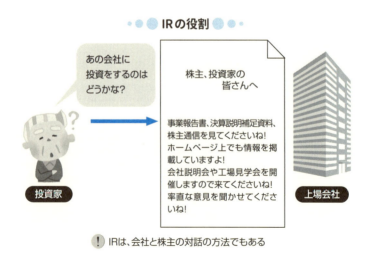

IRは、会社と株主の対話の方法でもある

8-1 ディスクロージャーとは何か？

統合報告書

会社が自社の業績などの財務情報と知的財産や企業統治などの非財務情報を組み合わせ、投資家に情報発信するためにまとめた報告書。

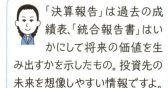
「決算報告」は過去の成績表、「統合報告書」はいかにして将来の価値を生み出すかを示したもの。投資先の未来を想像しやすい情報ですよ。

　統合報告書は、**有価証券報告書**のように法的に義務付けられた情報開示書類ではありません。しかし、投資家からの関心が高まっており、発行する会社が増えています。

　以前は、投資家が重視していたのは、**企業業績**などの数値で表すことができる財務情報でした。近年、投資家は、「会社が強みを発揮して、長期的な価値を引き上げられるか」という点の情報開示を求めるようになりました。**ESG**への取り組みも、重視されるようになっています。

　損益計算書や**貸借対照表**といった財務情報に対し、「非」財務情報は、**決算**書だけでは判断が難しい、会社独自の価値です。理念やビジネスモデル、技術力、ノウハウ、人材、**SDGs**などとても幅広く、将来の利益につながる可能性を持った情報として、重要視されています。さらに、**コーポレートガバナンス・コード**の策定も、**上場**会社が非財務情報の開示を積極的に行う後押しになっています。

代表的な統合報告書の内容

- ・経営理念
- ・会社が大切にしていること
- ・価値創造について
- ・ミッション
- ・ストーリー

- ・売上高、利益
- ・資本の状況
- ・成長戦略

- ・経営者のメッセージ
- ・コーポレートガバナンスの体制

- ・SDGs達成への取り組み

- ・リスクマネジメント
- ・コンプライアンス

統合報告書

第8章　情報開示と投資家保護に関する用語

フィデューシャリー・デューティー

資産運用の業務では、資金を受託する運用者が投資家に対して負う責任。投資家の利益を最善にする等の運営上の責任。

「自社の利益よりも顧客の利益」「複雑な金融商品は理解できる顧客にしか提供しない」といった金融機関の襟を正すことが目的。

フィデューシャリー・デューティー（fiduciary duty：**受託者責任**）は、「受託者が何よりも受益者の利益のために行動すべき責任」です。**金融庁**は、顧客の売買を頻繁に繰り返す「回転売買」や、**投資信託**の過剰な収益分配金などを問題視。また、**機関投資家**が最終的な受益者（国民、個人投資家や保険契約者など）のために、**株主**として、事業会社のコーポレートガバナンスを求める責務を果たす重要性も高まるようになりました。

金融庁は、フィデューシャリー・デューティーを「他者の信認を得て、一定の任務を遂行すべき者が負っている幅広いさまざまな役割・責任の総称」と定義。金融業務に携わる幅広い事業者に対し、顧客の利益を最大限にするための行動の徹底を求めています。顧客本位、投資家本位のための業務を行う責任は、ひと昔前の「顧客第一主義」を発展させたものと言えるでしょう。

金融庁が示した、金融事業者が行うべき原則（要約）

原則	内容
原則1	顧客本位の業務運営を実現する方針を策定・公表し、取組状況を定期的に公表すべき
原則2	高度の専門性と職業倫理を持ち、顧客に対して誠実・公正に業務を行い、顧客の最善の利益を図るべき
原則3	顧客との利益相反の可能性がある場合、適切に管理すべき
原則4	手数料等の詳細を、顧客が理解できるよう情報提供すべき
原則5	顧客との情報の非対称性を踏まえ、重要な情報を顧客が理解できるよう分かりやすく提供すべき
原則6	顧客の資産状況、取引経験、知識及び取引目的・ニーズを把握し、当該顧客にふさわしい金融商品・サービスの組成、販売・推奨等を行うべき
原則7	従業員に対し、顧客の利益追求や公正な取扱い等を促進する報酬・業績評価、研修その他の適切な枠組みやガバナンス体制を整備すべき

8-2 不正な取引とは？

金融商品取引法では、投資家の保護のために不正な取引に対して厳格かつ詳細な規制を行っています。

インサイダー取引

上場会社に関する未公表の重要な情報を手に入れた人が、その情報を元に、その上場会社の株式の売買を行うこと。

> 「他人が知らない情報でうまく儲けてやれ」との下心で動けば、手が後ろに回ります。情報は、誰にでも平等に流されます。

証券取引は公正な条件で行われなければならず、一部の人が有利な情報で取引することは禁止されています。重要な情報を入手しやすいのは社員や役員、大株主ですが、関係者から情報を得た部外者も罰則の対象です。**金融商品取引法**では罰則が強化され、違反すると懲役5年以下、罰金500万円（法人は5億円）以下または両方が科せられ、利益は没収です。

本人が**インサイダー取引**（内部者取引）を行っている自覚がなかったとしても違反を行えば罰せられます。「知らなかった」は通用しませんので、注意が必要です。

インサイダー取引に該当する重要事実

- 株式等の発行・資本の減少
- 自己株式取得
- 株式分割
- 合併
- 会社の分割
- 営業または事業の全部または一部の譲渡または譲り受け
- 新製品や新技術、開発
- 業務提携

など

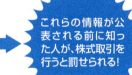

これらの情報が公表される前に知った人が、株式取引を行うと罰せられる！

例えば……
新製品の発表直前に株式を買う
合併の発表直前に株式を買う
業績悪化のニュースの直前に株式を売る
など

相場操縦

公正な価格形成を損なう目的で人為的に相場を歪める行為。見せ玉、仮装売買、馴合(なれあい)売買、風説の流布などが代表的。

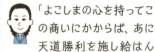

「よこしまの心を持ってこの商いにかからば、あに天道勝利を施し給はんや」 他人をだまし、自分だけ儲かる邪悪には天罰が。

金融商品取引法では、**相場操縦**的行為は禁止され、行った場合は刑罰や課徴金が科されます。市場は、投資家同士の**需要と供給**によって公正な価格形成がなされなければなりません。意図した行為で価格が歪められるようでは、安心して取引ができないからです。

相場操縦の一例としては、次のような行為があります。ある特定の**銘柄**の売買が活発だと見せかけて、取引を誘引する大量注文や取り消し、訂正を頻繁に繰り返す「見せ玉」。同じように取引を誘引する目的で、同一人物が同じ値段の売買両方の注文を発注する「仮装売買」。同じく取引誘引目的で知り合い同士が約束して、同一時期に同じ値段で売買を発注する「馴合売買」。嘘やデマを流す「風説の流布」など。

また、上記のような取引を誘引する目的がなかったとしても、取引状況から実勢を反映しない相場形成を作為的に行うことも禁止です。

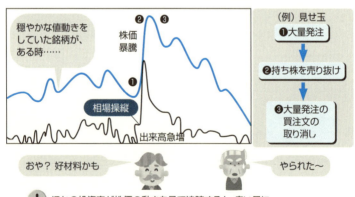

作為的行為による相場操縦

ほかの投資家が株価の動きを見て追随すると、痛い目に……

8-2 不正な取引とは？

粉飾決算

会社が上場維持、融資審査通過、株価水準の維持などを目的として、売上や利益を水増しし実際より多く見せかけること。

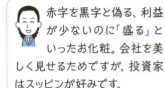

赤字を黒字と偽る、利益が少ないのに「盛る」といったお化粧。会社を美しく見せるためですが、投資家はスッピンが好みです。

　会社が故意に行う**売上高**や利益額の水増しや、子会社を利用して利益を実際より多く見せる行為、またはその偽物の**決算数字**を**粉飾決算**と言います。偽りの決算を信じて**株式**を購入した**株主**や取引先などにも悪影響が及ぶため、商法や**金融商品取引法**などで禁じられています。

　粉飾決算は、経営破たんを免れるためや、融資審査の通過や**株価**の維持を目的に行われます。関係会社に損失を移し替える**飛ばし**も粉飾決算の手法の1つです。数字を良くしたからといって実態が良くなるわけではなく、粉飾決算を繰り返せば経営状態をさらに悪化させる上に法令違反で罪に問われ、最終的には自社の首を絞めることになります。

　粉飾決算を信じて投資家が損害を被った場合、粉飾の情報を流した者は、その投資家に対して損害賠償の責任を負います。

粉飾決算の事例

業績が悪くなってきた

このままでは、銀行からお金が借りられないかもしれない

まずい。
それどころか、債務超過が続いて上場廃止になってしまう

上場会社

上場廃止どころか、
経営破たんしてしまうかもしれない

売上を水増しして、利益が出たような決算書を作ってしまえ！

経営者

虚偽記載

有価証券報告書などの商法や金融商品取引法上の開示書類の記載内容について、隠したり意図的にごまかしたりしてよく見せること。

> 日産自動車のカルロス・ゴーン元会長の事件は、「有価証券報告書に報酬額を少なく記載していた」という金融商品取引法違反でした。

有価証券報告書に虚偽の記載があった場合、それを見て投資判断を行った投資家は、損害を被る恐れがあります。

有価証券報告書の**虚偽記載**は、重大な罪です。証券取引の不祥事が複雑化し、ルールや定義も見直されてきました。**金融商品取引法**では、**証券取引法**より罰則が強化されています。虚偽記載に関わった**取締役**や従業員などの個人については、懲役5年以下が10年以下に、罰金500万円以下が1,000万円以下に引き上げられ、両方が科される場合もあります。虚偽記載をした会社には、7億円以下の罰金と刑事罰、課徴金が課されます。重大なら**上場**廃止になる場合もあります。

虚偽記載された有価証券報告書・届出書などの公開中に、その**株式**を売買した人は、虚偽記載の会社に損害賠償を求めることができます。個人が会社の過失を立証するのは難しいので、会社自身で過失がないと立証できた場合のみ、損害賠償責任を追及されないことになっています。

虚偽記載による損害の保証

！ 虚偽記載による株価下落でも損害賠償が可能

第9章

株価と株価指標に関する用語

本章では株価の決まり方と、市場の全体像をつかむための株価指標について学びます。

● 第9章 株価と株価指標に関する用語

9-1 株価は、どうやって決まるのか？

株価は、市場に参加する投資家の意見が反映されます。まずは、株価の決まり方を学びましょう。

株価 株式会社が発行している株式の時価を、1株あたりで示した金額。売買の際の取引価格。投資家同士の取引が成立するたびに価格は更新され、目まぐるしく変化する。

株価は人気投票。多くの投資家が魅力なしと思えば株価は下がり、多くの投資家が欲しいと思えば値上がりします。

　上場している**株式会社**の**株価**は、**証券取引所**で売注文と買注文の売買が成立した時の、1株あたりの時価を示しています。

　多量の買注文が入れば株価はつり上がります。反対に多量の売注文で株価は下がります。その結果、株価は投資家の**需要と供給**のバランスが取れる水準に向かいます。この方式で株価が決まる**オークション取引**はほとんどの**株式**で採用され、非上場の株式など一部の取引においては**相対取引**が採用されています。

株価の決定要因

9-1 株価は、どうやって決まるのか？

需要と供給 商品やサービス

を手に入れようとする動きが需要、商品やサービスを提供しようとする動きが供給。売り手と買い手のこと。

「需給はあらゆる材料に優先する」と言われるほど。どんなビッグニュースでも、株価は大量な注文に影響されて動きます。

　商品やサービスの値段は、それを手に入れようとする需要の活動と、それを提供しようとする供給の活動のバランスで決まります。買いたい人や買いたい量が多ければ値が上がり、売りものが多ければ値下がりします。

　需要も供給も、単に商品が欲しいとか無料であげるということではなく、代金の**受渡し**を考慮して力関係が落ち着いたところで価格が決定します。バランスの取れた経済活動とは、必要な商品が余ったり不足したりせずに生産され、全部消費されることを指します。

　株式市場や金融市場、為替**相場**などでの**需要と供給**のバランスは、それぞれ**株式**や**債券**や外貨の買い手側の需要と売り手側の供給の力関係で、**株価**、金利、為替が決定することを言います。

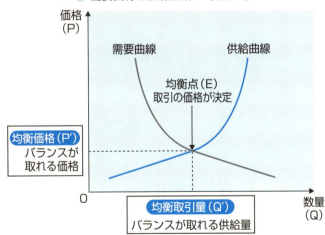

買い手側の需要と売り手側の供給の力関係で株価が決まる

第9章　株価と株価指標に関する用語

投資部門別売買動向

証券取引所で売買された株数と金額について、個人、外国人、法人、証券会社などの投資主体別に集計したもの。

> 外国人投資家が買い越している時に、個人投資家が売り越し。またある時はその逆。個人投資家が逆張りを好む姿が現れています。

　株価を決定付ける要因の1つに、株式市場に参加する投資家の**需要と供給**の動向があります。この動向を知るために、**証券取引所**では、投資家の取引を集計しています。**東京証券取引所**では、東京と名古屋の2つの証券取引所においてどのような投資家がどれだけ売買をしたのか、株数と金額について集計し、**投資部門別売買動向**として発表しています。集計期間は週ごとで、毎週第4営業日（通常は木曜日）に前週分を発表、月ごとや年ごとも公表されます。

　投資部門は取引者別に**証券会社**（自己）と委託に大別され、委託はさらに法人（生損保、都銀・地銀、**信託銀行**、その他金融機関、**投資信託**、事業法人、その他法人に区分）、個人、海外投資家、証券会社に分けられます。ホームページ上でも簡単に確認できます。

　株価の変動に大きな影響を与える傾向が強いとされる**外国人投資家**の売買動向は、市場で重視されています。

●●● 相場を左右する投資部門別売買動向 ●●●

●月●週目の外国人の売買動向は、2,000億円の買い越し！買い越しは7週連続！

証券取引所

そのデータを見聞きした投資家たちは……

株価の押し上げ要因だ！

株価上昇の兆し？自分も買おう！

投資家

外国人投資家の好む銘柄を買ってみよう！

(!) 外国人投資家の売買動向をきっかけに投資家が動き出すことが多く、それ自体が株価材料となることも！

(!) 売りの動向は、株価の押し下げ要因に！

内部要因／外部要因

相場を動かす理由として、需要と供給の関係など市場の内部に起因するのが内部要因、外部に起因するのが外部要因。

> 現物だけの投資家でも信用の取り組みや裁定状況をチェックする人がいます。これらが市場の内部要因として株価に影響するからです。

株式市場の**内部要因**とは、その**銘柄**や**株式**に対する**需要と供給**の関係、**信用取引**の状況など市場の仕組みが**株価**を変動させる**材料**を指します。それに対して**外部要因**とは、**企業業績**、金利、為替、景気動向、海外の市場動向など、株式市場以外の理由や原因が株価の変動に影響を与える材料のことを指します。

しかし、内部要因と外部要因は互いに関連していると言えます。世の中は日々、さまざまな出来事が起こっています。その1つ1つが外部要因となっていて、それに対して投資家がどう判断するかが内部要因だからです。外部要因とされるニュースや出来事に対して、投資家が株式を買った方がよいとか売った方がよいと判断して投資行動に出るため市場の内部要因が動き出すのです。

市場の外部要因と内部要因

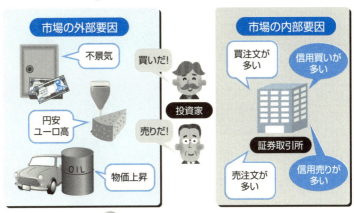

! 外部要因と内部要因で投資家が動く

第9章 株価と株価指標に関する用語

材料

株価を動かす要因となるニュースや出来事のこと。株価材料ともいう。株式市場全体に影響する材料から個別銘柄まで、内容はさまざま。

相場の格言に「材料は後からついてくる」があります。大した理由もなく株価が急に動けば、とってつけた理由がまかり通ります。

株価が動くのは、何かその要因があるからです。その変動要因のことを証券業界では、**材料**（あるいは**株価材料**）と言います。良いニュースで株価が上昇する場合は「プラス材料」、悪いニュースで株価の下落要因になる場合は「マイナス材料」と言われます。

主な材料としては、金利や為替市場、景気指標などのマクロ経済であったり、個別の**企業業績**や新製品、人事ニュースなどミクロ的なもの、さらには株式市場に参加する投資家の**需要と供給**の関係などの市場の**内部要因**であったりします。会社を取り巻くニュースは数多くあり、さまざまな要因がかみ合って株価に反映します。その中でも特にインパクトの強いニュースが材料として話題に上ります。

●●● 材料と株価の関係 ●●●

株価

画期的な新商品を発売

材料

買いだ！

買いだ！

！ 材料とは、株価変動に影響を与えたニュースのこと

9-1 株価は、どうやって決まるのか？

サプライズ

株価を大きく動かすほどの驚く情報や予測し得なかった情報、または、その情報で株価が大きく反応する状態のこと。

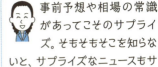
事前予想や相場の常識があってこそのサプライズ。そもそもそこを知らないと、サプライズなニュースもサプライズと感じません。

　それまで株式市場で知られていなかった**材料**が伝わると、それによって**株価**が大きく動く場合があります。その時の株価変動のきっかけになった情報や、その情報に投資家が驚いて株価が大きく変動する様子を**サプライズ**と言います。特に、驚きとともに情報が好感され、株価が大きく上昇した場合は「ポジティブサプライズ」、下落を引き起こした情報の場合は「ネガティブサプライズ」と呼ばれます。

　株価に影響を及ぼす要因はいろいろです。その会社に起因する業績予想や新製品・新技術の情報、人事や**業務提携**が伝わるやいなや、その会社に対する市場の評価が変わります。その結果、株価が変動することはよくあります。また、マクロ経済における景気指標の発表や為替**相場**の変動、日本銀行や政府の政策なども影響します。個別企業やマクロ経済に起因する株価の変動要因は、市場の**外部要因**と言います。市場の**内部要因**は、市場に参加する投資家の**需要と供給**によります。

ポジティブサプライズとネガティブサプライズ

第9章 株価と株価指標に関する用語

四本値

1日の中で株式や債券の売買が成立した価格帯のうち、最初の値段(寄付、始値)、高値、安値、その日の最終値段(終値)の4つを指す。

終値が高値の場合は「高値引け」。買いを集めて勢いのまま1日の取引が終了した様子です。逆に売りに押されたら「安値引け」。

証券取引所が開いている時間帯を**ザラ場**と言い、ザラ場中には**株式**や**債券**などの売買が活発に行われています。1日の間に売買が成立する価格には幅があるのが通常です。ザラ場中につけた最高の価格を「高値」、最低の価格を「安値」、取引開始時(その瞬間は「寄付」という)についた価格を「始値」または寄付と言います。ザラ場中なら現在値、また取引終了後なら「終値」を含めて、4種の値段のことをまとめて**四本値**と言います。ザラ場中についた直近の取引価格は現在値として表示されています。

取引時間が終了することを「引ける」と言い、その瞬間を「大引け」(午前中の取引の終了時は「前引け」)と呼びます。引けた後は最後の取引値が「終値」または「引値」になります。

株価チャートの**ローソク足**の日足は、この四本値から描かれます。

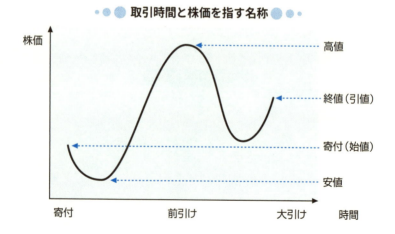

取引時間と株価を指す名称

9-1 株価は、どうやって決まるのか？

気配値

株式や債券などで買いや売りの注文が入っている値段で、売買が成立しそうな気配がある価格。上場銘柄の場合は、証券取引所が提示している。

気配値は「板」とも言います。昔は証券会社の店頭では、短波放送から市場の注文状況を聞き取って黒板に書いていたのです。

その瞬間に、**証券取引所**に買いまたは売りの**指値注文**が入っている価格のことを**気配値**、または**気配**と言います。買注文の気配が「買気配」、売注文の気配が「売気配」です。下の図の状況で、売りの**成行注文**を出せば、最も高い買気配の517円で取引が成立します。

通常は現在値にほぼ近い価格の気配が入っていますが、買いまたは売りのどちらか一方が圧倒的に多い場合は、極端に離れた高い買気配、または売気配になることもあります。

また、取引時間中にもかかわらず、買注文の株数が多く極端に偏って売買が成立しない状態の時は、その時の一番高い買注文の買気配が「〇〇円買気配」と表示されます。同様に売注文が極端に多い時は「〇〇円売気配」と表示されます。

● ● ● 株価表示画面上の売気配と買気配 ● ● ●

銘柄名 〇〇株式会社（銘柄コード）				
株数	売気配	現在値 前日比 出来高	買気配	株数
2,000	523			
1,000	522			
14,000	520	**518 +3**		
9,000	519			
2,000	518			
		340千株	517	4,000
			516	6,000
			515	24,000
			513	16,000
			511	3,000

! 株価表示画面では、気配はこのように表示される！

237

第9章 株価と株価指標に関する用語

呼値 株式市場に発注する売買注文の価格。呼値には注文を出す際に株価水準に応じて決められている刻み値段がある。株価が何円単位なのかを示している。

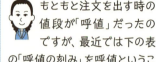

もともと注文を出す時の値段が「呼値」だったのですが、最近では下の表の「呼値の刻み」を呼値ということが多いようです。

投資家が**証券取引所**に買いまたは売りの注文を入れる際には、その売買注文の内容を詳細に示すことになっています。**指値注文**を出す場合に指定する売り買いの値段のことを**呼値**と言います。呼値の単位は**株価**の水準によって何円刻みかが取引所によってあらかじめ決められています。株価もこの刻みに従って変動します。例えば直前の株価が3,500円だった場合の呼値の刻みは、5円と決められています。したがって値動きの上下は、3,501円や3,499円ではなく、3,505円や3,495円です。

2024年6月5日以降、それまでの**TOPIX**100の構成銘柄にTOPIX Mid400構成銘柄を加え、**流動性**の高い500銘柄の呼値の刻みが細かくなりました。

TOPIX100とTOPIX Mid400対象銘柄の場合

株価の水準	呼値の刻み
1,000円以下	0.1円
1,000円超～3,000円以下	0.5円
3,000円超～10,000円以下	1円
10,000円超～30,000円以下	5円
30,000円超～100,000円以下	10円
100,000円超～300,000円以下	50円
300,000円超～1,000,000円以下	100円
1,000,000円超～3,000,000円以下	500円
3,000,000円超～10,000,000円以下	1,000円
10,000,000円超～30,000,000円以下	5,000円
30,000,000円超	10,000円

ストップ高/ストップ安

制限値幅いっぱいに株価が動き、高い場合をストップ高、安い場合をストップ安という。前日の終値を基準にする。

ITバブルの頃、連日のストップ高買気配の後、値がついたら一転してストップ安になる「ジェットコースター銘柄」も登場しました。

　株価が一度に大きく変動すると、投資家に不利益を与えたり市場が混乱したりするため、**証券取引所**によって1日の株価変動幅が決められています。この幅のことを「制限値幅」、その幅いっぱいで株価を制限することを「値幅制限」と言います。

　ストップ高とは、制限値幅の上限まで株価が上昇したことを指しています。**ストップ安**とは制限値幅の下限まで下落したことを指しています。ストップ高になってもさらに買注文を集めると、ストップ高買気配となり株価はそれ以上になりません。ストップ安でも売注文を集めると、ストップ安売気配が表示され、株価はそれ以下になりません。市場にかなり強い買い意欲または売り意欲がある時に起こります。

値幅制限いっぱいでストップ高・ストップ安になる

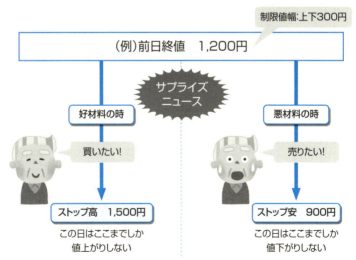

第9章　株価と株価指標に関する用語

板寄せ

株式の売買成立方法の1つ。東証では寄付、前引け、後場寄り、大引けと、何らかの理由で売買が中断した後の再開時の約定で行われている。

> 市場参加者の多くが強気、または弱気に偏った結果、板寄せに。多くの人が間違いなしと思うと、相場は逆に動くものです。

　板寄せの「板」とは、証券取引所に入っている注文状況を株価順にまとめた一覧表です。板には、証券取引所の会員である証券会社ごとに売注文と買注文がそれぞれまとめて記載されます。この板に記載されている注文について、成行注文を優先させて売買の株数を合わせ、次に価格優先の原則に基づき、それぞれ順位の高い売りと買いの注文の株数が合うように注文を付け合わせて取引を成立させる方法が板寄せです。

　寄付や売買が一時中断して再開する時、または取引終了時にも同じように、板に寄せられた注文同士を付け合わせていきます。同じ呼値に複数の注文が入り、その株価で売買が成立する時には、その株価への注文株数が多い証券会社の顧客の注文から約定します。板寄せでは時間優先の原則が適用されません。

●●● ザラ場方式と板寄せ方式の特徴 ●●●

証券取引所が取引を成立させる方法

ザラバ方式
- 市場に入ってくる注文を次々と約定
- オークションの形式（競争売買）
- 成行優先/価格優先/時間優先

※ザラバ＝証券取引所の立会時間中

板寄せ方式
- 取引開始前もしくは売買中断中の注文はすべて同時に発注されたものとみなす
- 板に記載したすべての注文を成行優先/価格優先で順位の高いものから約定
  - ※成行はすべて約定
  - ※約定株価より高い買い指値と低い売り指値はすべて約定
  - ※約定株価の買指値または売指値のどちらかはすべて約定、他方は1単元以上が約定

※板寄せ＝寄付、引け、売買中断後の再開時

年初来高値/年初来安値

その年の中で最高の株価を年初来高値、最低の株価を年初来安値という。今年一番の高値、または安値という意味。

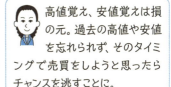

> 高値覚え、安値覚えは損の元。過去の高値や安値を忘れられず、そのタイミングで売買をしようと思ったらチャンスを逃すことに。

　ある日までの時点において、その**銘柄**がつけたその年の**株価**のうち、最高の株価を**年初来高値**、最低の株価を**年初来安値**と言います。年初来高値を「新高値」、年初来安値を「新安値」とも言います。後日、一度つけた年初来高値より高い株価になると、「年初来高値更新」と言います。

　しかし、この参照期間には注意が必要です。年が明けてからすぐの取引ではデータとして参照する日数が浅いため、1月から3月までの間は、前年の1月からその日までを参照期間とします。例えば、2023年2月28日時点では、2022年1月の**大発会**から2023年2月28日までの間の最高の株価を年初来高値とします。年初来安値でも同様です。

　なお、参照する期間を**上場**以来とすると、上場以来の最高の株価が「上場来高値」、最低の株価が「上場来安値」となります。

● ● ● **株価の年初来高値と年初来安値** ● ● ●

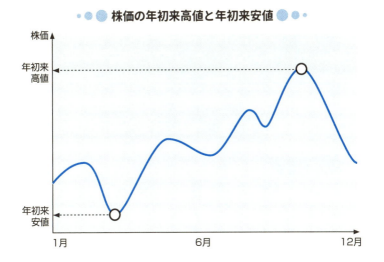

第9章　株価と株価指標に関する用語

騰落

株価の値上がりと値下がり。騰落率といった場合は、ある一定期間にどれだけ株価が変動したかの比率。投資信託の基準価額の上下にも用いられる言葉。

「売れば二上がり、買えば三下がり、切ってしまえば本調子」　売れば値上がり、買えば下がる……。相場はあまのじゃくです。

株価の値上がりと値下がりを騰落と言い、単に1日の上げ下げだけではなく、過去の値動きの上下を示す場合でも使われます。

例えば、**騰落率**といった場合は前営業日の終値と比べるほか、1ヵ月とか1年、5年といったある一定の期間内にその株価がどれぐらい上昇または下落したかを比率で表したものです。一般に金利の場合は、年利率で示されますが、騰落率は期間を通した価格差で表すのが通常です。

騰落レシオは、**上場**する**銘柄**のうち、その日の値上がり銘柄数を値下がり銘柄数で割って求めたものです。これは**相場**の**需要と供給**の関係から、株式市場全体の強弱感を見る尺度です。値上がり銘柄数が多ければ騰落レシオは100%を超えて強気と読まれ、値下がり銘柄数が多ければ100%を割り込んで弱気と読まれます。

●・●●騰落率と騰落レシオの計算方法 ●●・●

騰落率

一定期間内にどれだけ株価が上下したかの比率

$$1年間の騰落率 = \frac{年末の株価 - 前年末の株価}{前年末の株価} \times 100 (\%)$$

騰落レシオ

値上がりした銘柄と値下がりした銘柄の数を比較

$$騰落レシオ = \frac{値上がり銘柄数}{値下がり銘柄数} \times 100 (\%)$$

9-2 株価指標には、どのようなものがあるか？

市場の全体像をつかむ株価指標には、TOPIXや日経平均株価などがあります。

株価指標 個別企業の株価やデータでなく、マーケット全体を表す指標。株式投資の際に市場全体の尺度として参考にする代表値。

ニュースで「今日のTOPIXは、大幅に上昇しました」という日に限って、自分の株が下がってガッカリということもあるんです。

　個別**銘柄**の**株価**や**出来高**などのデータを、さまざまな統計手法で求めた市場全体の代表値が**株価指標**です。代表的な株価指標は**TOPIX**（トピックス）、**日経平均株価**、出来高、**時価総額**、**売買代金**などで、株価指標は算出方法により特徴が異なる単価平均型や加重平均型があります。株価指標の多くは指数で表されますが、日経平均株価は単位が「円」です。

　さらに広い意味では、**PER**や**PBR**などの株価と**企業業績**・**配当金**や財務などとの関係を示した指標も株価指標に含まれます。

日本の主な株価指標

TOPIX（東証株価指数）	東京証券取引所が算出、公表している株価指数で、上場銘柄全体の時価総額の動きを表す指数
日経平均株価	東京上場銘柄のうち、日本経済新聞社が選んだ日本を代表する225銘柄の株価水準を示す
JPX日経インデックス400	東証上場銘柄のうちROE、営業利益、時価総額を基準に選んだ400社で構成される株価指数
東証マザーズ指数	東証マザーズに上場していた株式を対象に、TOPIXに準じた方法で算出。市場再編後も算出されている
東証プライム市場指数	プライム市場に上場する全銘柄で構成され、浮動株時価総額型で算出される株価指数。2022年4月1日を100とする
東証REIT指数	東証に上場するREITの全銘柄で構成。時価総額加重方式で算出される。2003年4月1日を1,000とする

第9章 株価と株価指標に関する用語

インデックス

TOPIXや日経平均株価などの株価指標や債券インデックス、通貨インデックスなど市場全体の値動きを示す指標。

> 一口にインデックスと言っても、指標の特徴によって値動きの変動幅や値動きの要因はさまざまです。参照する指標をよく知ること。

　株式や債券、為替、J-REIT（不動産投資法人）などの市場全体の価格や時価総額の動きを数字で示す尺度がインデックス（指標）です。

　国内株式市場の代表的なインデックスのTOPIX（東証株価指数）は東京証券取引所に上場する銘柄の時価総額が増減する動きを示し、日経平均株価は日本を代表する225社の株価変動を示します。

　インデックスは、投資信託や年金などの運用のベンチマークに利用されます。運用方針に合う投資市場全体の値動きを、相対的に評価する場合の基準として使われます。個人投資家の資産も、同じタイプのインデックスの騰落率と比較してみると、運用の良し悪しが評価できます。

インデックスは運用の目安になる

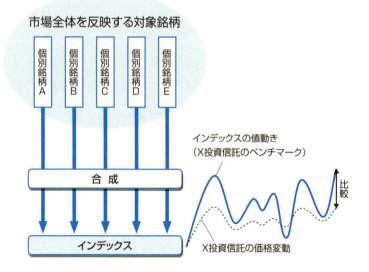

9-2 株価指標には、どのようなものがあるか？

出来高 市場で売買が成立した株数。個々の銘柄ごとの売買株数はもちろん、株式市場全体の売買株数合計も集計されている。単位は「株」で表される。

「出来高は人気のバロメーター」と言います。出来高が急に増えると、投資家の注目が集まり、さらに買いを呼ぶ傾向があります。

証券取引所には、1日にたくさんの買注文と売注文が入ってきますが、希望通りの**株価**で取引できる相手がいなければ売買は成立しません。買注文は相手がその株価で売ってくれないと売買は成立しませんし、売注文も相手がその株価で買ってくれないと成立しません。成立しなかった注文株数は**出来高**（**売買高**ともいう）に計算されません。

売買が活発になり出来高がいつもより増えると、株式市場には活気があふれます。株価の上昇とともに出来高が多くなってくると、その様子を見て投資家はさらに株価が上がると判断し、なおのこと買注文を集めてさらに株価が上昇することがよくあります。

出来高の考え方

出来高（売買高）

売注文 → 売買成立 100株 ← 買注文

売ります　　　　　　　　　　　　買います

↓

「出来高（売買高）」100株

1日に取引された
総売買高を合計

↓

1日の出来高（売買高）

● 第9章　株価と株価指標に関する用語

売買代金

売買された株価とその株数をかけたもの。市場全体の売買代金、または、ある銘柄の1日の取引代金を指す。増加すると活況だと判断される。

売買代金ランキング上位には、通常、時価総額の大きな銘柄が並びます。普段入らない銘柄がランクインした時は、何かありそう。

　株式市場全体の**売買代金**は、「株式市場でどれだけの資金が取引されたか」を意味します。株式市場への注目度の強さを表しているとも言えます。個々の**銘柄**の売買代金を全銘柄分合計すると、市場全体の売買代金になります。

　個々の銘柄の売買代金も取引の規模を示しています。時間軸をもって売買代金の推移を見れば市場動向がわかります。通常の水準よりも多額な売買代金の時は、その銘柄への注目度が高まっているとも言えます。各々の銘柄で1単元の**株価**水準が異なる状況で、**出来高**では、銘柄間での売買量を単純に比較をしにい面があります。そこで、金額ベースの売買代金を使い、銘柄間での売買量を比較する傾向になっています。

● ● ● **売買代金の数え方** ● ● ●

売買代金

1,000円で100株の売買成立

売ります　　100株　　買います
売注文　　　　　　　買注文

（1,000円×100株）
「売買代金」10万円

1日に取引された
総売買代金を合計

1日の売買代金

単純平均型/加重平均型株価指数

株価指標の算出方法。株価をそのまま平均したものが単純平均、上場株式数によるウェイト付けをしたものが加重平均。

日経平均株価が上がっていてもTOPIXは下がっていたり、その逆があったり。銘柄が違うことや指数の計算方法の違いが影響。

単純平均型株価指数とは、単純に対象**銘柄**の**株価**を合計し、銘柄数で割ったものです。株価の高低に関わらず、どれも1銘柄として対等に扱います。**発行済株式数**も考慮しません。単純平均型は、株価が高い銘柄の値動きに左右されます。株価のケタが大きな銘柄の値上がりが大きかった日には、他の大半の銘柄が値下がりしても、平均値を引き上げてしまうのです。**日経平均株価**は、単純平均を基礎として、連続性を保つための修正を加えて算出します。

加重平均型株価指数は、**時価総額**によるウェイト付けをして株価の平均を算出しています。指標に寄与する度合いがそれぞれの銘柄の規模に応じているため、市場全体の水準を的確に表すことができます。2022年4月4日に市場区分の再編が行われた**東京証券取引所**では、TOPIX(トピックス)に「**浮動株**時価総額加重方式」を採用しています。**流動性**を重視して算出され、全体の株価の動きを把握するのに適しています。

●●● 単純平均型株価指数と加重平均型株価指数の計算方法 ●●●

単純平均型株価指数

対象銘柄の株価合計を対象銘柄数で割ったもの

$$単純平均型株価指数 = \frac{対象銘柄の株価合計}{対象銘柄数}$$

加重平均型株価指数

対象銘柄の時価総額合計を対象銘柄の上場株式数合計で割ったもの

$$加重平均型株価指数 = \frac{対象銘柄の時価総額合計}{対象銘柄の上場株式数}$$

スマートベータ

市場全体の価格を反映する従来の指数と違い、特定の要素(ファクター)を基準に集められた銘柄群で構成される指数。

> 賢くて(スマート)、モデルのようにスマートな私は、クジラ(年金資金)さんから口説かれました(笑)。戦略は、いろいろあるそうです。

「ベータ」は、市場と連動する度合いを示す値です。ある**証券**の値動きが市場平均とピッタリ連動していれば、ベータ値は1です。例えば「**TOPIX**(東証株価指数)と同じ値動きをする」という**投資信託**は、ベータが1になるように設計されています。この場合の**銘柄**群は「TOPIX採用上場銘柄すべて」となります。

一方、**スマートベータ**は、**配当利回り**や**割安性**など、特定の要素による基準で構成銘柄を選ぶため、市場全体の平均株価や**時価総額**と連動するものではありません。特定の要素で選んだ構成銘柄が、「賢い(スマート)指標」として、市場の値動き以上の結果を目指しています。

スマートベータの要素となる例は、**リスク**水準を下げる「最小分散ポートフォリオ」の指数、企業価値ベースの指数、高配当利回りの指数、**PER**や**PBR**、**ROE**などに基準を設けて選定した指数です。

スマートベータと伝統的な指標の違い

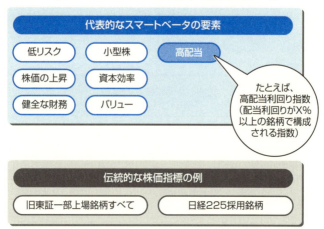

9-2 株価指標には、どのようなものがあるか？

TOPIX 東京証券取引所が算出、公表している株価指数で、上場銘柄のうち、浮動株を考慮した時価総額の変動を表す指標。東証全体の価値の推移を見る。

> TOPIXは、大型株の値動きに影響を受けやすい指数です。日経平均株価より上昇率が高い時は、「大型株が動いたな」と判断します。

　TOPIX（東証株価指数）は、**東京証券取引所**の市場区分再編前は、第一部のすべての**銘柄**を対象に算出される指数でした。1968（昭和43）年1月4日の東証一部の**時価総額**を100とし、日々の時価総額を指数で示しています。市場全体の規模の変動を見る「ものさし」として、**機関投資家**の運用成績の評価尺度に使われます。

　TOPIXは、2022年4月の東証市場区分変更を機に、以前よりもさらに銘柄ごとの**流動性**を重視する指標になっています。年金運用や**投資信託**などの**インデックス**運用の存在が大きくなり、流動性が低いTOPIX構成銘柄の中には、価格形成に歪みが生じる銘柄も出るようになりました。機関投資家がTOPIXに連動した運用をするにあたって、大量の資金での取引が**需要**と**供給**のバランスを崩してしまうことを避けるためです。

TOPIX（東証株価指数）の新しい基準

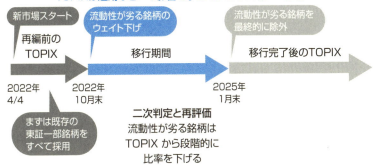

第9章 株価と株価指標に関する用語

日経平均株価

日本経済新聞社が発表する、東京証券取引所上場銘柄のうち、代表的な225銘柄の株価水準を示す指数。

日本経済新聞の紙面では、常に日経平均株価が中心の報道で大きく掲載され、TOPIXは小さくこっそり載っています。

日経平均株価は国内の**上場**株式の平均的な**株価**を示す、最も古くから用いられている指数です。日本経済新聞社が日本を代表する225の**銘柄**を選出し、独自の方法で算出しています。

算出方法は、米国ダウ・ジョーンズ社が開発した算式で、225社の株価を単純平均したものに権利落ちによる値下がり分を修正します。長期的な株価の推移を連続して追えるのが特徴です。

対象の225銘柄は、市場での**流動性**が低くなったものなどを定期的に見直し、別の銘柄と入れ替えることがあります。特に2000年4月には選定基準も見直されたことで大幅な入れ替えを行い、それ以前の日経平均株価との連続性が損なわれ、問題になりました。その後も、定期的に採用銘柄の見直しがされています。

●●● TOPIXと日経平均株価の違い ●●●

	TOPIX	日経平均株価
対象銘柄	流通株式時価総額100億円以上の東証上場銘柄	225銘柄（日経新聞社が選出）
株価指標の算出方法	流動性を考慮した上で時価総額でウェイトをかける	権利落ちや銘柄入替時に修正を加えて連続性を持たせる
	加重平均型	単純平均型

JPX日経インデックス400

流動性が高い東証上場銘柄からROE、営業利益、時価総額を基準に選んだ400社で構成される株価指数。

「魅力的な会社ベスト400」だそうです。「イケメン・インデックス」なんていうスマートベータはありませんか？

　JPX日経インデックス400（JPX日経400）は、日本経済新聞社と日本取引所グループおよび**東京証券取引所**が共同開発した**スマートベータ**型の指数です。高い資本**効率性**や投資家を意識した経営姿勢など、「投資家にとって投資魅力の高い会社」という基準で選ばれた400社で構成される**時価総額**の指数です。グローバルな投資基準を満たした、新しい株価指標です。

　JPX日経400は、東証に**上場**する**銘柄**から市場**流動性**の高い1,000銘柄の中で「3年平均ROE」「3年累積**営業利益**」「時価総額」の3つの指標を点数化し、コーポレートガバナンスや**ディスクロージャー**の定性評価も加えて400銘柄が選ばれます。

　2013年8月30日の値を10,000ポイントとして、2014年1月6日から算出されています。毎年1回、6月末を選定基準日として8月末の「定期見直し」で構成銘柄が入れ替えられます。

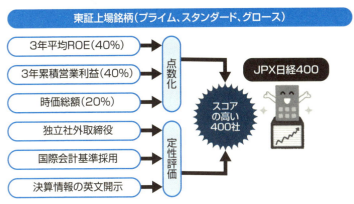

JPX日経400の銘柄選定基準

第9章 株価と株価指標に関する用語

NYダウ 米国株の動きを示す代表的な株価指数。通信会社ダウ・ジョーンズが30社の米国優良銘柄の株価を単純平均する方式で算出している株価指標。

> 米国では、経験則により、大統領選挙の年に株価が上がると言われています。景気を良くする政策を打ち出すからでしょうか。

NYダウ（ダウ30種平均）は、米ダウ・ジョーンズ社が開発した平均**株価**の修正算式で、米国を代表する世界的な超優良な**銘柄**・30銘柄の株価で構成されます。構成銘柄の株価を平均し、**株式分割**などの際には修正して連続性を持たせた指数算出の方式を「ダウ方式」と言います。銘柄入替は、米国の産業構造の変化に応じて不定期に行われます。

ニューヨーク証券取引所は、ニューヨークの**ウォール街**にある世界最大の**証券取引所**で、米国の伝統企業をはじめとした多くの**株式**が売買される証券取引所です。「NYSE」と表記されています。

このほか、**米国株**の代表的な**株価指標**に、**S&P500種指数**や**ナスダック総合指数**などがあります。一般に運用の**ベンチマーク**に使用される指標としては、NYダウよりもS&P500種指数の方が主流です。

アメリカの主な株価指標

NYダウ（ダウ30種平均）
米国市場に上場する株式のうち、代表的な30銘柄の株価を単純平均した株価指標

 日経平均株価のようなタイプ

S&P500種指数
格付会社スタンダード・アンド・プアーズ社が選定する500銘柄の時価総額加重平均指数。採用銘柄が比較的多いことと、小型株の影響を受けにくいところが特徴

 TOPIXのようなタイプ

ナスダック総合指数
ナスダックとスモールキャップに上場するすべての銘柄の時価総額加重平均指数

S&P500種指数

米国の時価総額が大きな約500社を対象に算出される株価指数。米国市場全体の相場の動きを表す。

アクティブ投資家のウォーレン・バフェット氏は、「ほとんどの投資家はS&P500インデックスファンドを信頼したほうがいい」と言っています。

S&P500種指数 (Standard & Poor's 500 Stock Index) は、S&Pダウ・ジョーンズ・インディシーズが1957年3月4日から算出している指数です。米国株式市場に連動する**ETF**や**インデックス型投資信託**の代表的な**ベンチマーク**となっています。

対象は、ニューヨーク証券取引所やNASDAQなどの米国株式市場に**上場**する米国企業です。**浮動株**を調整し、**時価総額**比率で加重平均した指数です。時価総額の大きな**銘柄**で構成され、米国市場の時価総額の70〜80%を占めます。組み入れ銘柄はバランスが考慮され、時価総額、**流動性**、浮動株比率、**企業業績**などの条件を満たす工業株400種、運輸株20種、公共株40種、金融株40種の各指数で構成されています。

現在は、アップル、マイクロソフト、アマゾン・ドットコム、アルファベット (グーグル)、メタ (フェイスブック) が組み入れ上位となっています。

日本の個人投資家がS&P500に投資をする方法

「S&P500」という株式は存在しない
（S&P500は指数）

S&P500に連動する金融商品に投資

日本国内の市場

米国の市場

S&P500に連動するETF（上場投資信託）

S&P500に連動する公募株式投資信託

S&P500に連動するETF（上場投資信託）

第9章　株価と株価指標に関する用語

ナスダック総合指数

米国NASDAQで取引されている米国内外のすべての銘柄を、時価総額の加重平均で算出した株価指標。

> NASDAQはコンピューター取引なので、取引所はありません。さらに会社はウォール街ではなく、NYのタイムズスクエアにあります。

ナスダック総合指数とは、米国NASDAQ（ナスダック証券取引所）で取引されている米国内外のすべての**銘柄**を**時価総額**で加重平均した株価指数です。**NYダウ**と並んで、米国の株式市場を示す代表的な指数です。算出の基準値は、1971年2月5日の株価で、この日の時価総額を100とした指数で示されています。

NASDAQは、全米証券業協会が運営する店頭株市場です。NASDAQの公開基準は、ニューヨーク証券取引所に比べると緩やかなため、多くのベンチャー企業が**上場**している証券取引所でもあります。また、マイクロソフトやインテル等のシリコンバレーのハイテク株やインターネット関連株の多くも上場しています。その影響で、ナスダック総合指数の採用銘柄全体のうちでもハイテク関連株・インターネット関連株の占める割合が高い点が特徴です。そのため、IT産業全体の株価動向を示す指数として重要な役割を担っています。

●●● NYダウとナスダック総合指数の違い ●●●

	NYダウ	ナスダック総合指数
対象銘柄	米国を代表する世界的な超優良銘柄、30銘柄	NASDAQで取引されている米国内外のすべての銘柄
指標としての特徴	米国の株式市場や世界経済の動向を考えるのに欠かせない指標	ハイテク関連株・インターネット関連株の占める割合が高く、IT産業全体の株価の動向を考えるのに適した指標

❗ IT関連株投資は、ナスダック総合指数を参考に

MSCIワールド・インデックス

モルガン・スタンレー・キャピタル・インターナショナルが算出し、世界の多くの機関投資家がものさしとする株価指数。

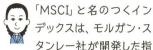

「MSCI」と名のつくインデックスは、モルガン・スタンレー社が開発した指標。地域別や投資対象別など、多岐にわたります。

MSCIワールド・インデックスとは、MSCI（モルガン・スタンレー・キャピタル・インターナショナル）が世界の主要企業の**時価総額**を加重平均した、先進国の株式市場を示す代表的な指数です。

先進23カ国の主要株式で構成されるため、世界中の**機関投資家**などが株式の国際**分散投資**運用の**ベンチマーク**としています。四半期に1回の**銘柄**入替の際は**日経平均株価**の銘柄入替以上に関心が集まります。

なお、MSCI社では、ほかにも多くの指数を算出しており、為替ヘッジの有無、投資対象国の選定基準別、**バリュー株**（**割安株**）・グロース株（成長株）別など、さまざまな種類があります。

日本の機関投資家は、一般的に**外国株**投資のベンチマークとして、日本を除く先進22カ国で構成される、「MSCI-KOKUSAIインデックス」を使用していることが多いようです。先進国に新興国を加えた世界全体のベンチマークとしては、「MSCI・AC（オール・カントリー）ワールド・インデックス」が使われていることが多いようです。

世界および日本の株価指数

MSCI・ACワールド・インデックス
全世界の株式で運用するときのベンチマーク

MSCI-KOKUSAIインデックス
日本を除く世界の先進国の株式で運用するときのベンチマーク

MSCIワールド・インデックス
日本を含む世界の先進国の株式で運用するときのベンチマーク

TOPIX
日本の株式で運用するときのベンチマーク

第9章 株価と株価指標に関する用語

ボラティリティ・インデックス

S&P500を対象としたオプション取引の値動きを基にして、投資家の不安心理を表した株価指数。

> 投資家全体の不安心理が指数になっているのって、面白いと思いませんか？ これを取引しないまでも、投資判断の参考になるのでは？

ボラティリティ・インデックス（**VIX指数**）は別名を**恐怖指数**と言い、シカゴ・オプション取引所が算出・公表しています。ボラティリティとは値動きの幅で、値動きが大きければ、ボラティリティは高くなります。VIX指数は**S&P500種指数**の値動きが荒い場面で上昇し、その時の市場では**リスク**資産が売られ、金のような安全資産に資金が移動する傾向があります。2018年に**保護貿易主義**の高まりで株式市場が混乱した際は一時30台になり、**コロナショック**の2020年3月は60台に上昇しましたが、安定していれば10から20の間です。**リーマン・ショック**の頃は90程度でした。

日本の株式市場の不安心理を示す指標としては、日経平均ボラティリティ・インデックス（日経平均VI）があります。投資家が**日経平均株価**の将来の変動についてどう想定しているかを表した指数で、指数値が高いほど、投資家が予測する**相場**の変動が大きいことを意味します。

●●● ボラティリティ・インデックス ●●●

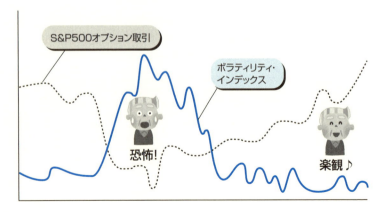

裁定取引残高

裁定取引に絡む、現物株の買いポジションの残高がどれだけあるかを集計した統計。将来の現物株売り需要と推測される。

現物と先物の株価指標の間で、需給しだいで差が広がったり逆転したり。その歪みを利用した取引残高で株価の先行きを予測します。

裁定取引残高は、株価指数**先物取引**と現物株の価格差で利ザヤを稼ぐ**裁定取引**について、決済していない現物株の残高を株数および金額で示したものです。市場の需給と供給の動向を測ります。**東京証券取引所**が「裁定取引に伴う現物株売買および残高」を毎日、「会員別の裁定取引状況」を週に1回の毎週水曜日に集計・公表しています。

裁定取引では、あらかじめ決められた最終売買日までに**反対売買**で**差金決済**を行います。決済に絡み、現物株を大量に売却すれば株価の下落など**相場**の混乱要因になります。裁定取引残高を把握しておけば、近い将来に裁定取引の決済がどの程度行われるかが推測できます。たとえ現物株取引しか行わない投資家でも、市場の需給動向を判断する**材料**の1つとして裁定取引残高を見ておきたいものです。

裁定残のほとんどは、現物の買いポジション

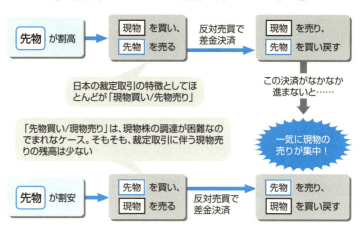

相場に関する用語

本文中で解説できなかった相場に関する用語を簡単にご紹介します。

●相場
　株式や債券の市場を指したり、売り買いの様子を指したりし、取引の状況などについて幅広く使われている用語。

●ドレッシング買い
　「お化粧買い」ともいう。美しく見せかけることで、年末や決算末などの区切りの良い時に意図的に株価を上昇させること。

●値ごろ感
　投資家から妥当だと思われる株価水準のこと。

●見送りムード
　「様子見」「模様眺め」とも。大きな株価材料の発表を控えているなど、その行方がはっきりするまで取引を控えている様子。株価は上昇しにくい。

●ザラ場
　証券取引所で取引が行われている時間帯のこと。東証での現物株取引では、9時から11時30分までの「前場」と12時30分から15時(2024年11月5日から15時30分になる予定)までの「後場」の取引時間中を指す。取引終了時刻前に取引が終了してしまうことを「ザラ場引け」という。

●調整局面
　株価が値上がりした後の横ばい、または下落傾向の時期を指す。値上がりエネルギーが薄れた頃に訪れる。

・第10章・

株価チャートに関する用語

株式取引では、株価の流れやムードも大切です。株価チャートの使い方を学んで、投資に役立てましょう。

● 第10章　株価チャートに関する用語 ●

10-1 株価チャートは、どのように使うか？

株価チャートは、株価を単に数字で追うよりも流れがつかみやすいので、タイミングを見るのに効果的です。

テクニカル分析

統計的手法を用いた株価チャートを使い、過去の株価変動パターンから将来の株価変動パターンを予測する方法。

相場はタイミングも大事。けれどそれが一番難しいのです。チャート分析を好む「チャーチスト」は日々、流れを読んでいます。

　テクニカル分析とは、過去の**株価**変動から将来の株価を予測する方法です。株価および**出来高**などのデータを統計的手法などで加工したテクニカルチャートで、将来の株価の動きを判断します。現在の株価水準、将来の株価の方向性、**相場**の勢い、パターンなどを予測します。**銘柄**選びには**ファンダメンタルズ分析**、売買タイミングの判断にはテクニカル分析を重視する組み合わせで投資判断を行うのが一般的です。

　また、テクニカル分析には多くの手法があります。数多くのチャートに触れ、最終的に自分の使いやすい2〜3タイプに絞り込み、適宜活用しているという投資家が多いようです。

● ● ● **テクニカル分析の判断基準** ● ● ●

株価の上昇が絶好調。その株式は買いだ
買いの投資家

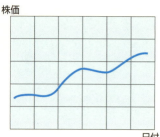

ちょっと株価が上がりすぎたなあ。一度売っておこうか
売りの投資家

！株価の判断基準は、その銘柄の株価の推移

順張り / 逆張り

株価の流れと投資判断の関係を示した言葉。順張りは株価の上下動に乗る手法、逆張りは相場の逆をいく手法。

 相場の格言「好材料は買い、悪材料は売り」は順張り。「上り坂の悪材料は買い、下り坂の好材料は売り」はやや逆張り。

順張りや**逆張り**は、**株価**の上昇・下落に乗るか、それとも逆の動きをするかという、投資行動のスタンスです。一般的に「個人投資家は順張り」と言われますが、投資家の好みや判断の違いがあり、一概には言えません。

順張りは株価上昇に乗って買い、下落時に売る手法です。株価上昇時は「投資家の注目を集めているから今後も上昇するだろう」と見て買い、株価が下落すれば「さらに売られて下落してしまうだろう」と見て売る、という投資方針です。

反対に、株価上昇時に売り、下落の最中に買う手法が逆張りです。値上がりしていても「いつか株価は下がるだろう」と判断して売り、値下がり時には「株価水準が安いうちに」と買いを入れます。

しかしどちらがより有効かという決定打は出せず、投資結果の巧拙はその時の**相場**のムードによるところが大きいのが現実です。

順張りと逆張り

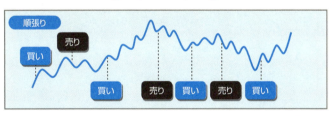

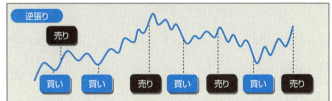

● 第10章　株価チャートに関する用語 ●

株価チャート

過去のある一定期間の株価推移を、グラフに示したもの。株式取引において、売買のタイミングを読むのに有効である。

株価チャートを見れば過去の動きは一目瞭然。株価のクセやパターンがわかりますが、この先も同じ動きをするとは限りません。

株価チャートは、単に**チャート**や**罫線**と呼ぶこともあります。チャートは、どんな期間でも作成することができます。投資家の目的に応じた期間でチャートを作成して、投資判断を行います。結果を視覚的に捉えるには非常に優れたツールです。チャートの形は、折れ線グラフやローソクのような棒、点などいろいろあります。

チャートは売買のタイミングを推し量るために利用します。チャートからは、投資家の意思決定の結果、つまり投資家の心理を知ることもできます。**相場**のリズムやエネルギーを読み取ることもできます。

しかし、チャートによる投資判断をしても、大きな出来事が起こると予測が崩れてしまいます。その後に特別なニュースがないことが前提です。株価チャートで確実に将来の株価を予測するには無理があります。

●●● **株価チャートから読み取れるもの** ●●●

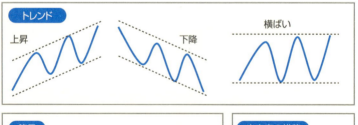

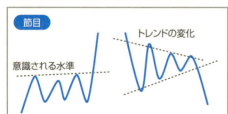

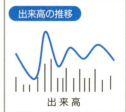

10-1 株価チャートは、どのように使うか？

ローソク足

黒白のローソクのような形状と上下に伸びるヒゲで株価の動きを示した、株価チャートの中でも最も代表的なもの。

> 基本のチャートですが、奥が深いものです。ヒゲのつき方、ヒゲと胴体のバランス、ローソクの並ぶ関係が多くの情報を与えてくれます。

ローソク足は、最も代表的な株価チャートで、ローソクのような形状をしており、陰陽足チャートとも呼ばれます。「塗りつぶされたローソク」と「透明のローソク」と「線（ヒゲ）」の集まりで形成されています。ローソクやヒゲが長いと、値幅が大きく動いたことを表します。これら1本1本のこの縦に示された棒や線は、日足の場合は1本が1日分の株価の動き、週足の場合は1本が1週間分の株価の動きを示します。ほかに期間を変えて、分足、月足、年足などがあります。

ローソク足の意味（日足の場合）

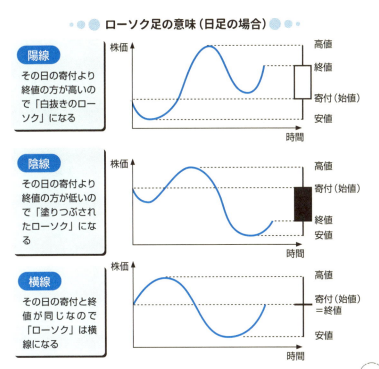

陽線
その日の寄付より終値の方が高いので「白抜きのローソク」になる

陰線
その日の寄付より終値の方が低いので「塗りつぶされたローソク」になる

横線
その日の寄付と終値が同じなので「ローソク」は横線になる

第10章 株価チャートに関する用語

窓 株価チャートの流れの中で、前日と当日の2本のローソク足の間に、株価が連続しない空間が空くこと。前日の取引終了後に大きなニュースが入るなど、相場が急変した時に現れる。

長い時間、低め安定していた株価、そろそろ買おうかと思った矢先にサプライズ。一気に窓が開いてチャンスを逃すはめに。

株価チャートの中で、前日と当日（週足の場合は、前週と今週）との間に、株価が連続しない隙間ができることがあり、これが**窓**です。窓を開けて上昇することもあれば、窓を開けて下落することもあります。

例えば、「**出来高**を伴い、窓を開けて上昇した」という場合は、買注文が殺到した結果、チャートに空間ができています。逆に「出来高を伴い、窓を開けて下落した」ときは、売注文が殺到した結果、チャートに空間ができます。上昇にせよ、下落にせよ、窓ができるのは**相場**に対してかなりの強い力が働いている証拠です。どちらにしても窓を開けた後には株価が揉み合うことが多く、さらにその後揉み合いを抜けると再び上昇または下降トレンドを描く傾向にあります。窓を開けた数日後に、相場が落ち着いて窓の水準まで株価が下がり、空白だった価格帯に値が付くと「窓埋め（穴埋め）」と呼ばれます。

窓と窓埋めのモデルケース

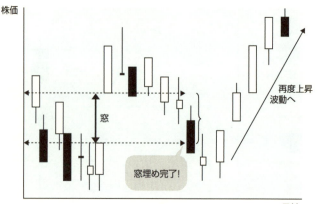

移動平均線

定められたある期間の終値を平均し、その平均値を日々つないだ折れ線グラフのこと。株価の大まかなトレンドを示したグラフ。

> 「上げ過ごす時は、その後決して下がると心得べし。下がる時は、決して上がると心得べし」 行き過ぎれば反転する日も来ます。

移動平均線は、**ローソク足**などと同じグラフ面上にプロットし、**株価**の大きな流れをつかむために使用します。算出方法は、下の図の通りです。例えば日足なら、日々の株価を基準にある一定の期間さかのぼった株価の平均を取り、それを毎日ずらしながら、過去の同じ期間の平均を算出してつないでいきます。移動平均線とローソク足との関係を見て、**株式**の買い時や売り時を判断します。

移動平均線には、5日、25日、75日や13週、26週などいろいろな期間で算出したものがあります。それぞれを投資スタンスや**銘柄**ごとのクセによって使い分けます。移動平均線は過去の一定期間の株価平均を意味します。その時期にその銘柄を買った投資家の買値平均とも言えます。株価の習性として、移動平均線から大きく離れた後は移動平均線に寄せられるように戻り、また何かのきっかけがあると移動平均線から離れるように波動を打つのが通常です。この習性から、移動平均線は居心地の良い株価の位置とも言われます。

移動平均線の描き方（5日移動平均の場合）

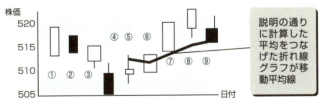

⑤日目の5日移動平均＝⑤④③②①の5日間の終値平均＝512.4
⑥日目の5日移動平均＝⑥⑤④③②の5日間の終値平均＝511.2
⑦日目の5日移動平均＝⑦⑥⑤④③の5日間の終値平均＝512.6
……をどんどんつないでいく

第10章　株価チャートに関する用語

グランビルの法則

株価の推移と移動平均との関係から、売買のポイントをまとめた法則。グランビルは、移動平均を株価分析に取り入れた人。

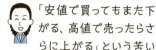
「安値で買ってもまた下がる、高値で売ったらさらに上がる」という苦い経験をお持ちの方は、グランビルの法則を学んでみては。

株価の推移と**移動平均線**との関係は、一定の法則に基づいて売買のタイミングを推し量ることができます。その法則を**グランビルの法則**と言います。見るポイントは、株価や移動平均線の角度や離れ具合です。原則は、「右肩上がりのトレンドで買い、崩れたら売り」です。チャートが右肩上がりの最中で株価と移動平均線が接近した場面が買い、右肩下がりになると売りと判断されます。

グランビルの法則

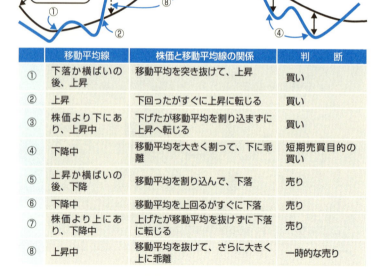

	移動平均線	株価と移動平均線の関係	判　　断
①	下落か横ばいの後、上昇	移動平均を突き抜けて、上昇	買い
②	上昇	下回ったがすぐに上昇に転じる	買い
③	株価より下にあり、上昇中	下げたが移動平均を割り込まずに上昇へ転じる	買い
④	下降中	移動平均を大きく割って、下に乖離	短期売買目的の買い
⑤	上昇か横ばいの後、下降	移動平均を割り込んで、下落	売り
⑥	下降中	移動平均を上回るがすぐに下落	売り
⑦	株価より上にあり、下降中	上げたが移動平均を抜けずに下落に転じる	売り
⑧	上昇中	移動平均を抜けて、さらに大きく上に乖離	一時的な売り

ゴールデンクロス／デッドクロス

株価チャート上に引いた、2本の異なる期間の移動平均同士が交差するタイミングのこと。トレンドの転換点。

> トレンドが大きく変わる瞬間は、投資のチャンス。ゴールデンクロス、デッドクロスを見逃さずに飛び込めると良いのですが。

株価チャート上に、異なる期間の複数の**移動平均線**が描かれているのが一般的です。**株価**の変化に応じてそれぞれの移動平均線も上げ下げしますが、そのうちの移動平均線が互いに交差する場面が時々あります。これは、株価の変化に伴って起こり、トレンドの転換点を示します。

例えば、13週移動平均線と26週移動平均線を引いたとします。短期（ここでは13週）の移動平均線が長期（ここでは26週）の移動平均線を下から上に突き抜けることを**ゴールデンクロス**と言います。これは下降トレンドだった株価が上昇に転じる買いサインとされます。

逆に、短期の移動平均線が長期の移動平均線を上から下に抜けることを**デッドクロス**と言い、上昇トレンドだった株価が下落に転じる売りサインと判断されます。しかしながら、実際のトレンド転換よりもやや遅れることもあり、ダマシが多いことでも知られています。

ゴールデンクロスとデッドクロス

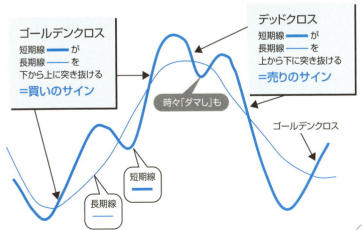

● 第10章 株価チャートに関する用語 ●

上値抵抗線/下値支持線

株価チャートの流れの中で、過去の高値同士を結んだトレンドラインが上値抵抗線。下値同士を結ぶと下値支持線という。

> ウォール街では、「トレンドはフレンドだ」と言われるそうです。相場の流れをよく見て仲良くすれば、投資はうまくいくとのこと。

　株価チャートに添って、**株価**のトレンドを判断するための補助線を引きます。株価は上昇、下降を繰り返しています。株価が下降している時に高値同士を結んだトレンドラインは**上値抵抗線**（または**抵抗線**）となり、株価が上昇している時に安値同士を結ぶと**下値支持線**（または**支持線**）となります。そのライン近辺までくると株価は天井となったり下げ止まったりする、流れの目安となるものです。

　この抵抗線や支持線は、チャートに初めから引いてあるものではなく、投資家が自分で描き込むものです。投資家それぞれが感じたままに、「この位置とこの位置をつないで線を引いてみよう」というように作成します。引かれたそのラインを、その後の株価が突き抜けるようだと株価の転換期と判断されます。なお、日足と週足ではトレンドラインが異なるときがあります。いろいろな期間でチャートを見ると良いでしょう。

抵抗線と支持線

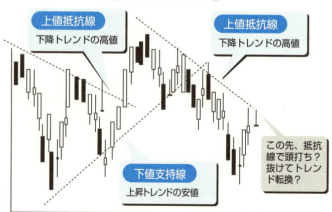

10-1 株価チャートは、どのように使うか？

エリオット波動

「相場には一定の基本的リズムがある」という考えに基づいた株価チャートの上げ下げの波動。相場の転換点や方向性を予測する。

> 「株を買うより時を買え、株を選ぶ前に時を選べ」という相場の格言があります。売買をするときは、銘柄を選ぶよりも、相場の流れが重要だという言葉です。

エリオット波動は、ラルフ・ネルソン・エリオットが提唱した「**相場には一定の基本的リズムがある**」という考えに基づいた相場の動きに関する理論です。上昇局面の5つの波と下降局面の3つの波で構成され、合計8つの波が1つのサイクルです。上昇局面の5つの波は、3つの上昇波動が挟む2つの調整波で構成されます。下降局面の3つの波は、2回の下落とその間の1回の戻しで構成されます。

エリオット波動の分析は、波動の形状の「パターン」、複数の波動の相対関係から「反転の時期や目標株価の推定」、波動パターンや比率を確認するための「時間」がカギです。自然界に多く存在する、数学の世界で取り上げられるフィボナッチ数列から割り出された"居心地の良い"黄金分割（61.8％）もエリオット波動の株価予測には使われます。

エリオット波動の波形

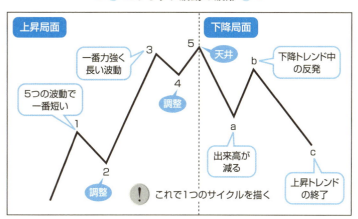

第10章 株価チャートに関する用語

ボリンジャーバンド

移動平均線から株価が離れて動く確率から、売買のタイミングを図るチャート。バンドの向きと株価とバンドの関係を見る。

> ギターやドラムに合わせて歌を歌う……、いえ、そのバンドではありません。チャートをくくるための紐、バンドです。

ボリンジャーバンドは、**移動平均線**と**株価**の関係をさらに詳細に分析した**株価チャート**です。統計学を使って、過去の値動きから高い確率で収まる株価の幅を予測します。正規分布に基づいて、多くの場合、株価は移動平均線を中心にした株価変動の予想範囲のバラツキを示しています。移動平均線の近くで推移することが多く、＋2σ（シグマ）や－2σを外れて株価が動く確率は約5％（つまり、めったにないこと）と判断されます。「σ」は標準偏差のことで、データのバラツキを示します。

ボリンジャーバンドのイメージ

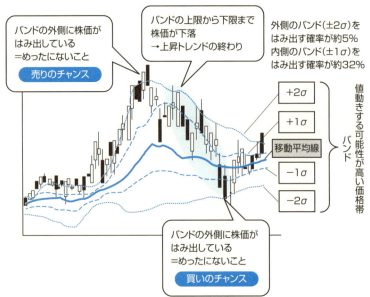

10-1 株価チャートは、どのように使うか？

一目均衡表
ローソク足と5本の線で成り立つ、投資家の心理の変化を図表化した株価チャート。

雲の上は太陽が輝く爽快な空。分厚い重い雲の下は昼でも暗い大雨。雲を突き抜けると視界良好に。

一目均衡表は奥が深く、これを完璧に活用し分析できる人はほとんどいないと言われる**テクニカル分析**の手法です。一目山人という人が長年かけて多くのスタッフとともに考案したそうです。

一目均衡表は、**ローソク足**と基準線、転換線、先行スパン1、先行スパン2、遅行スパンの5本の線が特徴で、特に先行スパン1と先行スパン2の間のゾーンは「雲」と呼ばれる抵抗帯として重要です。

基準線は**相場**の方向性を表します。基準線の上昇は強気、下降は弱気と読み、転換線が基準線を下から上に突き抜けると強気、上から下に突き抜けると弱気と見られます。転換線が基準線より上にあれば「買い」、転換線が基準線より下なら「売り」と判断されます。2種類の先行スパンに挟まれた領域の「雲」では相場動向を判断します。「雲」は**株価**の抵抗帯になったり支持帯になったりします。

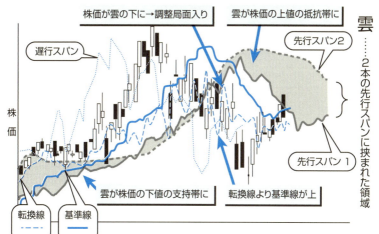

一目均衡表のイメージ

第10章 株価チャートに関する用語

逆ウォッチ曲線

株価と出来高の関係を折れ線グラフにしたテクニカルチャート。出来高増加が株価上昇のシグナルと考えて、タイミングの判断に使われる。

> 時計回りと反対だから、逆ウォッチ。相場では「出来高は株価に先行する」と言われるほど。出来高と株価の関係を見るテクニカルチャートです。

逆ウォッチ曲線は、横軸に**出来高**、縦軸に**株価**をとった折れ線グラフ状のチャートです。出来高の増加は株価上昇、減少は株価下落のシグナルという前提で、現在の株価の位置から売買のタイミングを判断します。折れ線グラフが時計の逆回りを描く傾向から、逆ウォッチと名付けられています（以下、図の丸数字の領域を参照してください）。

逆ウォッチ曲線では、株価と出来高の関係を以下の8つの局面に分けて、投資判断を行います。

①株価は横ばい、出来高は増加 → 要注目
②株価は上昇、出来高は増加 → 買い
③株価は引き続き上昇、出来高は高水準 → 買い
④株価は上昇、出来高は減少 → 買い控え
⑤株価は高値圏、出来高の減少が続く → 警戒
⑥株価は高値圏で横ばい、出来高はさらに減少 → 売り
⑦株価は下落、出来高は薄商い → 売り
⑧株価は下落、出来高が増加に転じる → 下げ止まり

逆ウォッチ曲線の一般的な判断例

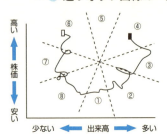

実際の株価を使用すると複雑なグラフになってしまうことが多く、株価は25日移動平均（その日からさかのぼった過去25日分の終値平均）を用いるのが一般的

サイコロジカルライン

投資家心理に着目したテクニカルチャート。直近12日間の株価の騰落を基に過熱感を測り、投資タイミングを見る。略して「サイコロ」と呼ばれる。

サイコロを振る日数が12日なのは、昔は土曜日も株式市場が開いていた名残。2週間のスパンで区切ると12日単位だったのです。今なら、10日でいいんじゃない？

サイコロジカルラインのサイコロジカルとは、「心理的な(psychological)」という意味です。サイコロジカルラインは、日々の**株価**の動きで強気にも弱気にもなる投資家の心理を集計し、統計的に示したものです。投資家心理から売買のタイミングを判断します。

具体的には、直近の12日間のうち、前日より株価が上昇した日数がどれだけあったかを計算します。上昇した日数を12で割ると、12日のうち上昇した日の割合が求められ、高いほど過熱感があります。一般的には75％を超えると売り場、25％を下回ると買い場と判断されます。12日間の**騰落**は〇勝●敗とも表現されます。

ただし、サイコロジカルラインで示す**相場**のピークとボトムは、実際の株価水準による判断とは異なることもあります。株価が安値圏で日々一進一退が続くような時、算出方法の性格からサイコロジカルラインはボトム圏ではなく50％に近い中位で推移します。

サイコロジカルラインの考え方

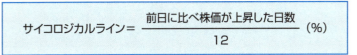

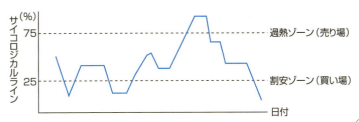

三角持ち合い

株価チャート上に三角形が描かれたように見える値動き。高値安値の差があり、振れ幅が大きい動きから、徐々に上下幅が小さくなり、拮抗する値動きのこと。

> 三角関係はいつか終了します。上放れて解消したら、ハッピーな毎日が訪れるでしょう。上値抵抗線を抜けると上昇トレンドに。でも下値支持線を割れると……。

株価が一定の値幅を上下するのみで、それを抜けて高くも安くもならない状態を、持ち合い（保ち合い）と言います。**三角持ち合い**とは、高値と安値の差が次第に小さくなり、持ち合いの上下の振れ幅がだんだん小動きになる株価の動きです。チャート上で**上値抵抗線**と**下値支持線**を引くと、まるで三角形を描くようになります。

三角持ち合いは、買いと売りの力が徐々に収斂され、これが見られると**相場**の転換点と判断されます。上値を結ぶ線と下値を結ぶ線の角度で上昇または下落への転換の判断が分かれます。下値が切り上がる三角は「先行き強気の持ち合い」、上値が下がる三角は「先行き弱気の持ち合い」、上下の辺が均等に頂点に向かう二等辺三角形が見られると「相場の力は拮抗している」と読まれます。

三角持ち合いの3つのパターン

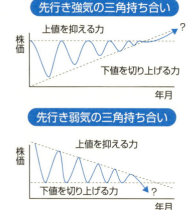

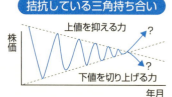

「上値を抑える力」VS「下値を切り上げる力」のどちらが強いかで三角持ち合いの形が違う

第11章

信用取引に関する用語

株価を左右する要因として、信用取引の理解は欠かせません。本章では、最低限知っておきたい信用取引の用語を解説します。

● 第11章　信用取引に関する用語 ●

11-1 信用取引は、どのように行われるか？

現物取引しか行わない投資家でも、株価に影響を与える信用取引の知識は必要です。

信用取引 投資家が証券会社から株式の買付代金や売却用の株式を借りて取引をすること。最終的には返す。担保（委託保証金）の差し入れが必要。

昔から米相場でも言われていました。「命金には手を出すな」　大事なお金を、リスクの高い投資に使ってはいけないという教えです。

　投資家が**証券会社**に一定の**委託保証金**を担保に差し入れ、一般的には担保の3倍程度まで資金または**株式**を借りて行う株式取引が**信用取引**です。その分、利益や損失の額が大きくなります。資金を借りて株式を買うことが「**信用買い**」、株式を借りて株式を売ることが**空売り**（または**信用売り**）です。資金を借りている間は、金利の支払いが発生します。

　信用取引には、**制度信用取引**と**一般信用取引**があります。

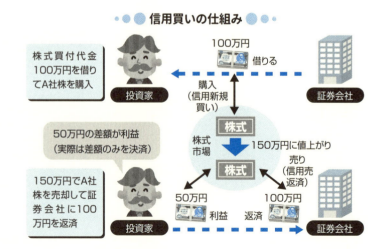

(276)

11-1 信用取引は、どのように行われるか？

空売り

証券会社から株式を借りて売却し、その株式が値下がりした時点で買い戻すことで利益を得る信用取引の方法。「新規売り」ともいう。

相場が下げそうな時にチャンス到来。しかし相場が青天井になると最悪。使い方を間違えると危険な取引になります。短期の取引で。

　証券会社から**株式**を借り、その株式を売却する取引が**空売り**（または**信用売り**）です。今後、**株価**が下落すると判断した投資家は、株式を借りて売却します。下落したところで**買い戻し**して株式は返済し、売りと買いの差額が利益になる戦略です。空売りを活用すれば、株価の値下がり局面でも利益を得る機会が持てます。

　しかし、株価が下落している局面の空売りは、株式市場内で売りが売りを呼ぶ状況を生み、株価をさらに引き下げる原因にもなります。

　リーマン・ショックの際に株価が急落したことを受けて、その後、空売り規制が強化されました。規制は状況に応じて度々見直され、現在は価格規制が適用されています。前日終値から10%値下がりした**銘柄**は、51単元以上の成行の空売りはできません。

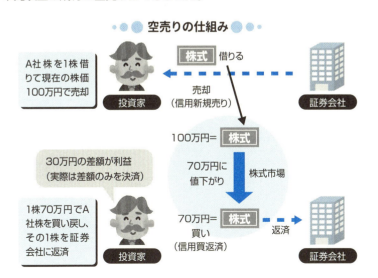
空売りの仕組み

(277)

第11章　信用取引に関する用語

制度信用取引/一般信用取引

制度信用は、証券取引所がルールを定めている信用取引。一般信用は、証券会社が独自のルールを定める。

一般信用の1つに「無期限取引」があります。そもそも信用取引は短期勝負向き。期限を伸ばして投資成果が上がるのでしょうか。

信用取引には、**制度信用取引**と**一般信用取引**の2種類あります。

制度信用取引は、**証券取引所**が選定した**銘柄**（制度信用銘柄）で、**上場株式やETF、J-REIT**も対象です。弁済期限は6ヵ月まで。**融資金利は証券会社**によって異なり、**逆日歩**は、証券取引所が一律に定めます。

一方、一般信用取引は、証券会社が銘柄や期限、金利、逆日歩などを独自に決めています。取引銘柄が幅広い証券会社や、逆日歩が無料の証券会社もあります。また、弁済期限が無期限や3年などの長期間の証券会社もあります。ただし、自由度が高い分、融資金利は制度信用より高めです。

信用取引を行う際、投資家は制度信用取引か一般信用取引を選びます。なお、すべての証券会社が一般信用を取り扱っているわけではありません。

●●●● 制度信用取引と一般信用取引 ●●●●

日証金

株が足りなくなったら「貸借取引」

制度信用　　　　　　　　　　　　　　　一般信用

顧客　ー　ルールに　ー　証券会社　ー　違いがある　ー　顧客

証券取引所が定めたルール
◎返済期限は6ヵ月
◎空売りはできる
◎指定した制度信用銘柄が対象
◎金利は各証券会社で異なる

証券取引所

証券会社の独自ルール
◎返済期限は無期限も可能
◎空売りができない証券会社もある
◎対象銘柄は証券会社が決める
◎金利は各証券会社が決め、通常は制度信用の金利よりやや高め

11-1 信用取引は、どのように行われるか？

貸借取引

証券会社と証券金融会社の間で行われる取引。証券会社は、顧客に貸す株式を証券金融会社から調達していることが多い。

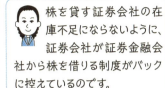

株を貸す証券会社の在庫不足にならないように、証券会社が証券金融会社から株を借りる制度がバックに控えているのです。

信用取引は投資家と**証券会社**（金融商品取引業者）間の貸し借りですが、証券会社が信用取引のすべての**株式**や、信用買いに対応する現金を常に十分持っているのは難しいのが現実です。そこで証券会社は顧客との信用取引に使う株式や資金を、日証金に代表される証券金融会社から借ります。この証券会社と証券金融会社の間の貸し借りが**貸借取引**です。

貸借取引ができる証券会社は、**証券取引所**の取引参加者または正会員に限られています。貸借取引によって資金や株式の貸し付けができる**銘柄**を**貸借銘柄**と言います。証券会社が証券金融会社から資金を借りるのが「融資」で、株式を借りるのが「貸株」です。

証券金融会社は、投資家の**空売り**が増えて貸株の株式が不足しそうになった場合、その銘柄を**貸株注意喚起銘柄**に指定し、空売りや現引き、転売に制限をかけます。

貸借取引

第11章 信用取引に関する用語

貸株

証券会社が売りの信用取引を行う顧客に対して貸し付ける株式のこと。日々、銘柄ごとに公表される日証金の貸株残高は、投資判断の1つとして注目されている。

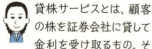

貸株サービスとは、顧客の株を証券会社に貸して金利を受け取るもの。その株は、証券会社が機関投資家などにまた貸ししています。

証券会社が、売りの**信用取引**を行う顧客に貸し付ける**株式**を**貸株**(かしかぶ)と言います。しかし実は、証券会社は貸株をすべて保有しているわけではありません。通常は、証券会社は**日証金**などの証券金融会社からその株式を借り入れて、顧客に貸し付けます。さらに証券金融会社でも株式が不足すると、生命保険会社や銀行などの金融機関から調達します。株式を調達する場を「貸株市場」と言います。

貸株市場における貸株の残高は、日証金から毎日発表されます。貸株の残高はいずれ返済のために**買い戻し**されるはずの株式で、増加すると**株価**の上昇期待が寄せられます。株価に影響を与えるため、貸株残高の推移は現物取引の投資家からも注目されます。また、証券会社が信用取引のために日証金から借りた資金は融資残高として発表されます。

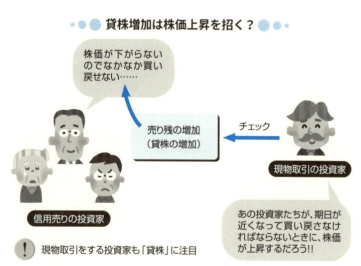

貸株増加は株価上昇を招く？

現物取引をする投資家も「貸株」に注目

貸借銘柄/信用銘柄

制度信用取引で、空売りと信用買いのできる銘柄が貸借銘柄。信用買いのみしかできない銘柄が信用銘柄。

> 貸借銘柄は、信用買いと空売りができる銘柄。信用銘柄は、信用買いだけができる銘柄。空売りだけができる銘柄は、存在しません。

　信用取引には、信用買いしかできない**銘柄**と、信用買いと**空売り**（信用売り）の両方ができる銘柄があります。空売りができる銘柄は、**制度信用取引**銘柄のうち、**証券取引所**および証券金融会社が定める選定基準を満たした銘柄で、**貸借銘柄**と言います。**上場**株式だけでなく、**ETF**や**J-REIT**なども対象になっています。

　証券会社が証券金融会社から株式を借りる**貸借取引**ができる銘柄は、在庫を十分揃える用意があるので、顧客と証券会社の間で空売りが可能で、**貸株**として取り扱われている銘柄です。

　信用銘柄は、通常は制度信用取引ができる銘柄を指しています。証券取引所の選定基準を満たした銘柄です。**融資銘柄**、**貸借融資銘柄**とも言います。貸借銘柄も信用銘柄に含まれますが、貸借銘柄でない、信用買いしかできない銘柄を一般に信用銘柄と呼ぶことが多いようです。

貸借銘柄と信用銘柄の違い

※逆日歩や期限が取引所規則により決定されている制度信用取引

第11章　信用取引に関する用語

信用残

信用取引での売り買いそれぞれの残高。信用取引を行った投資家の、その時点でまだ返済をしていない残高合計。残高のデータが投資判断の材料になる。

> そもそも信用取引は、短期勝負のもの。儲かっていないからと、ズルズル引きずって信用残を積み上げているのは、時間と金利の無駄。

　信用取引の買いの残高が「信用買い残」、売りの残高が「信用売り残」です。単に「買い残、売り残」または「融資、貸株」とも言います。それぞれ買いや売りの信用取引を行い、まだ返済をしていない投資家の合計の残高です。なお、**日証金**が**証券会社**に資金や**株式**を貸している残高は、「日証金残高」と言います。

　買い残は、将来、資金を返済するためにその株式を売却すると予測されます。買い残が積み上がれば今後の売り圧力となり、**株価**の下げ要因です。逆に売り残が積み上がると、返済するために将来、その株式を買うはずだと判断され、買い要因となります。個別**銘柄**の買い残・売り残と市場全体の買い残・売り残は、速報値が毎週火曜日に、確定値が水曜日に**東京証券取引所**から発表されます。このデータは信用取引を行う投資家のみならず、その銘柄を現物で取引する投資家にとっても、株価の先行きを読むにあたり大変重要です。

●●● 投資判断に役立つ3つの信用残 ●●●

個別銘柄の信用残
個別株ごとの買い残と売り残を証券取引所が1週間分の集計をし、翌週第2営業日（通常は火曜日）に発表

二市場残高
東京と名古屋の証券取引所を一緒に集計、発表。これをもとに信用評価損率を算出

日証金残高
毎日発表される。信用残のうち、日本証券金融が証券会社に対して貸し付けている資金や貸株の残高

※新聞紙上には、これらのデータは発表の翌日に掲載される。

11-1 信用取引は、どのように行われるか？

信用倍率 / 貸借倍率

それぞれ、信用取引と貸借取引の買い残を売り残で割った比率。買方と売方の取り組み状況を示しており、将来の売りと買いの関係を表す。

> 株価が半年以内に上がる」と思っている人が多いと高倍率に。「株価が半年以内に下がる」と思っている人が多いと、1倍割れ。思惑が反映する指標です。

信用取引における「買い残÷売り残」の比率が**信用倍率**、日証金残高の「買い残÷売り残」の比率が**貸借倍率**です。貸借倍率は、原則として毎営業日ごとに発表される、信用倍率の速報値的な意味を持っています。

信用倍率や貸借倍率では、その**銘柄**における取引の様子がわかります。値上がり期待が大きいと信用買いが増えるので、信用倍率や貸借倍率が高くなります。ただし、買い残は将来的に売る予定の株数なので、極端に高倍率だと「取り組みが悪い」と言われます。いずれ返済のために売られるからです。低倍率だと「取り組みが良い」と表現されます。

取り組みの良さが買い**材料**で、**株価**が上昇する場合もあります。これらは**需要と供給**のバランスを示します。通常は、買い残が売り残に対して多く、1倍より大きい状態です。売り残が増えて1倍を割り込むと、底値と判断されることが多く、株価が上昇すると見られて好感されます。

● ● ● 信用倍率・貸借倍率の計算方法 ● ● ●

$$信用倍率 = \frac{信用取引の買い残}{信用取引の売り残}$$

$$貸借倍率 = \frac{貸借取引の買い残}{貸借取引の売り残}$$

倍率	信用残の状況	相場に対する見方
1<信用倍率 1<貸借倍率	買い残>売り残	極端に倍率が高いと、「取り組みが悪い」将来の売注文が将来の買注文を上回っている状態
1>信用倍率 1>貸借倍率	買い残<売り残	「取り組み妙味がある」将来の買注文が将来の売注文を上回っている状態

⚠ 信用倍率・貸借倍率の1倍割れは好感される

第11章 信用取引に関する用語

日証金

正式名は、日本証券金融株式会社。証券金融会社の1つ。証券会社に対し、制度信用取引における資金と株式の貸し付けを行うのが主業務。

> 実は、日証金は上場会社。株式市場が活況になると日証金の株は出来高が増え、株価も上昇します。わかりやすい株ですね。

信用取引は、貸し付ける資金と株券が十分に確保されていなければ、機能しません。**証券会社**に対して、**制度信用取引**のための資金や**株式**を貸し付ける機関を「証券金融会社」と言います。証券会社の顧客が信用取引を行う際には、証券会社と顧客との間で資金や株式を貸し借りします。しかし、通常は証券会社では常に資金や**貸株**を潤沢に保有しているわけではありません。**日証金**との間で**貸借取引**を行って必要な資金や株式を調達しています。

日証金は、証券金融の専門会社で、内閣総理大臣の免許を受けた**株式会社**です。2013年7月に大阪証券金融株式会社と合併しました。

日証金は、証券会社に対して公社債の引受・売買を行う際に必要な短期資金を貸し付けたり、個人・法人に対して有価証券を担保に資金を貸し付けたりする業務なども行っています。

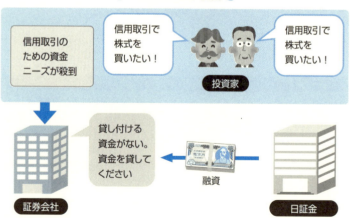

日証金の主な役割

11-2 信用取引の実務は、どのように行われるか？

信用取引を行うには、豊富な知識と判断力が求められます。取引に必要な基本用語を学びましょう。

建玉 信用買いまたは空売りをして、まだ返済されていない、未決済の銘柄のことを指す言葉。先物・オプション取引やFXでも同じ意味。建玉の残高は取引の指標でもある。

> 証券取引で「玉（ぎょく）」と言ったら銘柄のこと。英語ではポジションと言います。玉の語源は、芸者さんから来ているとか。

信用取引を行うことを、「建てる」と表現します。新規の買いを「買建てる」、新規の売りを「売建てる」と言います。

新規とは、最初に行う取引の意味で、資金や**株式**を借りて、株式を売買する信用取引のスタートです。返済や**反対売買**がゴールです。決済前の状態を「建てている」と言い、**建玉**とは、ゴール前の株式です。買建てた**銘柄**が買建玉、売建てた銘柄が売建玉で、未決済の状態は「建玉がある」、または「ポジションを取る」と言います。

建玉とは、信用取引でゴールしていない株式

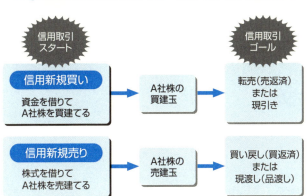

第11章 信用取引に関する用語

委託保証金

信用取引の際に、証券会社に預ける担保のこと。現金のほかに一定の掛目をかけた評価額で証券での代用も可能。

> 委託保証金が維持率以下になるケースは2つ。買建玉が大きな評価損になった場合か、代用有価証券の評価が下がった場合です。

　信用取引を行うには、**委託保証金**という担保が必要です。委託保証金は30万円以上で、証券での代用もできます。証券の場合には、「担保掛目（代用掛目）」という証券の時価額の70％や80％など定められた割合の金額が、委託保証金としての価値です。

　さらに、**建玉**に対する委託保証金の最低必要な割合（委託保証金率）も満たす必要があります。法令上は30％以上ですが、**証券会社**が独自に定めます。

　株価変動で建玉の評価損が生じると、損失額が委託保証金から差し引かれ、建玉に対する委託保証金の割合が低くなります。この割合が「最低委託保証金率（維持率）」（信用取引で**約定**した金額の20％と定める証券会社が多い）を下回ると**追証**が発生し、追加の委託保証金として払い込まなければなりません。

委託保証金と追証の関係

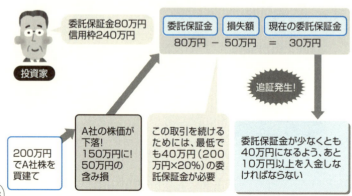

融資金利

信用取引で買建てた代金に対して、発生する金利。買方金利ともいう。買方は金利を支払い、売方は金利を受け取る。

「信用取引の手数料無料！」という広告。証券会社は、買い建てた日数分の融資金利を顧客から受け取るので、成り立つのでしょう。

信用取引では、借りた資金に対する金利が発生します。買方は、**建玉**の**約定**金額に対する**融資金利**を**証券会社**に支払い、売方は、証券会社から受け取ります。従来、**制度信用取引**での金利は一律でしたが、現在では各証券会社が定めた料率です。証券会社によっては、大口の信用取引に関する融資金利をやや低めの優遇金利で提供するサービスを設けている場合もあります。融資金利は年率で表示されています。取引に応じて、決済までの日数分の金利を日割り計算して支払います。

買方の支払う融資金利は、通常は制度信用取引より**一般信用取引**の方が高く設定されています。オンライントレードなどで信用取引が身近になっている現在は、証券会社間でコスト引き下げの競争が激しくなっています。信用取引の委託手数料を引き下げるほか、融資金利を引き下げる証券会社もあります。なお、売方が受け取る金利は、市場金利が低いため、ゼロです。

また、融資金利以外のコストとしては、**空売り**（信用売り）の場合に、1％程度の信用取引貸株料と、場合によっては**逆日歩**がかかります。

融資金利と貸株料

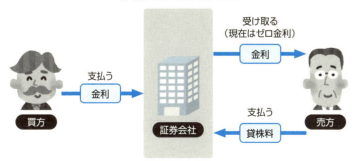

第11章 信用取引に関する用語

期日

信用取引で、顧客が証券会社から借りた資金や株式を返す期限。制度信用取引では6ヵ月。一般信用取引は、各証券会社が独自に決めている。

> 以前は、制度信用が中心で、6ヵ月の期日が主流でした。今では、一般信用の無期限取引が増え、「期日向かい」も薄れた感があります。

信用取引は、期日（**信用期日**）までには**買い戻し**、または**転売**という**反対売買**か、**現引き**または**現渡し**で決済しなければなりません。もしも期日までに決済しなかった場合は、**証券会社**の判断で決済し、割増手数料が請求されるのが一般的です。

市場では、**制度信用取引**の期日である6ヵ月を意識した取引で**株価**が変動する「期日向かい」は、現物取引の投資家も注目しています。

例えば、大きな好**材料**で**出来高**が増加して株価が急上昇したものの、その後、反動で株価がズルズルと下げ、売り場がないまま半年経過したとします。材料と同時に信用買いをした投資家は、期日が迫れば**相場観**に関係なく転売をしなければなりません。それが大勢いれば、相場の売り圧力になります。期日を過ぎると、反対売買のための売りは減ります。これは**信用残**の推移からある程度、予想できます。現物株の取引をする投資家も、この特殊事情を理解しておくと良いでしょう。

大きく値動きした銘柄の期日向かい

追証

信用取引において、担保不足により追加で請求される担保（委託保証金）のこと。追加証拠金ともいう。信用取引の約定金額の20％相当額を下回ると発生する。

相場の格言「最初の追証の時に売れ」。予想が外れると、いつ損切りをするかが迷いどころですが、早めに手仕舞うが勝ち。

信用取引において、**追証**が発生する場合は、次の２つが代表的なケースです。１つ目は、担保の現物株式の**株価**下落で、担保価値が下がってしまうケースです。もう１つは、信用取引をしている**銘柄**の含み損が大きくなり、担保を食いつぶすケースです。これは、信用取引を行った銘柄の損失相当額が担保から差し引かれる仕組みだからです。

信用取引では、**建玉**の金額に対して最低維持すべき**委託保証金**の率が決められています。これを「最低委託保証金率（維持率）」と言います。

維持率は20％以上にしている**証券会社**が多いのですが、30％程度で設定している証券会社もあります。この維持率を割り込むか、または法定最低保証金の30万円を下回ると証券会社から追証を求められます。追証が発生すると、翌々日の正午までに差し入れる必要があります。

●●◉ 追証を防ぐためのポイント ◉●●

信用枠ぎりぎりの売買をしないこと	担保を多めに積んでおくこと	担保のうち、現金を多めに積んでおくこと

追証を防ぐには

短期売買を心がけ、損切りの決断は早めに行うこと	2階建てをしないこと（担保と同じ銘柄を信用買いで取引しないこと）

第11章 信用取引に関する用語

現引き/現渡し

信用取引の決済時に、反対売買を行わずに手仕舞う方法。現引きは信用買い、現渡し（品渡し）は空売りの決済方法の1つ。

> ひと昔前の証券会社では、女性社員が社内恋愛の末に寿退社することを「現引き」と言っていました。最近は、結婚退職も少数派ですね。

信用取引は、借りた資金または**株式**を決済して取引終了です。

信用買いでは、買建てた株式を**転売**による**反対売買**で現金化し、借りた額との**差金決済**をする売返済と、買建てた代金と同額を支払って買**建玉**を自分の現物株として引き取る**現引き**があります。

空売り（信用売り）の場合には、売建てた株式を**買い戻し**による反対売買で差金決済する買返済のほかに、売建てた銘柄と同じ銘柄・同じ株数の現物株を調達して**証券会社**に渡す、**現渡し**（品渡し）による決済ができます。現渡しは売建てていた銘柄と同じ銘柄を現物株式で持っていながら空売りを行った場合などに利用されます。

現引き、現渡しは決済方法の1つ

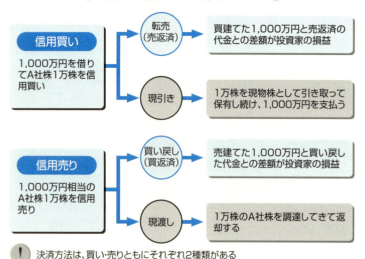

決済方法は、買い・売りともにそれぞれ2種類がある

買い戻し/転売

信用取引を決済する方法の1つ。どちらも反対売買の方法で、売建てたら買返済のために買い戻しをし、買建てたら売返済のために転売をする。

> 信用新規の買注文がスタートだとすると、ゴールは売返済注文。信用新規の売注文（空売り）に対して、買返済注文がゴール。最後に差額が口座に入出金されて終了。

　信用取引の返済方法は2種類あります。そのうちの1つが、信用取引で行った買い、または売りの反対の取引を市場で行う**反対売買**で、**買い戻し**（**買返済**）及び**転売**（**売返済**）です。もう1つの方法は、借りた資金を返して買った**株式**を引き続き保有する**現引き**および借りた株式と同じ**銘柄**を同じ株数調達して返す**現渡し**です。

　空売り（信用売り）していた投資家は、買い戻しで手に入れた株式を返済のために**証券会社**に返します。信用買いをしていた投資家は、転売で得た代金のうち、借りた金額を証券会社に返します。買い戻しと転売では、**差金決済**という差額だけのやり取りで決済します。空売りで始まった信用取引は、買い戻しをすると損益が確定します。この差額分が取引の結果です（別途、管理費、金利などのコストがかかります）。同様に信用買いは転売して確定した差損益が取引の結果になります。

買い戻しと転売は差金決済

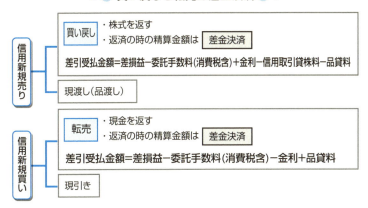

第11章 信用取引に関する用語

つなぎ売り

現物株式を持っていて、何かの理由で売れないが、後日その銘柄が確実に手に入る場合に、その銘柄を信用取引で売建てること。

> つなぎ売りして優待を確保しようと狙う投資家は多く、貸株不足になりやすいものです。逆日歩でかえって損になることも。

つなぎ売りは、例えば保有する現物株式に悪材料が出て、「目先は値下がりするだろうが、株式を手放したくない」と思う時などに利用されています。保有する現物株と同じ**銘柄**かつ同じ株数を**信用取引**で売建て、値下がりしたところで**買い戻し**をします。この利益と現物株の**含み損**が相殺される手法です。もしも値上がりしたら、信用取引は評価損が出ますが、現物株を**現渡し**して**手仕舞い**することもできます。

ただし、悪材料の内容によっては、つなぎ売りの手間とコストに見合う結果にならないこともあるため、その良し悪しも考えたいものです。

効果的なのは、**公募発行増資**や**売出し**に申し込んで株式が確実に手に入りそうな時の**株価下落**への備え、**株主優待**や**配当金**の権利を確定しながら株価の下落を避けたい場合などです。しかし、公募・売出し株を買う投資家の多くがつなぎ売りをすれば、**逆日歩**が発生してコスト高になることもあるので要注意です。

つなぎ売りで、値下がりリスクを回避

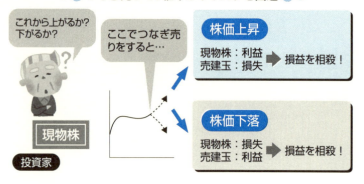

11-2 信用取引の実務は、どのように行われるか？

逆日歩

貸借取引で証券金融会社が他から株式を調達するほど株式不足の状態の時に、売方が株式の借り賃として支払う費用。「1株につき○○銭」という計算をする。

「逆日歩に売りなし」「逆日歩に買いなし」 逆日歩を嫌って買い戻しが入り、株価急騰。でも、解消されれば元に戻るので、静観がベター。

　信用取引において、信用買いより**空売り**（信用売り）の株数が多くなると**貸株**が不足します。このような時、**日証金**は貸株の不足を解消しようとしますが、それでもなお不足が続くと**品貸料**という**株式**の借り賃を設定します。空売りに余分なコストがかかることになります。品貸料は、一般に逆日歩（ぎゃくひぶ）と呼ばれています。

　貸借取引で買建株数より貸株数が多くなった場合、証券金融会社は逆日歩を支払って**機関投資家**などの**大株主**から株式を借り、**証券会社**に貸し付けます。証券会社は顧客との信用取引においても同様に、空売りの顧客から逆日歩を徴収します。逆日歩の料率は、**制度信用取引**では証券金融会社が市場の状況を見て一律に決定します。**一般信用取引**では、証券会社が自由に決められます。

　逆日歩が付き始めると、コスト負担を避けて売方が**買い戻し**に転じる動きが出てきます。その結果、一時的に**株価**が上昇することもあります。

逆日歩の仕組み

（図：空売りの株数 A銘柄 ＞ 信用買いの株数 → 貸株が不足！ → 逆日歩をつけます！　※コスト負担を避けて売残が減少 → 貸株超過解消へ　証券会社 ← 株式 ← 証券金融会社 ← 株式 ← 大株主など　逆日歩／貸借取引）

第11章　信用取引に関する用語

貸株注意喚起銘柄

貸借取引の過熱で、貸株の調達が困難になる恐れがある場合、証券金融会社が証券会社に貸株の規制をし、注意を促す対象の銘柄。

規制の入った注意喚起銘柄にデイトレーダーが見切りをつけ、規制が解かれると、自由に信用取引ができる銘柄に戻り、相場は落ち着くことが多いです。

　信用取引が過熱すると、市場で公正な価格の取引ができなくなるなどの悪影響が出ます。特に**貸株**が不足すると、**受渡し**決済に支障をきたします。そこで、適切な市場環境のため、**日証金**は信用取引の状況に応じて信用規制をかける場合があります。

　貸株注意喚起銘柄（**注意喚起銘柄**）の指定は、申込制限措置の手前の規制です。日証金が**証券会社**に対し、**貸借取引**における貸株が不足していると注意を促す**銘柄**です。「これ以上不足すると、貸株の申込を制限したり停止したりする措置をとりますよ」と、その恐れがある銘柄を証券会社だけでなく投資家にも知らせる「注意喚起」です。

　証券取引所による信用規制もあります。信用取引の売買が過熱している銘柄を「日々公表銘柄」として注意を呼び掛けたり、**委託保証金**率の引き上げで取引過熱を抑制したりします。

● ● ● 貸株注意喚起銘柄 ● ● ●

規制銘柄

信用取引において、買い残や売り残の急増など、異常な状態であることを広く知らしめたり、その鎮静化のために取引が規制された銘柄。

規制銘柄に指定されるのは、その銘柄の流通量や取引状態が異常だから。投資判断は、規制になった原因を見て行うこと。

株式市場で**株価**や**出来高**に異常が見られた時には、安定した価格形成や投資家保護のために、**証券取引所**などが**委託保証金率**を引き上げるなどして取引を規制します。規制の対象となる**銘柄**が**規制銘柄**です。**信用取引**は、投じた資金の数倍もの取引が行われて規模が大きくなりがちで、**相場**にも大きく影響しやすいので、取引量を抑えるのです。

規制の方法には段階があり、まずは警告を発し、それでも異常が続けば**貸株注意喚起銘柄**に指定して**空売り**の制限などの措置を取ります。

証券取引所による警告や規制には、日々公表や増担保（委託保証金率の引き上げ）などがあります。証券金融会社では貸株注意喚起、現引き停止、空売り規制などの警告や規制を発令します。

規制は段階的に厳しくなる

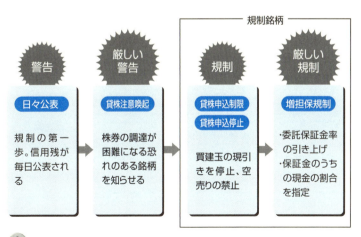

規制が徐々に厳しくなる途中の段階で、異常が解消されれば規制は解除される

第11章　信用取引に関する用語

評価損益率

信用買いの投資家が保有する建玉に対する、含み損や含み益の割合。株式市場の高値や安値のピークを示すとされている。

信用取引をまったくしない現物取引のみを行う投資家でも、この指標を参考に底入れタイミングを見ているという人も結構います。

評価損益率とは、その時点で建玉のある**信用取引**の買い残高がどれだけの**含み益**または**含み損**を抱えているかを示したものです。

信用取引には原則として、**期日**という期限があることから、利益が出たら早めに決済し、取引を解消するのが通常です。そのため、建玉が残るのは含み損の場合が多く、評価損益率も通常はマイナス、つまり信用の建玉が評価損を抱えている状態です。プラスに近ければ、一般に株式市場が高値のピークに近いとされます。

評価損益率が−10％程度に悪化すると**追証**が続出し、**株価**の急落場面になると見られています。株価下落が進み、買建玉の投げ売りでさらに下げ、評価損益率が−15％から−20％程度になると、株価は下げ止まって底入れし、反転すると言われています。

東証、名証の二市場の**制度信用取引**と**一般信用取引**合計の評価損益率を日本経済新聞が集計し、週1回公表しています。

●●● 評価損益率 ●●●

信用取引の買残高（二市場の合計金額）

| 買残高の評価額 | 評価損益率 −3％程度 |

利益確定売りが出やすい水準＝株価のピークが近い

| 買残高の評価額 | 評価損益率 −10％ |

追証が多く発生する水準＝株価の急落場面になりやすい

| 買残高の評価額 | 評価損益率 −15〜−20％ |

反対売買の売りが出つくす水準＝株価反転、底入れが近い

信用取引に関する用語

本文中で解説できなかった、信用取引に関する用語を簡単にご紹介します。

● 建玉代金
　信用取引で売買した金額のこと。建玉金額ともいう。

● 信用枠
　証券会社から顧客ごとに提示する、信用取引で売買できる上限の金額枠。一般的には、委託保証金の3倍に設定されている。その顧客の委託保証金の価値が増減するのに応じて、信用枠の金額は増減する。

● 建玉限度額
　信用枠と混同しやすいが、その証券会社が設定している、信用取引で売買できる上限の金額のこと。ある投資家がどんなに委託保証金を積んだとしても、最大限建てられる信用取引の額として決められている。

● 2階建て
　ある銘柄について、現物取引で買い、それを担保にしてさらに同じ銘柄を信用取引で買うこと。万が一、その銘柄の株価が急落した場合に、担保の価値が下がる上に信用買いでも含み損を抱え、損失が膨らむことになる。

● 反対売買
　信用取引や先物取引で、期日までに行う決済の方法の1つ。当初買建てから取引を始める「新規買い」の場合の反対売買は、「売返済」つまり手仕舞い売りのこと。「新規売り（空売り）」から入れば、反対売買は「買返済」つまり買い戻しのこと。その清算は差金決済で行われる。

Column 投資家保護に関する用語

本文中で解説できなかった投資家保護や情報開示に関する用語を簡単にご紹介します。

●決算短信
決算報告の内容について要点をまとめ、投資家向けに開示する目的の資料のこと。法律で定められているわけではないが、証券取引所から要請され、すべての上場企業が作成している。

●有価証券届出書
本文で解説した「有価証券報告書」がすでに上場している証券に義務付けられている書類であるのに対し、「有価証券届出書」は、1億円以上の有価証券の新規発行または売出しの際に提出を義務付けられている書類。証券の発行者の事業内容や企業業績など経理の状況が記載されている。

●飛ばし
1990年代前半に横行していた証券不祥事のうちの1つ。何らかの内情があって「損失を負わせられない」と証券会社が判断した特定の顧客に対して、損失をほかの顧客に移転させるような行為のこと。「顧客から顧客へ、損失がわからないように飛ばしていく」という意味。金融商品取引法で禁止されている。

●消費者契約法
消費者保護の観点により、事業者との情報格差、交渉力の差を考慮し、公正な契約条項や適切な勧誘を働きかける法律。金融事業者にも適用される。顧客を誤認させたり、困惑させたりして契約した場合は、取り消しも可能になる。

・第12章・

株式以外の投資に
関する用語

身近な証券には、株式以外にも債券
や投資信託などがあります。資産運用
に利用される証券や投資について解説
します。

第12章 株式以外の投資に関する用語

12-1 株式以外の投資には、どのようなものがあるか？

株式以外の証券として、債券や投資信託があります。債券や投資信託に関連する用語を学んでおきましょう。

債券 資金調達をしたい発行体（国、自治体、会社など）が投資家から資金を借入れ、その証拠として発行する証書。償還日には、額面金額が投資家に返される。

国債を買うのは、公共事業や公共サービスのために資金を貸すことです。国債の償還日は、国にとっては借金の返済期限です。

債券（公社債） は、いわば借用証書です。資金を借りる国や地方自治体、一般事業会社、金融機関を発行体と言い、発行体が資金を借りる証拠として投資家に発行する**証券**が債券です。公社債の「公」は国や地方公共団体および公共団体、「社」は民間の事業会社や金融機関で、それらが発行する債券の総称が公社債です。

債券は、償還日を定め、それまでの間に金利を支払い、ほとんどの債券の償還は額面金額です。金利は「固定金利」と「変動金利」があります。債券は途中売却も可能で、債券市場で売るか、金融機関などとの**相対取引**です。途中売却時の価格は、投資元本が保証されません。

株式発行と債券発行の比較

株式発行の場合
・事業を行っている以上、出資金を株主に返す必要はない
・利益がでなければ配当金を支払わなくていよい
・解散した場合の財産分配は債権者より順位が劣る

債券発行の場合
・償還日には債権者に元本を返済しなければならない
・あらかじめ約束した利子を支払わなくてはならない
・解散した場合の財産分配は株主より優先的に支払われる

12-1 株式以外の投資には、どのようなものがあるか？

グリーンボンド

環境改善活動のお金を集めるために発行する債券。投資家は、債券購入を通じてグリーンプロジェクトに貢献できる。

> グリーンボンドの発行体、発行を手掛ける金融機関、購入する投資家が「環境分野に貢献しています」と、みんなでイメージアップ大作戦!?

グリーンボンド、すなわち「緑の**債券**」は、**ESG**の「E」である環境問題の解決に限定した事業資金を集めるために発行されます。地球温暖化防止対策や、再生可能エネルギーの開発、水資源問題への取り組みなどの事業に充てられます。問題解決を意図して発行される**インパクト投資**の1つです。「ボンド」は債券です。投資家は、間接的に、発行体が行う環境改善活動に参加する**SRI**になり、**SDGs**に貢献する金融商品です。

グリーンボンドの市場は拡大していますが、ルールが未整備です。実際に環境改善効果がない「グリーンウォッシュ（ごまかし）債券」には、注意が必要です。発行体は、資金を適切な環境事業に使っているかどうかを開示しているので、投資家としてもチェックが欠かせません。

グリーンボンドの投資家は資金で社会貢献

第12章　株式以外の投資に関する用語

るいとう

同じ銘柄を毎月同じ日に、一定の金額ずつ購入していく株式取引の積立制度。値動きがあるため、毎回の購入株数が変動する。累積投資の略。

> るいとうの銘柄選びでは、長期間の積立ということを忘れずに。積立をしている途中で上場廃止にならない銘柄を。

証券取引所を通じた**株式**の売買は、**単元株**ごとの取引です。**るいとう**（株式累積投資）では、単元に関係なく、あらかじめ顧客が一定の金額を決めて、毎月その株式を同じ日に積立購入します。

るいとうは、購入金額が毎月一定金額です。**株価**は変動していますから、購入金額を固定させると必然的に購入株数は毎回の積立ごとに異なります。このような定額積立方式で価格が変動する金融商品を購入する方法は、**ドル・コスト平均法**と言います。積立が単元株に達すると、通常の株式取引と同様、市場を通じて売却ができます。

るいとうにより購入した株式は、取扱証券会社の**名義**となります。**配当金**や**株式分割**は持株数に応じて投資家に分配される契約がほとんどです。これらの詳細や取扱**銘柄**は証券会社ごとに異なりますので、取引を行う際には確認が必要です。

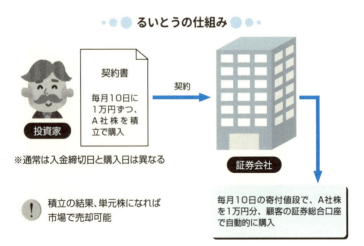

るいとうの仕組み

契約書：毎月10日に1万円ずつ、A社株を積立で購入

投資家 →契約→ 証券会社

※通常は入金締切日と購入日は異なる

! 積立の結果、単元株になれば市場で売却可能

毎月10日の寄付値段で、A社株を1万円分、顧客の証券総合口座で自動的に購入

12-1 株式以外の投資には、どのようなものがあるか？

ポイント投資

証券会社など金融機関の口座で、買い物で貯めたポイントを元手に投信などを購入する投資方法。現金を追加しての購入も可能。売買代金は、現金化される。

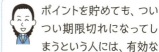

ポイントを貯めても、ついつい期限切れになってしまうという人には、有効な活用方法かもしれません。口座開設などの手間がありますが、最初だけですから。

　買い物などで貯めたポイントを、次の買い物代金に充てる人は多いと思います。同じように、例えば1ポイントを1円として、**株式**や**投資信託**の購入代金に充て、資産運用をするのが**ポイント投資**です。

　ポイント投資は、**証券会社**などの金融機関に証券口座などを開設する必要があります。**口座開設**には、マイナンバーや**本人確認**書類などが必要です。貯めたポイントだけでなく、現金を追加して投資することもできます。要件を満たしていれば、NISAも利用できます。運用したのちに売却した場合は、現金で受け取ります。

　取引の詳細は業者によって異なりますが、一般的には、少ないポイント数での積立投資も可能です。保有中に、保有株式数に応じて株主**配当金**を受け取れるケースが一般的です。ただし、通常の取引と違って投資対象の商品が限定されている場合があります。

　なお、ポイントを現金化せずにポイントのまま投信などを買う取引は、「ポイント運用」と呼ばれています。

ポイント投資とポイント運用の違い

	ポイント投資	ポイント運用
運用方法	手持ちのポイントを現金化して、株式や投資信託を実際に購入。実際の証券投資と同じ取引を行う	ポイントのまま、投資に回す。ポイント発行会社の用意したコースを選択し、運用会社が代わりに運用してくれる
証券口座の開設	必要	不要
取引手数料	証券取引の手数料がかかる	取引手数料が不要
現金化の有無	運用中は現金で投資した場合と同じ。売却後は現金化できる	運用終了後に引き出すのは現金ではなくポイント。ポイントを増やすことが目的。減ることも

第12章　株式以外の投資に関する用語

格付

財務格付は、債券などの発行体の元利払いの確実性を示したもの、株価格付は株価の割高・割安と将来の値動きを判断したもの。債券と株式では異なる。

> サブプライムローン問題では不良債権化した住宅ローンやローン保証会社の格付が甘く、以後、財務格付への不信感が高まりました。

通常、**格付**と言えば、「財務格付」を指すことがほとんどですが、株式投資には株価**レーティング**という「株価格付」もあります。株価格付は、その会社の株価が財務内容や**企業業績**などや将来性と比べて、妥当な水準かどうかをアナリストなどが判断し、公表しています。

財務格付は、内閣府令で定められた指定格付機関が、会社や国、地方自治体の発行する**債券**の元利払い、預金の支払い、保険金の支払いなどの確実性を調査し、ランク付けします。評価はアルファベットや数字、「＋－」などで表現されます。高い格付は利回りが低く、低い格付は利回りが高い傾向です。一般に、BBB以上が「投資適格格付」、BB以下は「投機的格付」または「投資不適格」です。

格付は元利払いなどの可能性の目安になりますが、あくまでも第三者である格付機関による意見です。格付機関によっても見方に差があるものです。発行体の経営状態の変化で格付は見直されます。

●●● 財務格付と株価格付の比較 ●●●

財務格付
債券や預金、保険金などの元利支払いが、滞りなく行われるかどうかの財務力を判断したもの。一般に「格付」といったらこちら

← 格付機関による財務分析

株価格付（株価レーティング）
現在の株価は過熱気味で割高、売られすぎで割安、などという判断を下すもの

← アナリストなどによる株価分析

⚠ 債券と株式の格付は意味が違う

12-1 株式以外の投資には、どのようなものがあるか？

投資信託

ファンドとも呼ばれ、不特定多数の投資家から資金を集め、1つにまとめて信託財産として運用する仕組みの総称。

> 投資信託は初心者向き？ 小口で分散投資ができ運用の実践勉強になりますが、仕組みを理解するにはハードルが高いかも。

投資信託に集められた資金は、**株式**や**債券**などの有価証券や不動産、**デリバティブ**などで運用されます。運用の損益は、投資家（受益者という）の投資口数に応じて分配されます。

投資資金は、販売会社（**証券会社**や銀行など）を通じて集められ、受託銀行（**信託銀行**など）が資産を保管・管理、投資信託会社が運用します。投資信託会社で運用を行う担当者が「ファンドマネージャー」です。

投資信託は、株式や債券、不動産など値動きのある資産に投資をするので、元本が保証されていません。一方で、運用の成果は、運用のコストなどを引いた後、受益者である投資家が享受できます。

投資信託の仕組み

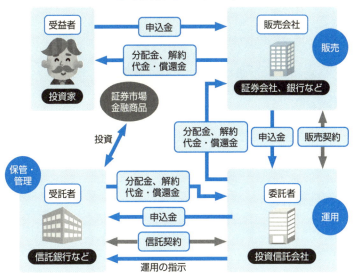

第12章 株式以外の投資に関する用語

単位型/追加型

投資信託を追加購入できるか否かの分類。単位型は新規設定時のみ購入可能で、後から購入できない。追加型は運用開始後でも購入可能なタイプ。

投信を1台のバスに例えると、単位型は、一度発車したら途中から乗車できない長距離バスのよう。追加型は、どのバス停でも乗り降りできる市内循環バスです。

　投資信託を新しく設定する際には、投資家から資金を集めるために2週間から1ヵ月程度の募集期間が設けられます。募集期間内の**基準価額**は1口1円や1口1万円という募集価格で、一定です。募集期間が過ぎた後の基準価額は運用する資産の時価によって日々変動します。

　募集期間内だけ購入可能な投資信託は、**単位型**です。「1単位の」という意味でユニット型とも呼ばれます。さらに単位型は、特徴による分類があります。同じ商品性のものを定期的に繰り返し新規募集する「定時定形型」、その時の**相場**環境に合うテーマなどを設けその時だけ募集をする「スポット型」があります。

　募集期間内および募集期間が終了し運用開始後もいつでも購入可能なタイプが**追加型**で、オープン型とも呼ばれます。募集期間終了後の追加型の購入価格は、日々変動する基準価額です。

投資信託の単位型と追加型

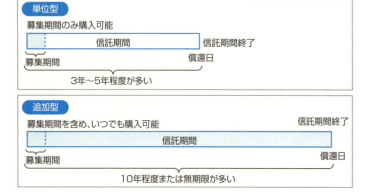

12-1 株式以外の投資には、どのようなものがあるか？

株式型投資信託

一般的には株式投資を中心に運用される投資信託を指すが、課税の関係上、形式的に株式投資信託を名乗っている場合もある。

一時期大ブームになった毎月決算型の投資信託。そのうちの代表的なものが国際債券型で、株式を組み入れていません。税法上は、株式型に分類されます。

投資信託を運用対象で大きく分けると、**株式型投資信託（株式型ファンド）**と**公社債型投資信託**の2種類です。主に国内外の株式を中心に運用する投資信託が株式型投資信託です。

しかし、課税上の株式型投資信託の定義は、「法律上、公社債型投資信託に分類されている以外の投資信託」です。実際には株式の組み入れが0％でも、約款で株式型投資信託と定めていたら株式型です。これは外国**債券**が運用対象の投資信託に多く見られます。しかし、それでは混乱するので、投資信託協会の新分類では実質的に株式を組み入れているものを株式型としています。

株式型投資信託の**リスク**度やリターン目標は幅広いので、運用方針を確認して購入しましょう。運用資産のうちの株式の割合や、**デリバティブ**の組み入れ有無などで、運用の結果が大きく異なります。

株式型投資信託のタイプ

投資家の吹き出し：
- 国内企業の株式で運用すると良いかな？
- 先進国の株式で運用しようかな？
- エネルギーや食糧資源の関連企業株で運用しようかな？
- 金や先物取引でヘッジするのも良いかな？
- 新興国の株式で運用するのも魅力的だろうか？

運用目的で選ぶ

株式型投資信託のタイプ例	
国内株式に投資をする	●△日本株ファンド
外国株式に投資をする	△■世界株ファンド
あるテーマの関連企業に投資する	●△テーマファンド
株価指数に連動させる	□▲インデックスファンド

307

第12章　株式以外の投資に関する用語

公社債型投資信託

日本の金利が高い時代には、中期国債ファンドやMMFなどが身近な運用先として人気でした。公社債型投資信託の代表でしたが、今はどちらも販売されていません。

法律上は、公社債と譲渡性預金等のみで運用する投資信託。投資信託協会の新分類では、実際に株式が組み入れられていない投資信託。

投資信託を運用対象で分類した場合、日本または世界の**公社債**と**短期金融商品**などを組み入れて運用する投資信託を**公社債型投資信託**と言います。**目論見書**に「課税上の分類が公社債型投資信託」と記載されていたら、**NISA**の対象外です。

実は、**株式**にはまったく投資をしていない投資信託であっても、課税上は**株式型投資信託**に分類されているものが数多く存在します。為替変動の影響がある**外国債**を組み入れた投資信託は、**基準価額**が大きく変動する可能性が高いため、株式型投資信託に属するのです。

しかし、それでは投資家が理解しにくいため、投資信託協会の分類では運用の実態に近い表示になりました。株式をいっさい組み入れずに外国債のみで運用する投資信託は「海外/債券」と表示し、「課税上は株式投資信託として取扱われます」と記載されています。

●●●　実際の投資対象と、課税上の分類は違うこともある　●●●

12-1 株式以外の投資には、どのようなものがあるか？

インデックス型投資信託

TOPIXなどの株価指標や債券インデックスなどをベンチマークとし、これに極めて近い運用成果を目指す投資信託。

インデックスファンドを「長期投資の王道」と言い切る人がいる一方、「面白みに欠ける」という人もいます。自分の好みを明確に。

インデックス型投資信託（インデックスファンド）とは、ある**株価指標・債券**指数と連動した値動きを運用目標にする**投資信託**です。

「ある株価指標・債券指数」には、**TOPIX**(トピックス)、**日経平均株価**、**NYダウ**、**MSCIワールド・インデックス**の中の「全世界株式」や「先進国株式」といった指標などが**ベンチマーク**として用いられ、これらの指標に連動するパッシブ運用を運用手法としています。

インデックス型投資信託といえども、ベンチマークにする株価指標の特徴により、グロース株（成長株）や**バリュー株（割安株）**など投資先が異なります。投資の際には、連動するインデックスを理解しておく必要があります。

なお、インデックス型投資信託が運用上で最優先するのは、約款で定めたベンチマークと連動することです。例えば、日経平均株価をベンチマークにした場合、日経平均採用**銘柄**の株価が低迷している**相場**環境でも、これらを投資対象から外すわけにはいきません。

インデックス型投資信託のコストが低い理由

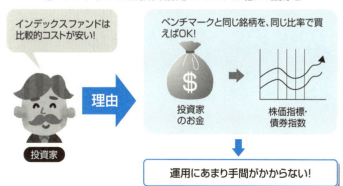

第12章　株式以外の投資に関する用語

アクティブ型投資信託

運用担当者が投資先や売買タイミングの判断をし、市場平均を上回る収益を運用目標とする投資信託。

アクティブファンドはコストが高い上に、運用が下手という悪評も。しかし、個人のノウハウと労力で同じことをするのは困難です。

　アクティブ型投資信託（アクティブファンド）とは、市場平均を上回る収益を運用目標にする**投資信託**です。ファンドマネージャーなど運用担当者が、経済環境や金利などマクロ面や投資対象の調査・分析結果などから投資**銘柄**を選び、売買のタイミングを判断して、運用します。ファンドマネージャーの運用能力は、**基準価額**に大きく影響します。

　アクティブ型投資信託の運用手法は、トップダウン・アプローチとボトムアップ・アプローチが代表的です。前者は、景気指標などマクロ的な側面から、値上がりしそうな投資銘柄を選びます。後者は、個別企業の調査・分析結果から値上がりしそうな銘柄を選びます。

　アクティブ型投資信託の運用成果は、同じ投資環境でも投資方針や投資対象によって、異なることがあります。投資の際は、**目論見書**をよく読み、自分の投資に対する考えと合致するかの確認が大切です。

アクティブ型投資信託の特徴

アクティブ型投資信託は、比較的、販売手数料や信託報酬が高いね

→理由→

運用の情報収集と分析にはコストがかかります

投資家

相場環境に見合った投資信託を選びたいな！

→そういう人は→

あなたの投資方針は、機動的に銘柄入れ替えを行なうアクティブ型投資信託が向いていますね

販売会社の営業員

「環境」とか「中小型株」のようにテーマを絞って投資をしたいな！

→そういう人は→

あなたの投資方針は、アクティブ型投資信託の中でも、テーマで運用銘柄をまとめたテーマファンドが向いていますね

12-1 株式以外の投資には、どのようなものがあるか？

ベンチマーク

投資信託など信託財産の運用者がその運用の目標としている、市場全体を示す株価指標や債券指数などのこと。

地図を作るために土地の海抜を測量する測量士が、座っていたBenchの高さの位置を示したMarkが、ベンチマークの語源だとか。

ベンチマークは、市場全体の値動きを表す指標です。**投資信託**や年金などの信託財産は、その運用目標とする「ものさし」を持っているのが一般的です。ものさしと信託財産の運用成果を比較すると、投資家は運用実績の良し悪しが判断しやすくなります。

代表的なベンチマークとしては、日本国内の**株式**に投資する信託財産では**TOPIX**など、日本の**債券**運用ではNOMURA-BPIなど、世界全体の株式に投資をするなら**MSCIワールド・インデックス**のシリーズのうちの「オール・カントリー」などの**インデックス**がよく知られています。

採用されるベンチマークは信託財産によって異なり、ベンチマークを定めていないケースもあります。定められている場合は、**目論見書**などに、どのインデックスを運用目標とするのかが明記されています。

ベンチマークと投資信託の評価

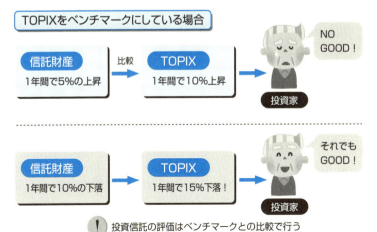

投資信託の評価はベンチマークとの比較で行う

第12章 株式以外の投資に関する用語

ETF

証券取引所で売買される投資信託。TOPIXや日経平均株価などに連動する投資信託で、その受益証券が上場して取引されている。上場株式と同じように売買できる。

異なる運用会社が、同じ指標を対象にしたETFをそれぞれ発行しています。それらは、同じ瞬間に違う値段になることもあります。

ETF（Exchange Traded Funds：**上場投資信託**）の運用の形態は**投資信託**です。**TOPIX**や**日経平均株価**、特定の**業種別指数**、金や原油などの**資源価格**、特定の為替**相場**に連動するように設計された**受益証券**が**証券取引所**に**上場**されています。売買の方法や税制は上場株式と同様に扱われます。株式市場でのETFの価格は、投資信託に組み入れた**銘柄**の時価から算出した投資信託の純資産の時価を基にして、さらに市場で投資家に評価された**需要と供給**の影響も受けます。

株価指標を対象にした**インデックス型投資信託**が多く、小口の資金でも株式市場全体に投資ができ、投資信託でありながら株式のように指値ができるなど機動的な売買が可能な点も魅力です。

ETFの仕組み

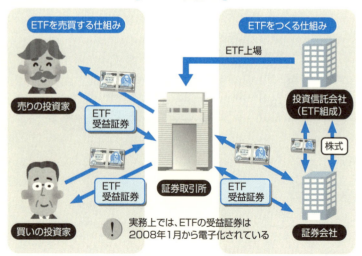

実務上では、ETFの受益証券は2008年1月から電子化されている

12-1 株式以外の投資には、どのようなものがあるか？

J-REIT

投資家から集めた資金を、主に不動産の賃貸や不動産売買益などで運用した会社型投資信託。上場しているものとしていないものがある。

J-REITでは、投資家から集めた資金のほかに銀行融資なども運用資金になっています。金利上昇による利払い負担増に注意。

　単にREIT（Real Estate Investment Trust：不動産投資信託）といった場合は、不動産に投資をする**投資信託**のことで、**上場**、非上場や国内外を問いません。投資家から集めた資金で不動産を保有し、賃料収入や売却益などを投資家に還元します。

　J-REIT（**不動産投資法人**）は、主に不動産の賃貸や売買で資金を運用する会社型投資信託で、日本の**証券取引所**に上場しています。

　不動産を投資対象にした投資信託は、株式投資信託と違い、投資家からの解約に対して資産の売却で機動的に対応することは困難です。そのため、通常、公募の不動産投資信託はクローズドエンド型で、投資法人としての出資証券が証券取引所に上場されています。

● ● J-REIT の仕組み ● ●

J-REITを売買する仕組み

売りの投資家

買いの投資家

J-REIT上場

証券取引所

J-REITをつくる仕組み

不動産投資法人（会社型不動産投資信託）

資産保管委託 → 資産保管会社

監査 ← 会計監査法人

資産運用委託 → 投資信託会社

一般事務委託 → 事務受託会社

賃料

投資

投資する不動産

313

第12章　株式以外の投資に関する用語

ETN

発行体の信用力に基づいて発行され、上場している債券。価格は、TOPIXやS&P500種指数などの株価指標や商品指数に連動するように作られているが、ETFと違って裏付け資産はない。

株価と連動しない動きや、反対の動きをする指標を対象にしたETNが発行されています。これらも投資に取り入れると、分散効果が高まるでしょう。

ETNは「Exchange Traded Note」の頭文字をとった**上場**商品で、**上場投資証券**や**指標連動証券**と呼ばれます。**ETF**は上場している**投資信託**ですが、ETNは**債券**です。発行体の信用力を基に、ETNの価格が**株価指標**など特定の指数に連動することを保証します。

発行体の信用力が裏付けなので、現物資産を持たないことから、エネルギー指数や農産物指数など、**株式**以外のさまざまな投資対象を指標の対象にすることができます。裏返せば、発行体の信用力が重要とも言え、発行体の倒産や財務悪化がETNの価格に影響します。そのため、**東京証券取引所**では、ETNの発行体に一定水準以上の信用力を求め、厳格な上場審査・廃止基準を定めています。

比較的新しい投資商品で、2023年6月現在、東証では15銘柄のETNが取引されています。

●●● 東証に上場するETNの例 ●●●

対象指標	コード	名称	発行体
東証マザーズ指数	2042	NEXT NOTES 東証マザーズ ETN	ノムラ・ヨーロッパ・ファイナンス・エヌ・ブイ
S&P500 配当貴族指数（課税後配当込み）	2044	NEXT NOTES S&P500 配当貴族 ETN	
税引後配当込東証REIT 米ドルヘッジ指数	2066	NEXT NOTES 東証REIT ETN	
野村AIビジネス70	2067	NEXT NOTES 野村AIビジネス70 ETN	
iSTOXX MUTB ジャパン女性活躍30インデックス（ネットリターン）	2070	スマートESG30女性活躍（ネットリターン）ETN	三菱UFJ証券ホールディングス
iSTOXX MUTB ジャパン低カーボンリスク30インデックス（ネットリターン）	2073	スマートESG30低カーボンリスク（ネットリターン）ETN"	

12-1 株式以外の投資には、どのようなものがあるか？

JDR 外国証券を現地で保有した金融機関が、その所有権を有価証券の形にし、日本国内の市場に上場させて取引可能にした証券。日本の信託法に基づいて発行される。

> 金融のグローバル化といえども、個人投資家が直接取引できない証券は、世界にたくさん。JDRで分散投資の対象が広がります。

JDRは「Japan Depositary Receipt」の頭文字をとった名称で、**日本版預託証書**と訳されます。**ADR**の日本版です。

外国株や外国証券の中には、取引制度が異なり、日本の投資家が直接取引できないものがあります。そのため、日本の投資家向けに発行し、取引できる形にしたものがJDRです。金融機関が外国証券を外国の市場で取引して現地で保有し、それを担保にして金融機関が証券を発行します。この**受益証券**がJDRとして**東京証券取引所**に**上場**しています。

東証の株式と、ほぼ同様に取引できます。国内上場のため、**株価**や分配金は円建てです。税制も国内上場株式と同様の扱いです。元の証券の属する国によっては、日本の課税制度と本籍地とで配当金に二重課税されますが、確定申告をすれば外国税額控除が適用されます。

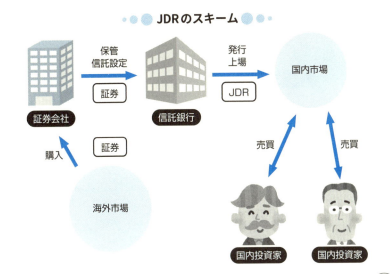

JDRのスキーム

第12章 株式以外の投資に関する用語

暗号資産

コンピューターネットワーク上で不特定多数の者同士でサービスや商品の取引決済として使え、中央銀行などが関与しない通貨。ブロックチェーン技術が活用されている。

> 既存の通貨も、元はただの金属や紙。みんなが記された額面の価値を認めているから使えるのですが、既存の通貨への不信感が高まると……？

　暗号資産（仮想通貨） は、インターネット等で不特定の者を相手とした取引決済に使えます。電子記録されるデジタル通貨で、財産的価値があります。しかし、法定の現金通貨（お金）のような政府や中央銀行の後ろ盾や、金（ゴールド）など現物資産の裏付けがなく、紙幣や硬貨のような形もありません。支払いに使えるというお互いの信頼に基づきます。暗号資産の入手や換金は、**金融庁**に登録された事業者の交換所（取引所）で行われます。円やドルなどの通貨との交換もできます。

　暗号資産は、**フィンテック**の代表格であるブロックチェーン技術を活用しています。ブロックチェーン技術とは、インターネット上の分散型台帳に不特定多数が記録した情報を、互いに監視する仕組みです。理論上は、1つのコンピューターに不具合が起きても他で情報管理・保管ができているのでデータは守られることになっています。

●●● 通常の通貨と暗号資産の違い ●●●

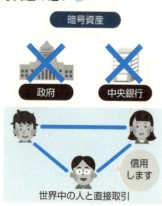

12-1 株式以外の投資には、どのようなものがあるか？

NFT 希少または唯一のデジタル資産を所有する証明書。ブロックチェーンを使い、複製できない個別の識別サインで記録される。

Twitter創始者の最初のツイートがNFT化、デジタル競売サイトで約3億円で落札され注目。

NFT（非代替性トークン） は、Non-Fungible Tokenの頭文字です。Non-Fungible（非代替性）は「ほかに代えがたい」という意味で、著名人が使用したものや、アーティストの作品など、希少性が高いことや唯一無二のものを指します。NFTがついたデジタル作品はオリジナルだと証明できますが、ついていなければ複製の可能もあります。作品の価値や、知的財産を守る技術として有望視されています。所有権を表す固有の番号がついたデジタルデータを「トークン」と言います。

同様にブロックチェーンを使用する**暗号資産**との違いは、代替可能かどうかです。1ビットコインはみな1ビットコインの価値。NFTの1データは同じものがなく、それぞれが固有の価値を持ち、売買されます。

ただし、ルールが未整備なため、トラブルに発展しやすい面も。クーリング・オフもできません。また、決済が暗号資産で行われることが多く、価格変動の影響を受けやすくなっています。

オリジナルのデータを作成、公開して価値を持たせる

楽曲

画像や映像

ゲームのキャラクターやアイテム

仮想空間内のドメインや権利

トレーディングカード

● 第12章 株式以外の投資に関する用語 ●

12-2 デリバティブには、どのようなものがあるか？

デリバティブ（派生商品）とは、何でしょうか。どのように利用できるものなのでしょうか。

デリバティブ

リスク回避を目的として、株式や通貨などの元になる資産から派生して開発され、低コストや高利回りを可能にした取引。

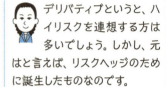

デリバティブというと、ハイリスクを連想する方は多いでしょう。しかし、元はと言えば、リスクヘッジのために誕生したものなのです。

デリバティブ（**金融派生商品**）とは、**株式**や**債券**、外国為替、金、原油などの金融商品（「原商品」や「原資産」と呼ぶ）の指標を参照する**先物取引**や**オプション取引**の総称です。原商品の価格変動や価格差、時間差を利用して利ザヤを稼ぎます。デリバティブの多くは、**レバレッジ**を効かせて効率的に資金運用ができる反面、手持ちの資金以上の損失を抱える場合もあり、**リスク**が大きくなります。

●●●● 運用の幅が拡大するデリバティブ ●●●●

伝統的な投資
国内株式　海外株式
国内債券　海外債券

相場が下がっていても利益を出せる仕組みがあれば、運用の機会が広がるのに……

そこで原商品から派生した、新しい取引の仕組みを導入

投資家

・相場が下がっていても利益を出せる仕組み
・差金決済で手持ち資金以上の取引が可能
……など、運用の幅が拡大

デリバティブ

| 先物取引 | TOPIX先物、日経平均先物、長期国債先物、円金利スワップ先物、ユーロ円3カ月金利先物など |
| オプション取引 | 個別株オプション、業種別株価指数オプション、株価指数オプション、株価指数先物オプション |

12-2 デリバティブには、どのようなものがあるか？

コモディティ

デリバティブのコモディティは、株式や債券などと違う「モノ」のこと。金（ゴールド）や原油、大豆などで、先物取引が代表的。

ビジネスの世界のコモディティは、他と差別化されずに価格競争に巻き込まれるような汎用品。「同じようなものが多い」という意味。

コモディティには、「ソフト」と「ハード」があります。農産物や畜産物、海産物がソフトで、トウモロコシ、大豆、コメ、砂糖、綿花、コーヒー、天然ゴムなど。家畜の飼料やバイオ燃料の原料も含みます。ハードは、金（ゴールド）、銀、プラチナなどの貴金属、アルミニウムやニッケル、銅などの非鉄金属、原油、灯油、ガソリンなどの石油が代表的です。

これらの現物を保管するにはコストがかかり、取引も容易ではありません。そこで**先物取引**が用いられます。取引の際は、先物専用の口座を開設します。日本では、**大阪取引所**や東京商品取引所で取引できます。コモディティの指標（**インデックス**）に連動する**ETF**もあります。

株式や**債券**や為替などは、経済環境や金融情勢の影響を受けて値動きしますが、コモディティは商品それぞれの**需要と供給**によって値動きします。これらを活用すれば、**分散投資**の効果を高めることができます。

実は生活に密着しているコモディティ

第12章 株式以外の投資に関する用語

先物取引

将来の売買を約束する取引。ある日に、対象の商品を、あらかじめ決めていた価格で売買することを約束し、その日が来たら売買を実行する。

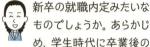

新卒の就職内定みたいなものでしょうか。あらかじめ、学生時代に卒業後の雇用契約を約束しておいて、4月1日が来たら晴れて入社。

先物取引は、その商品が必要なら、先に取引価格を決めて約束してしまおうというものです。将来の取引条件を今、決めて取引します。本来の目的は価格変動**リスク**をなくすために開発されました。将来、予期せぬ価格変動が起こった時のためのリスクヘッジです。しかし、少ない資金で多額の取引もできることから、**ハイリスク・ハイリターン**な取引も可能なため、投機的な目的で使われることも多いのが現状です。

先物取引は原資産(取引対象とする元の商品)の種類に応じてさまざまな商品が開発されています。代表的な先物取引に、**TOPIX(トピックス)先物**、**日経平均株価先物**、長期国債先物、ユーロ円3ヵ月金利先物、商品先物などがあります。為替予約も先物取引の一種です。

先物取引の仕組み

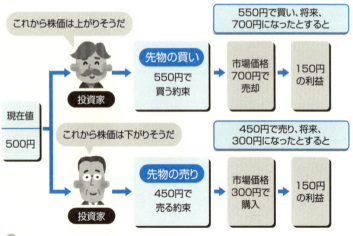

❗ 先物取引は、将来の取引を約束する契約　　※実際はこの他に取引コストがかかります。

オプション取引

ある金融商品を、あらかじめ決めておいた価格で、将来のある時点で売る権利や買う権利を売買する取引。

> オプション取引の起源は、古代ギリシャでオリーブの豊作を予測した哲学者がオリーブ搾り機を借りる権利を買ったことだそう。

オプション取引とは、将来の「ある時点で」「ある**銘柄**を」「いくらで」「買う（**コール**）」または「売る（**プット**）」権利を売買する**デリバティブ**の1つです。権利は、「プレミアム」という価格で取引されます。プレミアムは「オプション料」とも呼ばれ、買い手が売り手に支払います。

権利の買い手は、「ある時点」でその通りに**権利行使**をすると不利になる場合、権利行使をせずに放棄をしても構いません。買い手は、利益が出そうな時だけ権利を行使し、損をしそうな時は権利放棄をする、という選択ができます。放棄した場合は、当初の権利を買った代金（プレミアム）が損失になります。一方、権利の売り手は買い手に従うのみで、権利放棄はできません。売り手の損失は無限大になる可能性があります。

オプション取引の仕組み（コールを買う場合）

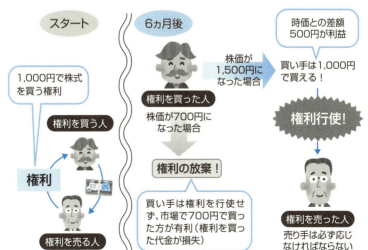

第12章　株式以外の投資に関する用語

プット

オプション取引における売る権利。将来、市場が下落すると思う時などに買い、実際に下落した場合、権利行使してすぐに買い戻しをすれば利益になる。

> グリーンスパン氏がFRB議長時代に株式市場を支えるために実施した低金利政策は、「グリーンスパン・プット」と皮肉られています。

プットの**オプション取引**では、将来の「ある時点で」「ある**銘柄**を」「いくらで」「売る権利」を、先に決めて取引します。この権利には値段（プレミアム）が付いており、オプション市場での**需要と供給**によって変動しています。対象の銘柄が値下がりすると、プットのオプション取引のプレミアムは上昇。その権利（オプション）を**転売**すると利益になります。

権利を買った投資家は、最終的に売るか売らないかを選ぶことができます。売りを選ぶことを**権利行使**と言います。買い手が権利行使をすると、権利の売り手はそれに応じなければなりません。

例えば、権利行使価格1万円の「売る権利」を100円のプレミアムで買ったとします。市場価格が9,400円に下がった時に1万円で売る権利を行使すれば差額の600円が利益、支払った100円のプレミアムを差し引いて500円が最終的な利益です。思惑と外れて市場価格が値上がりした場合は、権利を放棄すれば損失はプレミアム代金100円のみです。

プットの買いでは、損失がプレミアム分に限定される

市場価格が下落するほど利益は拡大する

利益

損益0

−100

損失

9,400　　　9,900　　10,000　市場価格

+500

損失はプレミアムの代金に限定される

12-2 デリバティブには、どのようなものがあるか？

コール

オプション取引における買う権利。将来、市場が上昇すると思う時などに買い、実際に上昇した場合、権利行使してすぐに転配すれば利益になる。

> 孫正義氏のスピーチ、「人生はコールオプションだ。やりたいことをやれ」が以前、ブログやTwitterで話題になっていました。

　コールの**オプション取引**では、将来の「ある時点で」「ある**銘柄**を」「いくらで」「買う権利」を、先に決めて取引します。この権利には値段（プレミアム）が付いており、オプション市場における**需要**と**供給**によって変動しています。対象の銘柄が値上がりすると、コールのオプション取引のプレミアムは上昇。その権利（オプション）を**転売**すると利益になります。

　権利を買った投資家は、最終的に売るか売らないかを選ぶことができます。売りを選ぶことを**権利行使**と言います。買い手が権利行使をすると、権利の売り手はそれに応じなければなりません。

　例えば、権利行使価格1万円の「買う権利」を100円のプレミアムで買ったとします。市場価格が10,600円に上がった時に1万円で買う権利を行使すれば差額の600円が利益、支払った100円のプレミアムを差し引きして500円が最終的な利益です。思惑と外れて市場価格が値下がりした場合は、権利を放棄すれば損失はプレミアム代金100円のみです。

コールの買いでは、損失がプレミアム分に限定される

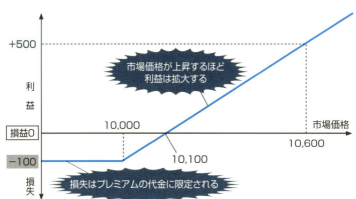

第12章 株式以外の投資に関する用語

個別株オプション

買う権利や売る権利を売買するオプション取引の一種で、参照する原資産の対象を個別の株としているもの。株券オプション（かぶオプ）ともいう。

> 「カバードコール」という手法は、現物株の保有とコールオプションの売りの組み合わせ。大きな利益を放棄する代わりに、リスクを抑えた取引として利用されます。

　一定の**期日**までに、一定の数量をある価格で買う権利や売る権利という「権利」自体を売買するのが**オプション取引**です。その際に、その価格で売買する対象になる**証券**を「原資産（または原証券）」と言い、原資産が**株価指標**ではなく、個別**銘柄**の場合が**個別株オプション**です。**大阪取引所**で取引されています。

　株価指標を原資産とするオプションの**受渡し**はすべて**差金決済**ですが、個別株オプションの**権利行使**は**株式**での受渡しもできます。

　オプション取引は、日経平均オプションや**債券**先物オプションなど指標を原資産とするのが主流で、個別株オプションは**出来高**も少なく、個別株の予想変動率も大きいため、**リスク**が高い傾向があります。

個別株オプションの仕組み

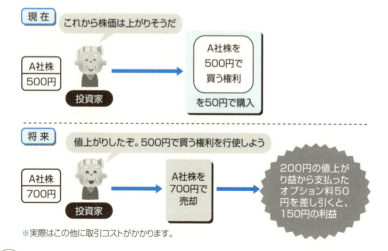

※実際はこの他に取引コストがかかります。

12-2 デリバティブには、どのようなものがあるか？

裁定取引

同じ性格を持つ2つの金融商品の間の価格差を利益とする取引。一般に、現物の株式指標と先物取引のサヤ取りが多い。

 フリーマーケットで手に入れた商品が、ネットオークションでそれより高く売れた、というのも一種の裁定取引ですね。

裁定取引は、同じものが違う価格の時に**割安**な方を買い、同時に**割高**な方を売っておき、価格差が小さくなったらそれぞれを**反対売買**して差益を得る手法です。一般に裁定取引のほとんどが「株価指数**先物取引**と現物株の価格差を利用した売買」を指します。しかし、本来の裁定取引は広範囲です。

例えば、**東京証券取引所**と名古屋証券取引所（名証）に**上場**するA社株が東証と名証で違う**株価**なら、その差を利用するのも裁定取引です。また、**新株**と旧株、**株式**と**CB**の価格差を利用しても裁定取引です。

先物取引を使った裁定取引では、先物価格が理論価格より高いと割高、安いと割安で、この差を利用します。投資家の多くは、今後の株価上昇を期待するため、一般的には先物が現物より高い状態を保っています。株式市場の先行きの下げ予想が大きいと先物価格は大きく下げ、「逆ザヤ」（値段が予想と反対になり、**含み損**となること）が発生します。本来、同じような値動きをするもの同士なので、差額は時間が経つと縮まると考えられ、裁定取引が行われます。

裁定取引の仕組み

現物価格 ／ 先物の理論価格

先物が割高 → 現物を買い、先物を売る

先物が割安 → 先物を買い、現物を売る

⚠ 理論値より割高か割安かで裁定が働く

第12章 株式以外の投資に関する用語

SQ

先物取引やオプション取引で取引最終日までに反対売買せず、取引最終日まで持ち越した場合の決済に用いる値。先物の場合は、毎月第2金曜日の始値で計算される。

> 先物やミニ先物とオプションの清算が同時に行われる3の倍数の月は「メジャーSQ」。その週の水曜日は、相場が荒れやすいとか。

　先物取引や**オプション取引**の決済には**反対売買**と最終決済という2つの方法があります。反対売買は、買建ての場合は**転売**、売建ては**買い戻し**で取引最終日までに差額を決済（**差金決済**）します。最終決済は、取引最終日までに反対売買を行わずに残しておいた建玉の決済方法です。理論上、先物は期限が来ると現物と同じ値段になります。

　「最終決済」において、先物取引やオプション取引の取引価格と差金決済をする計算上の価格が**SQ**（Special Quotation：**特別清算指数**）です。SQは決済用に算出される価格になります。先物やオプションの取引対象となっている、**日経平均株価**などの指標の構成**銘柄**について、取引最終日の翌営業日の始値に基づいて算出されます。

先物取引の最終決済のイメージ

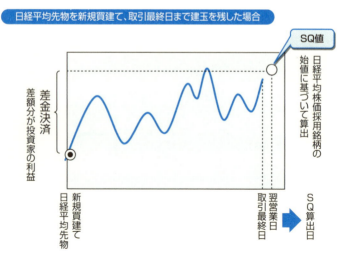

12-2 デリバティブには、どのようなものがあるか？

オルタナティブ投資

上場株式や公社債のような伝統的な投資でない、代替投資のこと。商品、不動産、金融派生商品などを指す。

> 金融商品が多様化して、どれが「伝統的な金融商品」で、どれが「代わりの金融商品」なのか、区別がつきにくくなったと感じます。

　オルタナティブは、「代わり」という意味です。**オルタナティブ投資**は、通常は**上場**株式や公社債などの「伝統的な投資の代わり」で、**代替投資**と訳されます。金や原油などの商品先物への投資や、**先物取引・オプション取引**などの金融派生商品、**J-REIT**なども含めた不動産への投資、**ヘッジファンド**、**投資ファンド**、**ABS**（アセットバック証券）やMBS（モーゲージ担保証券）などの証券化商品などを指します。

　従来、オルタナティブ投資のほとんどが私募で、特定の投資家向けでしたが、近年は、個人投資家向けにもオルタナティブを運用対象にする**公募型投資信託**が販売されています。

　オルタナティブ投資の本来の特徴は、**分散投資**による**リスク**の軽減です。また、利益追求は、ある**ベンチマーク**との相対評価でなく、常に一定水準以上の利益を追求する、絶対評価の点も大きな特徴です。

●●● オルタナティブ投資でリスク軽減 ●●●

伝統的な投資
国内株式　海外株式
国内債券　海外債券

株式や債券の現物取引では、相場が上昇していればいいけれど、下落しているときはただ黙って値下がりを我慢しているだけ……

投資家

そこでこれら以外の運用を

伝統的な投資とオルタナティブを組み合わせた分散投資でリスク軽減！

オルタナティブ

信用取引・先物取引・金融派生商品	→	相場下落時にも利益確保の機会
商品先物・不動産	→	株式や債券市場と異なる値動き
ヘッジファンド・投資ファンド	→	伝統的投資やオルタナティブの組合せ

第12章 株式以外の投資に関する用語

FX

取引業者に担保として証拠金（保証金）を預け、その数倍から数十倍程度の金額で外貨を売買する取引。個人投資家が行う代表的なデリバティブ。

> 為替市場が活況になると、存在感が高まる「ミセス・ワタナベ」。業者の悪質な営業等でFXが社会問題化したのは過去の話のよう。

FX（Foreign eXchange margin trading：**外国為替証拠金取引**）は、取引業者によって「外国為替保証金取引」とも呼ばれます。「証拠金」「保証金」を担保に、2国間の外貨を売買する取引です。為替差損益だけではなく、通貨国の「スワップポイント」も損益の一部です。スワップポイントとは、2つの通貨間の金利差です。高金利通貨を買い、低金利通貨を売った場合は、その金利差を受け取れ、逆の場合は金利差を支払います。

FXでは、担保の数倍から25倍までの取引が可能で、取引の決済は、売買の差額を清算する**差金決済**です。この「てこの原理」は、**レバレッジ**と呼ばれます。取引で評価損が出ると、その損失額の分だけ担保の評価が下がり、最低**委託保証金**率（あらかじめ決められた担保を維持する最低ライン）を下回れば**追証**を支払う必要が出てきます。

● ● ● 取引先FXと店頭FX ● ● ●

くりっく365

金融取引所に上場しているFXのこと。マーケットメイク方式による公正な価格形成が特徴。取引所の要件を満たした業者が取り扱う。手数料は無料。

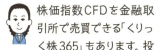

株価指数CFDを金融取引所で売買できる「くりっく株365」もあります。投資家保護基金の対象で、日経225やドイツのDAX指数などの証拠金取引ができます。

FXは、大きく分けて2種類あります。「店頭FX」と「取引所FX」です。**くりっく365**は、取引所FXです。

店頭FXは、FX業者と顧客の間の取引です。FX業者が価格を任意に提示します。**レバレッジ**や取引の単位、スワップポイント、取扱通貨などは業者が独自に設定、各社のサービスに差があります。

くりっく365は東京金融取引所に**上場**し、FX業者は顧客の注文を取引所に仲介します。参加できるFX業者は財務内容の優良な業者に限られます。世界の金融機関からリアルタイムで価格提供を受けた**マーケットメイク**方式です。原則として土・日・元日を除いた毎日でほぼ24時間取引可能です。また、受け取りと支払いのスワップポイントが同額です。公正で安心ですが、共通ルールに従い自由度が劣ります。

税制は**申告分離課税**で、ほかの所得額に関係なく一律20.315%です。

くりっく365と店頭FXの主な違い

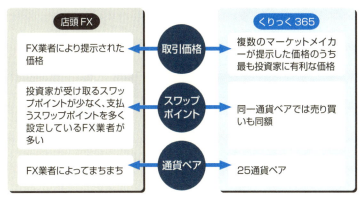

ABS

資産担保証券。債権や資産から得られる収益を裏付けに発行される証券のこと。住宅ローン債権や商業用不動産、クレジットやリース債権などがある。

アンチ・ロック・ブレーキではありません。が、アセットバックもいわばキャッシュフローの安全装置。車と同じかもしれません。

　広義の**ABS**（Asset Backed Securities：**アセットバック証券**）は、住宅ローン、商業用不動産を含み、自動車ローン、クレジットカードローン、リース債権などを裏付けにして発行される**証券**のことです。

　事業法人や金融機関の資産や負債は、証券化という形で投資家の資金運用にも利用されます。資産や負債は、売買益や利子などの収益を生むからです。元の保有者のメリットは債権が流動化すること、投資家のメリットは投資対象の幅が広がることです。

　米国の低所得者向けの住宅ローン（サブプライムローン）を担保として発行されたABSは、さらに証券化され、複数の証券がパックされた金融商品として世界中の**機関投資家**や金融機関が購入しました。その後、サブプライムローンの延滞や破たんが予想以上に急増して（**サブプライムローン問題**）、世界的な**金融危機**に発展しました。

ABS（アセットバック証券）の仕組み

12-2 デリバティブには、どのようなものがあるか？

CFD 株式や債券、株価指数や金融先物、商品先物などの証拠金取引を行う金融商品のこと。取扱証券会社によりほぼ24時間の取引が可能。相対取引で行う。

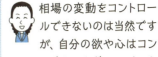

相場の変動をコントロールできないのは当然ですが、自分の欲や心はコントロールできるはず。ロスカットルールなどを有効に。

CFD (Contract For Difference：差額決済取引) は、いわば**FX**の**株式**版や株価指数版です。担保を預ける証拠金取引で、**レバレッジ**をかけた**差金決済**による株式や**株価指標**などを売買します。差金決済とは、取引額を現金で**受渡**しせず、**反対売買**で差損益だけを決済する方法です。現物の株式投資や**債券**投資では、差金決済が禁じられています。

FXが外貨を対象にするのに対し、CFDは国内外の株式や株価指標、債券先物、また**コモディティ**（エネルギー、農産物、非鉄金属等の各種商品）が対象です。注意点はFXと同様で、高いレバレッジをかけると、大きな損失を被ることもあります。自分に合ったレバレッジの水準と、ロスカットなどのルールを設けておくことが重要です。

CFD（差額決済取引）のレバレッジ

証拠金30万円の例

■ 証拠金 30万円

取引額 300万円
― レバレッジ 10倍 ―

1割の利益が出ると……

取引額 300万円　利益 30万円

預け入れた証拠金に対して利益率が100％

1割の損失が出ると……

取引額 300万円　損失 30万円

預け入れた証拠金をまるまる失う

一定割合の損失発生でマージンコールが警告、損切りか追証

→ さらに損失拡大のケース

さらなる損失拡大で、拠金維持率を下回ると強制的にロスカット

第12章　株式以外の投資に関する用語

ブル

ブルは相場に対して強気を意味する言葉。雄牛(bull)が語源。相場に活況があり勢いづいているような様子。「ブル型投信」は、相場上昇時に2倍や3倍の値上がりをする。

> 「ブルもベアも株で儲けることができるが、ホッグ(豚=欲張り)はダメだ」という格言があります。ガツガツしては結局、損します。

ブルとは、投資家心理が楽観的になっていて強気で、**相場が右肩上がり**の状況です。過去の投資部門別売買動向では、ブル相場では**外国人投資家**の買いが続くことが多く、国内の法人投資家や個人投資家は売りが多く見られる傾向があります。

ブルと呼ぶ由来は、いくつかの説があります。昔のヨーロッパで雄牛と熊を戦わせる闘技があり、雄牛は下から角を上につき上げて攻撃するからとか、米国のトレーダーの買いを示す手の動きからとか、ドイツ語で「吠える」をビューレンというから、などの説です。

ブル相場を活用した投資商品の代表的なものに、ブルタイプの**投資信託**があります。**信用取引**や**先物取引**、**オプション取引**などを使い、対象となる指標等の上昇率の2倍、3倍の値動きとなるように設計されます。この効果を**レバレッジ**と言います。

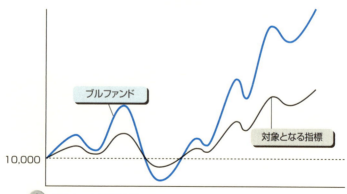

●●● ブルファンドの値動きのイメージ ●●●

!　投資家の心理が楽観的になっていて強気で、相場が右肩上がりの状態のこと

12-2 デリバティブには、どのようなものがあるか？

ベア

相場に対して悲観的で弱気を意味する言葉。熊（bear）が語源。インバースとも言われる。「ベア型投信」は、相場が下落すると基準価額が上昇する。

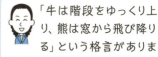
「牛は階段をゆっくり上り、熊は窓から飛び降りる」という格言があります。株価の上昇はゆっくり、下落は急にということ。あるある！

ベアは、投資家心理が悲観的になっていて弱気になり、右肩下がりの**相場**の状態です。ベアと呼ぶようになった由来は、**ブル**同様、いくつかの説があるのですが、ブルよりベアの方が古くから使われていたことと、英語に「捕らぬ熊の毛皮を売る（＝手に入れられないものを売る約束をする）」ということわざがあることから、ベアの対としてブルが名付けられたのかもしれません。一般には、熊は前足を上から下に振りおろして攻撃するという説が通説になっているようです。

ベアは弱気なのに投資商品になり得るのは**信用取引**や**先物取引**、**オプション取引**などを使うからです。価格の高い時に売りから仕掛けて、下落してから買い戻せば、下落した差額分が利益となります。ベア相場を利用して利益を追求するベアタイプの**投資信託**は、対象となる指標等の上昇率のマイナス1倍となるように設計されます。

ベアファンドの値動きのイメージ

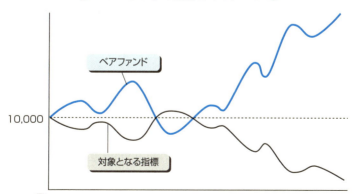

! 投資家の心理が悲観的になっていて弱気で、相場が右肩下がりの状態のこと

第12章 株式以外の投資に関する用語

ノックイン

株価指数などその取引で参照する指数が、あらかじめ決められた水準に達すること。仕組債等では、償還の条件を決定付ける。

> 発行時には「そんな値段、ありえない」と思わせる水準にノックイン価格が設定されても、相場は魔物。利益限定・損失無限大です。

ノックインが使われる金融商品の代表的なものが、仕組債とノックイン投信です。典型例は、**日経平均株価**などを対象にあらかじめノックインとなる価格を決めておき、参照期間中にノックイン価格かそれを上や下に超えると、**株式**で償還されたり日経平均株価に連動する償還金額になったり、早期償還されたりするなどの条件です。

仕組債の場合は、同じ期間の金融商品より利率が高めに設定されているのが通常で、ノックインしなければ高利回りの運用となります。

ノックイン投信は、「リスク限定型」「リスク軽減型」などと銘打たれますが、市場動向によっては、必ずしも**リスク**が限定・軽減されているわけではありません。むしろ、**オプション取引**を応用した設計で投資家にはわかりにくく、より一層の下げ局面を招くなど、この仕組みのために本来不要なリスクを背負っている側面もあります。

ノックインするとどうなる？

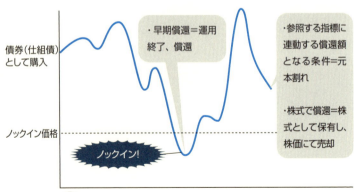

! ノックインすると、あらかじめ決められた条件に従うこととなる

・第13章・

株式投資の税金に関する用語

株式取引による利益には税金が課されます。税金を理解するための用語を確認しておきましょう。

第13章 株式投資の税金に関する用語

13-1 株式取引には、どのような税金がかかるか？

株式取引で利益を出したり、配当金を受け取ったりしたら、原則として税金が課せられます。

値上がり益

株式や債券、投資信託など有価証券の価値が上昇したことで、投資家が得られる利益のこと。購入と売却の価格差。

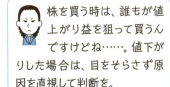

株を買う時は、誰もが値上がり益を狙って買うんですけどね……。値下がりした場合は、目をそらさず原因を直視して判断を。

株式などの証券投資において、買った値段より高く売れた時の差額が**値上がり益（キャピタルゲイン）**です。反対に買値より安く売った場合の損失は、値下がり損（キャピタルロス）です。値上がり益に対する課税額を計算する場合は、手数料などを差し引いた手取り利益に対して税率をかけます。

値上がり益と値下がり損を差し引きし、**インカムゲイン**を合計したものが投資家の総利益で、「トータルリターン」と言います。

●●● キャピタルゲインとインカムゲイン ●●●

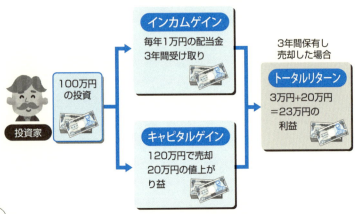

含み益/含み損

保有している株式などの買付け価格と時価を比較した時の差額。売却する前の計算上の損益。利益が出ていれば含み益、損失の状態なら含み損という。

> 「儲かった」「損した」と株価を眺めて喜んだり、嘆いたり。しかし、実際に売らなければ、その利益や損失は確定しません。含み益に喜んでも、つかの間……ということも。

「含み」とは、まだ資産を売却する前で利益や損失が確定していない状態を指します。**株式**などの**証券**や、土地などの固定資産を買った時の価格（＝帳簿価格、「簿価」という）と、日々の時価（**株価**やその時の地価など）と比較した差額を**含み益**や**含み損**と言います。時価が簿価よりも高くなっている場合は含み益と言い、時価が簿価よりも低くなっていると含み損と言います。あくまでも売却する前の損益です。

一方、株式や土地などの資産を実際に売却して値上がりした場合の利益が確定すると、その利益は「実現益」となります。値下がりして売却した場合、確定した損失は「実現損」となります。資産の値上がりに対する税金は、売却してはじめて課せられます。

含み益と含み損の考え方

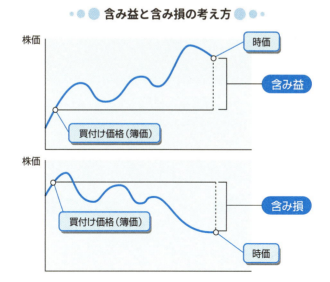

総合課税/申告分離課税

個人の所得税の課税方法。税額計算の際に、給与所得や雑所得など異なる区分の所得を合算するか否かが違う。

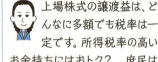

上場株式の譲渡益は、どんなに多額でも税率は一定です。所得税率の高いお金持ちにはおトク？ 庶民は高税率と感じるかも。

　所得税が対象にする所得は、事業所得、給与所得、雑所得など10種類に区分されています。区分の異なる所得を合計し、医療費控除や配偶者控除などの所得控除を行い、残った金額に超過累進税率をかけて所得税額を求める方法が**総合課税**です。

　一方、**申告分離課税**は、ほかの所得金額と合計せずに分離して、その所得区分だけ単独に所得額を計算し、定められた税率で税額を計算します。申告分離課税制度のある所得は山林所得、土地建物等の譲渡による譲渡所得、**上場**株式等の譲渡所得等などが挙げられます。

　上場株式等の譲渡所得等については、所得の算出から納税までの手続きを簡易に済ませる**特定口座**制度があります。特定口座を選択した場合は**確定申告**をする必要はありませんが、複数の**証券会社**で開設した特定口座の損益を合算したり、**譲渡損失の繰越控除**の特例を受けたりするには、確定申告をしなければなりません。

　なお、預貯金の利子は、利子所得で源泉分離課税となります。

総合課税と申告分離課税

個人の所得
- 利子所得
- 配当所得
- 事業所得
- 給与所得
- 譲渡所得

など10種類

…うち
・土地建物等の譲渡による譲渡所得
・上場株式等の譲渡所得等

総合課税
・異なる所得区分も合算して超過累進課税
・確定申告

申告分離課税
・ほかの所得と区分して税金を計算
・確定申告

13-1 株式取引には、どのような税金がかかるか？

譲渡益課税

株式や不動産などを売却して得た利益に対する課税のこと。上場株式などの場合、基本は申告分離課税となる。

株式の譲渡益課税は、制度が何度も変わり、かえって複雑になってしまいました。一体、誰のための制度なのでしょうね。

　個人の**譲渡益課税**（キャピタルゲイン課税）は基本的に**申告分離課税**で、**確定申告**が必要です。分離課税とは、給与所得などと分離した計算で税額を求める方式です。譲渡所得は主に財産の売却による所得ですから、ほかの所得と合算すると所得が多額になってしまう可能性もあり、そうなると累進課税の税率が上がってしまう心配が出てきます。それを避けるために**上場**株式などの譲渡益は分離課税が採用されています。

　税率は、年間（1月1日から12月31日までの受渡日ベース）の譲渡益の20.315％（所得税15.315％、地方税5％）です。令和19年（2037年）末までは復興特別所得税がかかるため、所得税に対して2.1％が上乗せ課税されています。**証券会社**等のサービスである**特定口座**制度を利用すると申告不要または簡易申告を選択できます。

　また、必要な手続きを踏んでNISA（ニーサ）口座を利用し、一定の条件において限度額の範囲で非課税とすることも可能です。

譲渡益課税の算出方法

上場株式等にかかる譲渡所得等の金額 ＝ 総収入金額（譲渡価額） －（取得費 ＋ 委託手数料等）

総収入金額
売却時の委託手数料等を引く前の金額

取得費
株式の購入にかかった金額（手数料含）

委託手数料等
売却時の委託手数料等

インカムゲイン

債券や預金の利子収入や、上場株式などの配当金収入、投資信託の収益分配金などのこと。

> 一時、毎月決算型の投資信託がブームになりました。基準価額の変動よりインカムゲインが重視される、摩訶不思議な現象です。

　運用資産を預けたり、投資している間に投資家が受け取れる収入（インカム）を**インカムゲイン**と言います。具体的には、利子や**配当金**・収益分配金などです。これに対して、運用資産の値上がりによる利益は、**キャピタルゲイン（値上がり益）**です。金融商品や投資対象によっては、必ずしも毎回同額ではありませんが、安定収入としての位置付けです。

　投資で得られる収益とは、運用期間中の定期的収入であるインカムゲインと、元本の値上がりによる利益（キャピタルゲイン）の両方です。インカムゲインとキャピタルゲインの合計（もし値下がりすればキャピタルロスとして差し引く）は「トータルリターン」と言います。

インカムゲインとキャピタルゲイン

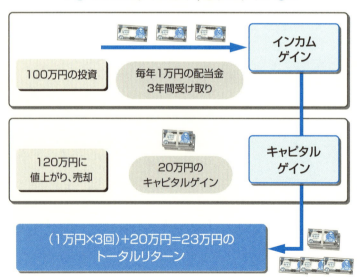

13-1 株式取引には、どのような税金がかかるか？

配当課税

株式の配当にかかる税金のこと。上場株式の場合、大口株主を除き、源泉徴収される。確定申告で総合課税や申告分離課税を選択することも可能。

上場株式の配当金の受け取り方法は、複数の選択肢があります。たび重なる課税制度の改正のしわ寄せが、ここにも来ているようです。

所得税の計算上、**株式**の**配当金**は「配当所得」で、それにかかる税金が**配当課税**です。**上場**株式等の配当所得は、大口株主を除き、**確定申告**が不要で、配当金の受取り時に20.315%が源泉徴収されています。内訳は、復興特別所得税を含めた所得税が15.315%、地方税が5%です。確定申告を行うことも可能で、その場合、**申告分離課税**と**総合課税**の選択です。総合課税で確定申告をすると、一定の金額の配当控除が受けられます。

また、上場株式などを売却して損失となった場合、配当所得との間で**損益通算**ができます。確定申告を行い、申告分離課税が適用されます。対象は、上場株式などの配当金、**投資信託**の収益分配金などです。ただし、配当控除は受けられなくなります。

NISA口座で買付けた場合、**株式数比例配分方式**を選択すると、配当金も非課税になります。一方、配当金領収証方式、登録配当金受領口座方式を選んでしまうと配当金は課税扱いになります。

配当金等の受け取り方式とNISAの関係

	NISA口座の配当金等	NISA口座の譲渡益
株式数比例配分方式	非課税	非課税
配当金領収証方式	20.315%の課税	非課税
登録配当金口座受領方式	20.315%の課税	非課税

第13章　株式投資の税金に関する用語

NISA 上場株式や公募株式投資信の投資等元本一定額までの配当金・分配金、譲渡益について、一定期間、本来かかる税金を非課税にする制度。

NISA口座で買っても、値上がりしなければ恩恵を受けられません。利益に対する非課税ですからね。銘柄選びは慎重に。

2023年までの**NISA**(ニーサ)（Nippon Individual Savings Account：**少額投資非課税制度**）は、3タイプです。

「一般NISA」の対象は、**上場株式、ETF、J-REIT**(ジェイリート)**、公募株式投資信託**で、具体的な取扱商品は各金融機関で異なります。また、銀行で株式は買えません。非課税枠は、年間の新規投資額120万円以内まで。5年間の株主**配当金・収益分配金**と、5年以内の売却益が非課税です。購入前にNISA口座を開設し、買付時にNISA口座を指定します。**特定口座**や一般口座などの課税口座にある証券はNISAに移せません。

2024年からのNISAは、1つのNISAで、それまでの一般NISAとつみたてNISAの両方を利用できるようになります。非課税枠も広がります。

未成年対象の「ジュニアNISA」は2023年で終了しますが、それまでに購入した分は非課税で運用を続けられます。積立専用の「つみたてNISA」の対象商品は、**金融庁**が定めた要件を満たす投資信託に限られています。

2024年以降のNISA

※併用できる→	つみたて投資枠	成長投資枠
年間投資枠	120万円	240万円
非課税保有限度額（総枠）	1,800万円	
		（うち1,200万円）
口座開設期間	恒久化	恒久化
投資対象商品	長期の積立・分散投資に適した一定の投資信託（従来のつみたてNISAと同様）	上場株式・投資信託等（対象外となる投資信託もある）
対象年齢	18歳以上	18歳以上

株式数比例配分方式

上場株式の配当金等を証券会社の総合口座の中で受け取る方法。銘柄ごとに選択できず、保有する株式すべてに同じ方式が適用される。

> NISA口座の申し込みをする際は、「配当金も非課税で受け取る」という手続きをお忘れなく。株式数比例配分方式でないと、課税されますよ。

上場株式の**配当金**等の受け取り方法は、大きく分けて3つの方法があり、投資家が選択します。複数の**銘柄**を持っている場合や、複数の**証券会社**で取引している場合も同じ方式が適用されます。

1つめの**株式数比例配分方式**では、配当金等が**株主**の証券総合口座内に**入金**されます。NISA口座の配当金等を非課税にするなら、この方式です。ただし、NISA口座の譲渡益については、どの方式でも非課税です。

2つめの「配当金領収証方式」は、従来、主流だった方式です。株主の住所に郵便振替支払通知書が送付され、投資家は所定の欄に住所氏名の記入、捺印をし、ゆうちょ銀行および郵便局で受け取ります。

3つめの「登録配当金受領口座方式」では、株主があらかじめ指定した銀行等の預金口座に入金してもらい、受け取ります。

配当金等の受け取り方式の違い

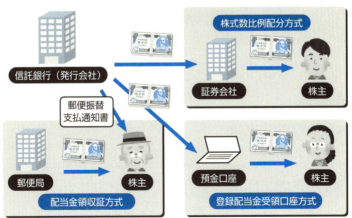

第13章 株式投資の税金に関する用語

確定申告

所得税や相続税などについて、所得額を計算して税額を明らかにし、税金の納付または納めた税の還付手続きをすること。

> 「税務署はコワイ」と思われがちですが、意外に親切です。確定申告書の書き方でわからないことは、丁寧に教えてくれます。

所得税の**確定申告**は、納める税金があるかないかに関わらず、1年間の所得額を求めて納税額を明らかにする手続きのことです。その結果、納税する額がない人もいれば、その年中に源泉徴収で納めすぎた税金を還付される人もいます。還付される場合は「還付申告」です。

手続きは、原則として所得のあった翌年の2月16日から3月15日の間に行います。本来なら一定額以上の所得のある人は、すべて確定申告です。ただし、給与所得だけの人（会社員、契約社員、パート、アルバイト等）は税金が給料から天引きされ、年収で2千万円以上の人など特定の人以外は年末調整を行うので確定申告の必要がありません。

上場株式等の譲渡所得に関しては、ほかの所得と切り離して計算をする**申告分離課税**の確定申告が原則ですが、**特定口座**制度による源泉徴収を利用すれば、確定申告は不要です。NISA（ニーサ）の利用で非課税になった利益は、確定申告の必要がありません。

●●● 個人の所得税の確定申告の要件 ●●●

「所得がある」とは？
基礎控除や社会保険料控除などを引いた後に所得額のある人

「会社員など」で申告する人は？
年収2,000万円以上の人、給与所得を2ヵ所以上から受け取っている人…など

13-1 株式取引には、どのような税金がかかるか？

特定口座 上場株式等や公募株式投資信託などの譲渡益や配当金についての納税の手続きを簡単にするために証券会社が行っているサービス。2016年から債券も利用可能になった。

特定口座は、証券会社が行っている、顧客の損益を計算するサービスです。さらに、納税の代行をしてくれるのが「特定口座・源泉徴収あり」となります。

　特定口座は、取引証券会社が顧客の**上場**株式、**債券**、公募株式**投資信託**などの1年間の取引の結果を「年間**取引報告書**」にまとめる損益計算サービスです。損益に課せられる税金の納税の方法は2種類あり、1つは「源泉徴収あり」で、もう1つは「源泉徴収なし」です。

　源泉徴収の有無を選ぶのは、その年の最初の売注文までで、一度選択すると翌年まで変更はできません。特定口座の利用で源泉徴収ありを選択した顧客の場合、その年の初めからの**損益通算**を証券会社が計算し、対象の金融商品の売却の都度、通算した利益に対する税額を計算して売却代金から税金分を差し引きます。**上場**株式の**配当金**や債券の利子、公募株式投資信託の収益分配金も合算されます。特定口座で源泉徴収されても、必要に応じて**確定申告**をしても構いません。

口座の種類と確定申告の有無

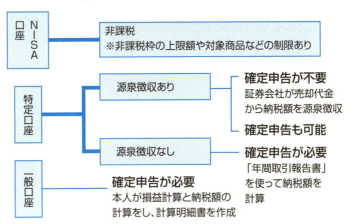

第13章 株式投資の税金に関する用語

損益通算

同じ年の中での2種類以上の所得のうち、利益と損失があった場合に、その利益と損失を一定の順序に従って、差し引き計算すること。

> 特定口座利用者の年間取引が、A証券会社では損失、B証券会社では利益だった場合、確定申告で、AとBの損益通算ができます。

損益通算とは、2種類以上の所得について利益と損失があった場合、それらを一定の順序に従って差し引くことです。

日本国内に居住する個人の**証券**取引では、**上場株式の値上がり益（キャピタルゲイン）**は「譲渡所得」、公募株式**投資信託**を換金した時の差益は「みなし譲渡所得」です。どちらも譲渡所得の扱いになり、この場合は譲渡所得の中で利益と損失を通算できます。受渡日ベースで1月から12月までの売却分について、年間の損益を算出します。

ここまでの計算で損失であれば、譲渡所得の損失となります。譲渡所得の損失は、**申告分離課税**を選択した上場株式等や公募株式投資信託の配当所得との間で損益通算ができます。給与や不動産など、所得税のほかの所得とは損益通算できません。

複数の金融機関の証券取引も確定申告で損益通算できます。

上場株式等の売却で生じた損失

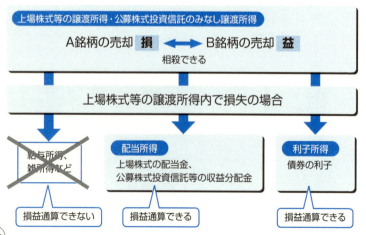

譲渡損失の繰越控除

上場株式等の譲渡で生じた損失額のうち、その年に控除しきれない金額を翌年以降3年間にわたり、繰り越して控除できる制度。

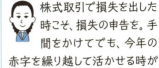

株式取引で損失を出した時こそ、損失の申告を。手間をかけてでも、今年の赤字を繰り越して活かせる時が来るかもしれません。

上場株式等の売却によって発生した損失があり、その年の株式譲渡益などから差し引いても引ききれず損失が残った場合、その翌年以降最長3年間にわたって、上場株式等にかかる譲渡所得等の金額からその損失を控除できます。この制度を**譲渡損失の繰越控除**と言います。

ただし、この特例を受けるためには、上場株式等や公募株式**投資信託**を**証券会社**などを通じて売却した場合に限られます。その上、譲渡益が生じない年であっても、それぞれの年について**確定申告**をする必要があります。年間の上場株式取引が通算で損失になった時こそ、損失を申告しておきましょう。なお、NISA口座の損失は、対象外です。

譲渡損失の繰越控除の計算例

	本年	1年目	2年目	3年目
その年の売買損益	−100万円	40万円	30万円	40万円
前年からの繰越損失		−100万円	−60万円	−30万円
繰越控除後（課税対象）		−60万円	−30万円	10万円

※1年目や2年目は、単年では利益を上げているが、前年からの損失を繰り越すことによって、納税額がゼロとなる。
※3年目は、40万円の利益を上げているが、前年までに残っている損失を繰り越すことによって、課税対象の譲渡所得は10万円となる。

第13章 株式投資の税金に関する用語

マイナンバー制度

住民1人に1つの番号を付け、個人情報を一元的に管理する制度。社会保障、税、災害対策等で利便性が高まる。

> マイナンバーの不正利用、悪用を心配する声も。安心して使えるための法的措置もありますが、自分自身で厳重な管理も重要です。

マイナンバー制度（社会保障・税番号制度）は、個人情報を効率的に管理する制度です。住民票の登録がある国民1人に対し、12ケタの個人番号が付与されています。番号は、一生変わりません。

マイナンバーは、年金、医療、ハローワーク、福祉等の社会保障と、**確定申告**等の税、被災者支援等の災害対策の分野で、法律に定められた行政手続きについて使用されています。コンビニエンスストアでの住民票の写しなどの交付や、医療機関・薬局などで健康保険証としての利用ができます。

証券や金融商品の納税においては、金融機関が個人に代わって手続きを行うこともあるため、投資家が金融機関にマイナンバーを提示する必要があります。NISAを利用する場合は、必ずマイナンバーを提出しなければなりません。また、給与からの源泉徴収税についてもマイナンバー制度を利用するため、勤務先にも提示することになっています。

●●● マイナンバーを使用する場面 ●●●

・第14章・

経済・金融に関する用語

株式取引・証券取引の判断に、これだ
けは知っていてほしいマクロ経済の用語
を確認しておきましょう。

● 第14章 経済・金融に関する用語 ●

14-1 金融の基本的な仕組みは、どうなっているか？

株式投資では、金融全体の仕組みを知っておくことが大切です。金融市場に関する用語を解説します。

直接金融 資金を必要とする者が証券を発行し、資金の提供者（投資家や債権者）から金融機関を通さず、直接資金を受ける流れのこと。

投資は、自己責任。間に誰も介在しないのだから当然のこと。その分、投資先を自分で決められる自由度がある点が最大の特徴です。

「金融」は、お金を融通することです。そのお金を金融機関から借りるのではなく、投資家から直接集める仕組みが**直接金融**です。**株式**や**債券**などの**証券**取引は、直接金融のシステムです。**発行市場**では証券を発行して資金を集め、**流通市場**を通じた売買でお金のやり取りをします。**証券会社**は発行と売買の仲介を行うだけで、その資金は株式や債券の発行体へ届けられます。

直接金融の**リスク**は資金の提供者（投資家や債権者）が負い、単なる仲介者である証券会社は、責任を負いません。

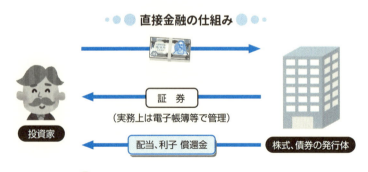

直接金融の仕組み

! **直接金融**は**直接**的に**お金**を**融通**する仕組み

14-1 金融の基本的な仕組みは、どうなっているか？

間接金融

資金を必要とする借り手と資金を提供する預金者との間に、金融機関などの第三者が介する資金の流れのこと。銀行などの預金と融資の関係。

資金の出し手である預金者は、自分の意思で投資先を決められません。間に入る金融機関に委ね、借り手や運用先に資金が回ります。

「金融」とは、お金の融通です。銀行機能を持つ金融機関のような第三者を介して、お金が必要なところに届く仕組みが**間接金融**です。

預金者が金融機関に預金をすると、貸し付け・投資などによって資金を必要とするところに渡ります。間接金融では、貸し倒れや投資の失敗などの**リスク**は、間に入る金融機関が負います。

個人や事業法人、**機関投資家**などが預貯金をすると、その資金は金融機関の金庫に眠っているわけではなく、金融機関の資産として運用されます。その運用先として、貸し付けや**証券**の購入という形で会社や国・地方、個人に流れています。一方、資金の受け手は金融機関に利子や**配当金**を支払ったり、資金を返済したりします。この運用から得られた収益を原資として、金融機関は預金者に利子を支払います。

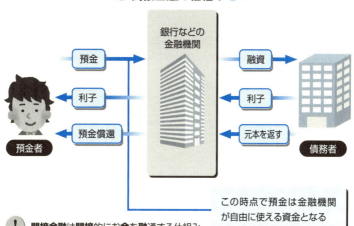

間接金融の仕組み

この時点で預金は金融機関が自由に使える資金となる

! **間接金融**は**間接**的に**お金**を**融**通する仕組み

第14章 経済・金融に関する用語

発行市場

投資家に募集をかけ、証券を発行して事業などに必要な資金を投資家からダイレクトに集める場所や方法のこと。起債市場ともいう。

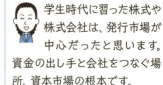

学生時代に習った株式や株式会社は、発行市場が中心だったと思います。資金の出し手と会社をつなぐ場所、資本市場の根本です。

　会社・国・地方公共団体などが**直接金融**の仕組みを使って事業に必要な資金を集める場合、出資者（投資家）を募って**株式**や**債券**などの**証券**を発行します。お金と証券がやり取りされる場所が**発行市場（起債市場）**です。実在する場所ではなく、抽象的なもので、株式の**IPO**や債券の新発債の募集が行われる場です。投資家にとっては、資金を運用する場です。

　出資した投資家がその資金を回収したい場合には、**流通市場**で売買をして換金します（債券の償還時を除く）。

　株式の発行は事業資金を広く大勢の人から集めるためです。投資家はビッグプロジェクトに資金面で参加しているようなものです。**株主総会**で経営に必要な重要事項を決定し、経営のプロに仕事を委託します。プロジェクト、すなわち投資先の事業で得られた利益の一部分が**配当金**という形で投資家に分配されます。

発行市場の仕組み

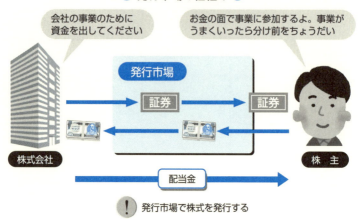

発行市場で株式を発行する

14-1 金融の基本的な仕組みは、どうなっているか?

流通市場

すでに発行された株式や債券などの証券が、投資家と投資家の間で売買される取引の場所のこと。証券取引所などでの売買を指す。

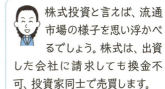
株式投資と言えば、流通市場の様子を思い浮かべるでしょう。株式は、出資した会社に請求しても換金不可、投資家同士で売買します。

　発行市場で発行された**株式**や**債券**を、ほかの投資家との間で売買取引をする場所が**流通市場**です。証券の売買をする**金融商品取引所(証券取引所)**は一般の投資家が直接注文を出すことはできず、**金融商品取引業者(証券会社)**に委託して取次いでもらいます。

　流通市場は、その名の通り、証券が流通する場です。**株価**や債券価格は、投資家の「買いたい」「売りたい」という注文の**オークション取引**で、価格が上下します。したがって流通市場は、証券の現在価値を知る場と言えます。株式の発行体は、株価が自社の**時価総額**の計算の基礎となることから、流通市場の動向を意識しています。

　流通市場では、公正な取引が重要です。公正でなければ、証券が適正な資産価値になりません。換金にも支障をきたしてしまいます。

流通市場の仕組み

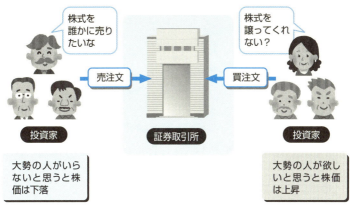

! 流通市場は発行された証券を売買する場所

第14章 経済・金融に関する用語

短期金利

お金の貸し借りの期間が1年未満の金利。一般的には数日から数ヵ月程度の期間の金利を指す。日本銀行が政策的に誘導する対象の金利でもある。

> 短期金利の市場は、日本銀行による、いわば官製相場。世の中のお金の量を増やすことと、金利を下げることは同義。逆も同じです。

短期金利は、実務上は無担保コール翌日物の政策金利やCD（Certificate of Deposit：譲渡性預金）3ヵ月物などの金利を指すことがほとんどです。

コール市場などのインターバンク市場は、民間金融機関が短期的な手元資金の余剰や不足を調整する場ですが、**日本銀行**が金融政策を実施する場でもあるため、政策によって誘導される特徴があります。日本銀行は、公開市場操作（オペレーション）を行って、短期金融市場の資金量を調整しています。

世界のほとんどの国でも、短期金利は政策金利として景気の調節のために中央銀行がコントロールするという側面を持っています。

短期金利の役割

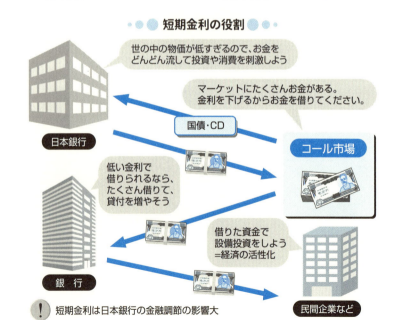

! 短期金利は日本銀行の金融調節の影響大

14-1 金融の基本的な仕組みは、どうなっているか？

長期金利

1年以上に及ぶ期間の金融取引に適用される金利。新発10年物国債利回りが代表的な指標となっている。景気を反映する側面もある。

 長期金利は、本来、多くの投資家が参加する金融市場の取引結果で、将来の景気や物価をどう見るかで金利が決まります。

長期金利は、企業や人々がどれだけお金を必要としているかによって、上がったり下がったりします。景気が良い環境なら、お金に対する需要が高まります。高い金利を支払ってでもお金を借りたい会社や個人が増えて、長期金利は上がります。逆に、お金を使ってまで事業拡大をする時期ではないと判断される不景気では、お金に対する需要が低くなります。貸す側は、少しでもお金を借りてほしいので、長期金利は下がります。

また、長期金利は**インフレ**率も影響します。人々が将来は物価が上がると思えば、値上がりする前に、お金を借りてまで先を急いでモノを買います。すると、市場でお金に対する需要が高まり、金利が上昇します。やがて、モノの値段の上昇にお金の価値が追い付きます。

長期金利の決まり方

好景気だ！ お金を借りて、どんどん工場を建設しよう！

お金が必要なら貸し賃（金利）を高くしても借りてくれそうだ

新発10年物国債市場
（代表的な長期金利の市場）
社債の発行市場

債券 ← 債券 ←

資金を求める国や会社など

資金の提供者
（金融機関、機関投資家など）

好景気の場合	不景気の場合
資金を求める借り手が増える＝金利上昇⬆	資金が使われず市場に余っている＝金利低下⬇

355

第14章 経済・金融に関する用語

14-2 金融行政は、どのように行われているか？

金融に関わる機関や仕組み、法制度を理解しておくことも大切です。

日本銀行

日本の中央銀行。物価の安定、通貨価値の維持、金融システムの安定などのために金融政策を行う。日本政府からは独立した立場。

長いトンネル。日本は、まだ金融緩和政策の出口にたどり着きません。物価が上がっても賃金が上がらず、外国とは様子が違うようです。

　銀行の銀行として金融システムの最終的な拠り所となる機関を「中央銀行」と言います。日本の中央銀行が**日本銀行（日銀）**です。

　日本銀行の主な役割は、日銀券というお金の発行、金融機関のための銀行、政府の資金管理です。また、**金融政策決定会合**を開き、金利の上げ下げや市場の資金量の調節などの金融政策の運営方針を決めていきます。日銀はこれに基づき、日々、金融システムを維持し、経済の安定を図っています。日本経済に危機的な事態が起きた場合は、日銀特融などで事態を鎮静化させる働きかけもします。

日本銀行の役割

日銀券を発券 紙幣の発行量を調節	→ 金利の調節機能、物価の安定
銀行の銀行 金融機関との資金取引	→ 資金不足への対応、金融システムの安定
政府の資金管理 政府が日銀に口座を所有	→ 政府の資金の収入と支出を管理

日銀金融政策決定会合

日本銀行（日銀）内で、金融政策運営の基本方針を決定するために開かれる会合。金融市場の調節や政策判断の方針を討議・決定する。

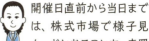

開催日直前から当日までは、株式市場で様子見ムードとなることも。売買が手控えられたり、換金売りが続いたり。会合の内容が伝えられると直ちに市場が反応します。

日本銀行（日銀） の役割の1つに、物価の安定や金融システムの安定を維持するための金融政策があります。日銀の中には「日銀政策委員会」という最高意思決定機関が設けられ、このメンバーで金融政策運営を討議・決定する会合が、**日銀金融政策決定会合**です。

金融政策とは、国の金融面での方向性を決めることです。手段として政策金利の上げ下げや、市中の資金量の調節があります。

金融政策決定会合は、年間に8回開かれ、月の初めの会合は2日間にわたります。会合終了後、その日のうちに「金融経済月報（基本的見解）」が公表され、議事の要旨は約1ヵ月後に公表されます。

日銀政策委員会のメンバーは日銀総裁、副総裁2人、審議委員6人の合計9人で、多数決で方針を決定します。審議委員は、経済や金融に関する専門知識を持つ人たちの中から、委員の任期は5年です。国会の両議院の同意を得た上で内閣により任命されます。

政策決定会合での政策決定からの流れ

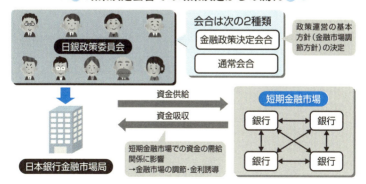

第14章 経済・金融に関する用語

公的資金

国や地方自治体の持つ財政資金。資金源は、税収や国債発行、特別会計の公的年金・健康保険の保険料など国の収入。

> そもそも税金と国債を発行して得た資金。本来は国の事業に使われる資金ですが、混乱時の対応策の場合にも表舞台に出てきます。

公的資金の法的な定義はなく、一般的に公（おおやけ）の資金、つまり国や地方自治体の持つ資金を指します。「公的資金＝税金」と言われるのは、主に国の会計の収入源は税金だからです。ほかに、公的年金保険料や国債発行で調達した資金も公的資金です。

金融危機の際、金融機関への公的資金注入の是非（ぜひ）が議論されることがあります。本来、国の財政は、公共事業や福祉、教育、医療など、国の事業のためのお金であり、民間企業である金融機関の救済に使う点が問題視されます。しかし、金融機関は民間企業ですが、金融システムという公共的な役割を担っているため、その健全化・安定化に必要と判断されることから公的資金が注入されるのです。なお、資本投入や資本注入という言葉は、言い換えれば「国のお金を投入して企業（金融機関）の普通株か**優先株**を買う」ということです。

金融システムの安定に使われる公的資金

14-2 金融行政は、どのように行われているか？

金融庁 金融制度の企画立案、金融機関の検査、監督、監視などを担当する行政機関。金融システムの安定的維持と金融利用者の保護が目的。

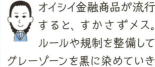
オイシイ金融商品が流行すると、すかさずメス。ルールや規制を整備してグレーゾーンを黒に染めていきます。

　金融庁（Financial Services Agency：**FSA**）は、金融監督庁と大蔵省金融企画局が統合し、2000年に発足しました。大蔵省の機能は金融庁と財務省に分かれました。

　金融庁の役割は、日本国内での安定した金融システムを保つことと、経済発展を支える投資資金がスムーズに流れる市場を維持すること、預金者や保険契約者、投資家の保護を図ること、金融市場の公正性・透明性を保つことなどです。そのために金融庁は、金融制度の企画立案や民間金融機関等に対する検査・監督、金融市場での証券取引等の監督・監視をする役割を担います。

　証券取引等監視委員会は金融庁の中に設置された、公正な証券取引のために監視を行う機関です。また、個別金融機関の破たん処理なども金融庁で行っています。

金融庁の役割

監視
適正な取引
金融機関　顧客
金融庁
金融取引がスムーズにできるルールづくり
公正な証券取引
証券市場

出所 金融庁パンフレットを参考に作成

第14章 経済・金融に関する用語

証券取引等監視委員会

公正な証券取引が行われるよう、金融商品取引法で禁止された行為や不正取引などの調査や検査を行っている金融庁の外局。

> 投資家保護を使命とし、悪質な取引の摘発や証券会社の職員の襟を正すのが職務。ですが、不正取引や不祥事がなかなか減りませんねぇ。

証券取引等監視委員会（Securities and Exchange Surveillance Commission：SESC）は、証券市場が適切に機能し、証券取引や金融**先物取引**などが公正に取引できるように、不公正な取引をチェックし、摘発する機関です。第三者的な機関としてアメリカ証券取引委員会（SEC）を手本に設置されました。

インサイダー取引や、**相場操縦**、風説の流布、損失保証・損失補てんなどの不正な取引を監視しています。

証券取引等監視委員会では、公正な証券取引が行える環境を整えるため、ホームページ等で情報提供を呼び掛けています。市場で不正が疑われる情報や、投資者保護上問題があると思われる場合、提供された情報は調査・検査や日常的な市場監視の有用な情報として活用されています。ただし、個別のトラブル対応は行っていません。

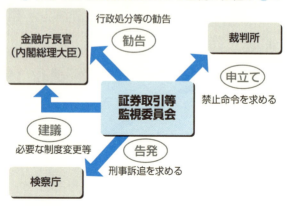

証券取引等監視委員会による監視の仕組み

14-2 金融行政は、どのように行われているか？

FRB

米国の中央銀行制度の最高意思決定機関。また、米国の中央銀行そのものを指すこともある。ドル紙幣は12の地区連銀が発行している。

 米国では、FRB議長は大統領に次ぐ権力者とも言われるほどです。それだけ、世界経済に影響があるということでしょう。

　米国の中央銀行のシステムであるFRS（Federal Reserve System：連邦準備制度）の運営機関で、金融政策における最高意思決定機関が**FRB**（Federal Reserve Board：**連邦準備制度理事会**）です。主な業務は、市中銀行の監督、金融政策の実施などです。FRBの最高責任者であるFRB議長は、大統領の指名を受け、上院議会の承認で選任されます。

　米国の中央銀行の制度は、地域ごとに地区連邦準備銀行（地区連銀）という中央銀行のようなものがあり、全米12ヵ所の地区連銀を統括するのが連邦準備制度理事会で、議長以下7人の理事で構成されています。また、日本と違い、政府が**株主**になっていません。

　政策金利などを決める**FOMC**はFRBの関連機関で、7人の理事と地区連銀のうちの持ち回りの4つの連銀の総裁とニューヨーク連銀総裁の合計12人で構成されています。

実は3つの機関を指すFRB

1つ目のFRB
連邦準備制度理事会
(the Board of Governors of the Federal Reserve System)

2つ目のFRB
連邦準備銀行
(Federal Reserve Banks)
（12の地区連銀）
ボストン、ニューヨーク、フィラデルフィア、クリーブランド、リッチモンド、アトランタ、シカゴ、セントルイス、ミネアポリス、カンザスシティ、ダラス、サンフランシスコ

3つ目のFRB
連邦準備制度
(Federal Reserve System)
このシステムそのもの

連邦公開市場委員会（FOMC）　　諮問委員会　　加盟銀行

第14章　経済・金融に関する用語

FOMC

FRBにおいて米国の金融政策に関する方針を決定する会合。FF（フェデラル・ファンド）金利の誘導目標、景況判断および運営方針などを決める。

> 米国の金融政策の動向が株式市場に与える影響が大きい近年は、世界中でFOMCの議事や議長の発言に敏感になっています。

　米国の中央銀行、FRS（Federal Reserve System：連邦準備制度）は、**FRBの7人の理事**と全米12ヵ所の地区連邦準備銀行（以下、地区連銀）のうちのニューヨーク連銀を含む5名の地区連銀総裁の計12人で構成されています。このFRSの金融政策に基づき公開市場操作の方針を決定する委員会が**FOMC**（Federal Open Market Committee：**連邦公開市場委員会**）です。日本の**日銀金融政策決定会合**に相当するFOMCは、約6週間ごとに年8回、火曜日に開催されます。

　終了後には景気の見通しや今後の金融政策、例えばFF金利の誘導目標や量的緩和策の内容などが示された声明文が公表され、世界からも注目を集めます。**金融危機**などには迅速な対応が求められるため、臨時の電話会合を開くこともあります。議事録は、2週間後に公表されます。

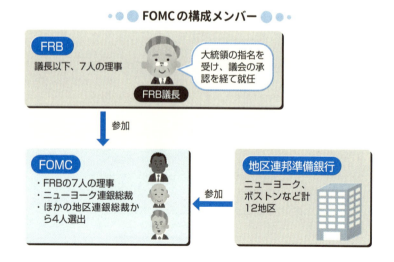

FOMCの構成メンバー

14-2 金融行政は、どのように行われているか？

ECB ヨーロッパ全体の金融政策を決め、最終責任を持つ唯一の中央銀行。欧州通貨ユーロの発行、管理を行う。ユーロ圏内の物価の安定に努めている。

> 数年おきに、域内のあちこちから問題が浮上するユーロ圏。状況の違う国をまとめて金融のかじを取るのは、難しいようです。

ECB（European Central Bank：**欧州中央銀行**）は、欧州通貨統合のスタートに伴い、欧州連合条約の規定に従って1998年6月に発足したヨーロッパの中央銀行です。

欧州単一通貨ユーロ（加盟国20ヵ国、ブルガリアが2024年に加わる予定）の発行権を持ち、通貨の管理も担います。本部はフランクフルトです。ユーロ加盟各国の中央銀行総裁が集まって毎月開かれるECB政策理事会が、最高意思決定機関となっています。

欧州財政危機後は、ECBがユーロ圏の金融政策に関する議論を行っています。加盟国が足並みを揃えてECBの統一した政策を実施する一方で、実際の金融調節や財政政策は各国の中央銀行がそれぞれに実施するという体制面での困難に直面しています。

ECBと欧州中央銀行制度の関係

| ECB（欧州中央銀行） | → 欧州中央銀行制度 ← | EU（欧州連合）加盟27カ国の中央銀行 |

ユーロ加盟国20カ国（2023年6月時点）
アイルランド、イタリア、エストニア、オーストリア、オランダ、キプロス、クロアチア、ギリシャ、スペイン、スロバキア、スロベニア、ドイツ、フィンランド、フランス、ベルギー、ポルトガル、マルタ、ルクセンブルク、ラトビア、リトアニア

EU加盟27カ国（2023年6月時点）
ユーロ加盟国と、8カ国（ブルガリア、チェコ、デンマーク、ハンガリー、ポーランド、ルーマニア、スウェーデン）

欧州中央銀行の目的
・ユーロ加盟国の物価の安定
・物価の安定を妨げない範囲のEUの経済政策支援

第14章 経済・金融に関する用語

金融緩和 / 金融引き締め

金融緩和は、中央銀行がお金の流通量を増やし、民間の投資を促そうとする政策。引き締めは流通量を減らす政策。

> スカートのゴムを「緩和」するとお腹がホッ。気持ちもゆったり、血液が全身を巡って心身が活性化しそうです。お金も同じかな？

中央銀行などが、短期金融市場の資金量を調節すると、同時に短期金融市場の金利も動きます。どちらも金融政策でコントロールする手段です。資金量と金利は、表裏一体です。

金融緩和は、市場の資金量を増やしたり、**短期金利**を下げたりする調節です。金融機関の貸出金利の低下とともに、貸出金額の増加が促され、経済活動を活発にする効果が期待されます。**金融引き締め**は、その逆です。資金量を減らすか短期金利を上げる政策です。金融機関の貸出金利が上がると、民間は利息の負担が増え、利益が減ります。**企業業績**が鈍くなり、景気を冷やす効果が期待される政策です。

日本では、長引く**デフレ**からの克服と経済の持続的成長を促すために、金融緩和政策を続けています。一方、諸外国の多くが金融引き締めに動き出し、日本と他の国との間で金利の差が開き始めています。低金利の日本円が売られ、円安が進行しやすい状況です。

金融緩和と金融引き締め

金融引き締め
- 市中から資金を引き上げる
- 政策金利を上げる

金融緩和
- 市中に資金を大量に流す
- 政策金利を下げる

金利が高いから、借金は控えよう。今は資金を使わずに、現状のまま確実な事業にとどめておこう

金利が低いから、資金を借りよう！ 設備投資や雇用を増やそう！ 新規事業も手掛けよう

中央銀行

景気を冷やす効果

景気を活性化する効果

364

14-2 金融行政は、どのように行われているか？

財政健全化

国や地方の財源が十分な状態。目安としては、税収・税外収入より、債務の元本返済を除いた歳出の方が多い状態。

税収が増えても、歳出を抑えられないようで。アベノマスクの在庫は今どこに？ 我が家もどこかにあるはずだけど（笑）。

　国や地方の財政が公的事業の経費を上回って財源が十分にある状態は、健全であると言えます。とはいえ、日本国の財政は年々多額の国債を発行し、債務残高が毎年積み上がり、毎年の歳出に占める債務償還費の負担も大きくなっています。

　当面の日本の**財政健全化**の目安としては、基礎的財政収支が黒字であるプライマリー・バランスがゼロ以上を目指しています。これは、その年の国民生活に必要な支出を、国債を発行せずに賄える状態です。

　国の財政が健全でなければ、その国の国債の信用性が低下し、国債価格が下落します。国債価格の下落は、裏返せば金利上昇のことであり、新規の国債発行や企業の借入れの金利が高く設定されれば、さらなる財政悪化や景気停滞につながります。

財政健全化への道筋

- **2014年度（当初）** プライマリー・バランスは18兆円の赤字
- **2015年度** プライマリー・バランスは赤字。GDP比半減
- **2020年度** プライマリー・バランスの黒字化
- 先送り
- **2025年度** プライマリー・バランスの黒字化

投資家から、「日本は本気で財政健全化を目指していない」と見られる？

いよいよ棚上げ？

14-3 景気指標を、どのように判断するか？

> 景気を示すマクロ指標は、株式投資には必要です。最低限知っておきたい景気指標を取り上げます。

GDP 国内の経済活動から生み出される付加価値の合計額。一定期間内の一国内の経済活動の規模や動向を示す指標。日本企業が国外で生み出した付加価値は、含まれない。

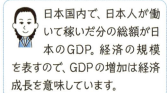

日本国内で、日本人が働いて稼いだ分の総額が日本のGDP。経済の規模を表すので、GDPの増加は経済成長を意味しています。

1つの国の経済の流れの各段階で生み出した付加価値の総額が**GDP**（Gross Domestic Product：**国内総生産**）です。材料やネタに手を加えた「加工」や「ノウハウ」が「付加価値」で、これを全産業で足したものです。

なお、「経済成長率」は、その国の経済活動の規模の伸びを表すデータで、GDPの前年比の変化率です。経済成長率が大きければ、その国の産業全体の利益や、国民の所得が増えていることになります。物価の変動を考慮して調整した経済成長率を「実質経済成長率」と言い、調整する前のデータを「名目経済成長率」と言います。

経済の流れと付加価値

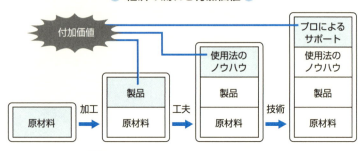

! GDPは新しく生み出した付加価値の合計

14-3 景気指標を、どのように判断するか？

景気動向指数

内閣府が毎月発表している、景気の現状と、上向きや下向きなどの転換を総合的に見る指標。景気の方向性を見るDIと、量を見るCIがある。

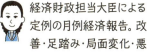
経済財政担当大臣による定例の月例経済報告。改善・足踏み・局面変化・悪化・下げ止まりの表現は、景気動向指数の動きを見て判断されます。

景気動向指数は、景気の動きを総合的に見るためにいくつかの指標を組み合わせた景気指標です。現在は、生産、雇用、販売、お金の流れ、法人税収入などあらゆる側面を網羅した30項目が利用されています。それぞれの指標に基づいて、景気の改善、横ばい、悪化といった転換局面の判断や予測が下されます。

採用されている一つひとつの景気指標にはそれぞれ特徴があり、これらの景気指標を統合して1つの指標に合成した指数で、景気全体の動向を把握します。各指標をグループ分けし、景気を先取りして動く「先行指数」、景気と並行して動く「一致指数」、景気に遅れて動く「遅行指数」にまとめて検証と予測に使っています。

景気動向指数を構成する30の指標（2021年1月分以降）

先行指数: 最終需要財在庫率指数、鉱工業生産財在庫率指数、新規求人数（除学卒）、実質機械受注（製造業）、新設住宅着工床面積、消費者態度指数、日経商品指数（42種総合）、マネーストック（M2）、東証株価指数、投資環境指数（製造業）、中小企業売上見通しDI

景気に対して先行して動く指標

一致指数: 生産指数（鉱工業）、鉱工業生産財出荷指数、耐久消費財出荷指数、労働投入量指数（調査産業計）、投資財出荷指数（除輸送機械）、商業販売額（小売業）、商業販売額（卸売業）、営業利益（全産業）、有効求人倍率（除学卒）、輸出数量指数

景気とほぼ一致して動く指標

遅行指数: 第3次産業活動指数（対事業所サービス業）、常用雇用指数（調査産業計）、実質法人企業設備投資（全産業）、家計消費支出（全国勤労者世帯、名目）、法人税収入、完全失業率、きまって支給する給与（製造業、名目）、消費者物価指数（生鮮食料品を除く総合）、最終需要財在庫指数

景気より遅れて動く指標

第14章　経済・金融に関する用語

日銀短観

日本銀行（日銀）が3ヵ月ごとに実施する民間企業の景況感や設備投資計画などに関する調査。「短観」と呼ばれ、正式名称は「企業短期観測調査」。

> 海外投資家からも「TANKAN」と呼ばれ、注目が集まります。日銀の英語版Webサイトでアクセス数トップは短観のページだとか。

日銀短観は、1万社を超える各企業の経営者に**企業業績**、資金繰り、雇用など業況全般の見通しを問うマインド調査です。

短観の中でも特に大企業・製造業のDI（Diffusion Index：業況判断指数）が注目されます。経営者が感じる景気の現状や先行きに対する見方を数値化した指数で、多くの経営者の考えが反映していることから、経済予測として重要視されています。景気の方向は、企業や家計など経済に参加する人の気持ちが決定するからです。特に、調査の回答時点の状況と、3ヵ月後の「先行き」の見通しが注目されます。

日銀短観は、**日本銀行（日銀）**という金融政策当局自身が調査している点、質問紙の回収率が高い点、速報性があるという点で信頼性が高く、景気判断の重要な目安になっています。

●●● 日銀短観の調査方法 ●●●

貴社の業況についてどのように判断しますか？

質問

例えば、回答の割合が次のようになったとすると…

良い	さほど良くない	悪い
40%	40%	20%

（「良い」40％）ー（「悪い」20％）＝＋20％

業況判断指数（DI）は良いと答えた割合から、悪いと答えた割合を引いて求める。したがって、DIの最高は＋100％、最低は－100％。

14-3 景気指標を、どのように判断するか？

鉱工業生産指数

毎月、鉱業と製造業の一部が生産した量を、ある時期を基準とした指数にまとめた指標。生産動向を知る重要な指標。

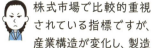

株式市場で比較的重視されている指標ですが、産業構造が変化し、製造業よりサービス業の指標に目を向ける時が来ているのでは？

鉱工業生産指数は、経済産業省が毎月発表する、主に製造業の活動をさまざまな観点で調査・集計した鉱工業指数のうちの生産部門の指数です。石油、鉄鋼、機械、繊維、化学、食料品、非鉄金属、紙・パルプなどから現在は412品目を選んで算出、ほとんどの製造業を網羅し、生産動向を測る上では重要な指標です。毎月発表されることと、調査から発表までの期間が短いことから、足下の景気動向を把握しやすいとされています。基準年の値を100とし、指数が算出されます。現在の基準年は2015年です。

商品の売れ行きが良ければ、製造業では生産を増やします。ただし、これだけで景気判断をするのはやや危険です。経済全体を見るには生産面だけではなく、在庫の量についてもチェックする必要があります。鉱工業指数は8種類あり、主なものに「出荷」を見る鉱工業出荷指数と「在庫」を見る鉱工業在庫指数もあります。

鉱工業指数と景気循環

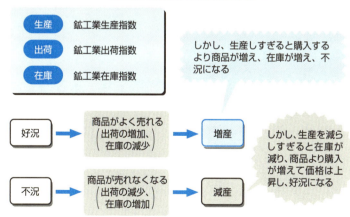

第14章　経済・金融に関する用語

消費者物価指数

毎月1回総務省統計局が発表している、消費者が商品やサービスを購入する際の値段の動きを表す指数。全国と東京都区部の2種類がある。

日本の消費者物価指数は、家電やパソコンなどの価格の影響が大きく、円安が指数を押し上げます。多くが海外で製造される輸入品だからです。

消費者物価指数では、一般の世帯の消費生活に必要な商品やサービスがどのような物価変動の影響を受けているかがわかります。一般消費者の家計支出の中でも買う回数が多く、いつの時代でも求められる日常的な商品やサービスの582品目の値段を調査して、指数にします。毎月中旬の小売りの値段が調査対象です。

調査結果は、基準年を100の指数で表しますが、基準となる年は5年ごとに更新され、現在は2020年基準を採用しています。東京都区部の指数はその月内に、全国の指数は翌月中に発表されています。

物価を表す指標は、ほかに**日本銀行（日銀）**が発表する企業物価指数（旧卸売物価指数）があります。企業物価指数は、企業間での出荷、卸売段階での商品価格を示したものです。

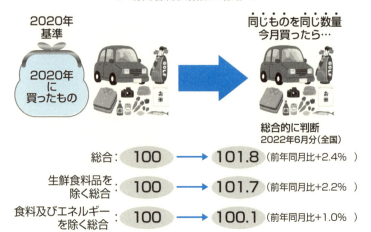

消費者物価指数の推移

マネーストック

経済全体に流通している通貨の量のこと。企業や個人、地方公共団体などが持っている通貨の残高合計。金融機関や政府が持つ預金などは対象外。

> 「金融緩和をしても、銀行の貸し出しが増えなければ（魅力的な融資先がなければ）マネーストックは増えない」と言われますが、本当なのでしょうか？

マネーストックは、お金の流通量を表す指標です。毎月、**日本銀行（日銀）**から前年比の伸び率が発表されます。2008年6月よりマネーサプライ（通貨供給量）はマネーストックに名称を換え、対象の金融商品も見直しました。日銀はマネタリーサーベイで「M3（現金通貨＋預金通貨＋準通貨＋CD）」の変動を公表しています。「預金通貨」とは当座預金、普通預金、貯蓄預金などを指します。「準通貨」とは定期預金、定期積金、外貨預金などで、CD（Certificate of Deposit）は譲渡性預金です。

現金通貨（お金）の流通量は、経済が活発なら増加、不況なら減少します。マネーストックから景気の先行きを予測できます。

日銀の金融政策では、景気悪化と判断した場合、金利を下げるなどしてお金の量を増加させて景気を刺激します。

マネタリーベースとマネーストックの関係

日本銀行 → 金融政策で民間金融機関に資金が流入

マネタリーベース の増加
中央銀行が供給する通貨
日銀当座預金や民間銀行が保有する現金を含む

信用創造機能により資金量が増加

銀行　銀行　銀行

マネーストック の増加
中央銀行と民間銀行から経済に対して供給される通貨

第14章　経済・金融に関する用語

機械受注統計

主要な機械製造業者を対象として、その顧客である各業界のメーカーからの1ヵ月の受注状況を集計した統計。

本文にあるように、機械受注統計は景気の先行指標ですが、なんせ発表が遅い。翌々月の10日前後、1ヵ月以上経過後の公表です。

　民間企業の設備投資は、景気のエンジンです。各メーカーがどれだけ産業用機械の設備投資を行っているかは、「機械製造業者の受注する設備用機械類の受注状況」から調べることができます。これが**機械受注統計**です。設備投資のために機械の注文を受けた段階の金額なので、景気の先行指数です。内閣府の経済社会総合研究所が機械製造業者280社を対象に調査し、公表しています。

　受注の内容は、海外からの受注（外需）、官公庁からの受注（官公需）、国内民間企業からの受注（民需）に分けられます。通常は、「船舶・電力を除く民需」が6ヵ月から9ヵ月先の民間設備投資動向の先行指標として注目されています。船舶および電力会社からの受注を除いて統計を作成するのは、これらの規模が大きく不規則であること、受注から納品までの期間が長いこと、これらの**業種**は景気との対応性が薄いことなどから、投資意欲の実態把握には不適切だからです。

　なお、機械受注統計は毎月の変動が大きく、事前の予想とのズレが大きいこともあるので注意が必要です。

●●● 機械受注統計は景気の先行指標 ●●●

!　機械受注統計で、景気の先行きを判断

372

14-3 景気指標を、どのように判断するか？

完全失業率

労働力人口に占める、現在、仕事をせずに仕事探しをしている人の割合。総務省統計局の「労働力調査」で発表される。

> 「景気が悪く仕事を探しても無駄だ」という人は、完全失業者にカウントされません。不況が深刻だと、数字上の結果が良くなることも。

完全失業率は、労働力人口のうちの完全失業者の割合を示します。一般的に、従業員を解雇するのは最終的な手段。完全失業者数は、景気が悪くなり始めの頃には目立たないことがあります。景気の遅行指数です。

完全失業者の定義は、「調査期間中に少しも仕事をしなかった人で、仕事があればすぐ働くことができ、求職活動や事業開始準備をしていた者」です。15歳以上で働いている「就業者」と「完全失業者」の合計のうち、「完全失業者」の割合が完全失業率です。

2018年からは、四半期ごとに未活用労働指標が公表されています。非労働人口で働きたいと思っていたり、パートタイマーでもっと働きたいと思っていたりする人を把握するためです。

完全失業率の計算方法

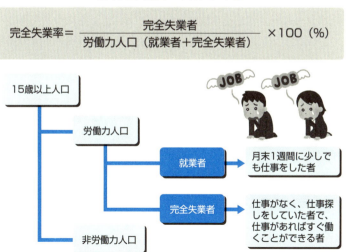

$$完全失業率 = \frac{完全失業者}{労働力人口（就業者＋完全失業者）} \times 100 \,(\%)$$

第14章 経済・金融に関する用語

有効求人倍率

全国のハローワーク（職業安定所）に登録された求職者数に対する求人数の割合。雇用状況を示す指標。厚生労働省が調査、発表する。

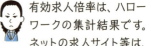
有効求人倍率は、ハローワークの集計結果です。ネットの求人サイト等は、反映されていません。統計としてそろそろ見直しが必要な時期かもしれません。

有効求人倍率は、全国の公共職業安定所（ハローワーク）に登録された求職者数に対する、月間申込求人数を示した割合です。有効求人数を有効求職者数で割って求めます。この数値で、求職者1人に対し、どのくらいの職のニーズがあるかがわかります。

有効求人倍率は、**完全失業率**と並び雇用の状況を知る重要な統計です。新規に学校を卒業する「新卒者」に対する求人と求職は含みません。有効求人倍率が1倍を超えると求職者以上の求人募集があるということです。1倍を下回ると求人が少ないことを意味します。このような雇用に対するニーズから、景気判断ができます。

景気動向指数の構成において、完全失業率は景気に遅れて動く遅行指数ですが、有効求人倍率は一致指数です。景気の現状として注目されています。なお、有効求人倍率は前々月からの求人、求職の数を月間の有効数として集計します。その月だけの新規求職者数と新規求人数の割合を「新規求人倍率」と言い、こちらは景気に先行する指数です。

有効求人倍率の計算方法

$$\text{有効求人倍率（倍）} = \frac{\text{前々月からの求人数（有効求人数）}}{\text{前々月からの求職者数＋それ以前からの雇用保険受給者数（有効求職者数）}}$$

14-3 景気指標を、どのように判断するか？

米国雇用統計

米国の雇用情勢を表す代表的な指標。投資家の注目度が高く、市場に与える影響が大きいため「お祭り」とも呼ばれる。

> 米国企業は従業員に対してドライ。業績が悪くなれば解雇、良くなれば採用を繰り返すため、雇用者数が景気を色濃く反映します。

世界各国で、雇用に関する統計は景気を反映する指標として注目されますが、特に**米国雇用統計**は注目度が高いです。毎月、第1金曜日に米国労働省から発表されます。政府発表の指標で一番早い統計のため、関心が集まります。米国の雇用統計は10数項目あり、そのうち「非農業部門雇用者数」と「失業率」が注目されます。米国の株式市場は雇用統計の結果の影響を強く受ける傾向があり、アナリストなどによる事前予想の値と発表値の差が大きければ市場に**サプライズ**を与えます。さらに日本の株式市場もその余波を受けることが多くなっています。

労働者が増えれば消費も増え、物価や資産価値が上昇し好景気と判断されます。米国では**GDP**のうち個人消費が7割を占め、**FRB**の金融政策は雇用統計を重視します。

● ● 米国企業の雇用調整 ● ●

企業収益悪化 → 従業員削減 → コスト削減

業績回復

景気を映す鏡 ← 米国雇用統計

従業員採用 ← 所得増加 ← 消費が活発に

第14章 経済・金融に関する用語

PMI 企業の購買担当者らに受注や生産、雇用等の景況感を聞き、集計した経済指標。景気の方向性を示し、速報性がある。

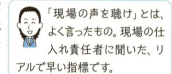

「現場の声を聴け」とは、よく言ったもの。現場の仕入れ責任者に聞いた、リアルで早い指標です。

　企業の購買担当者は、景気の動向を参照し、在庫や生産ラインを確認しながら原材料を仕入れます。彼らの景況感を指数化したものが **PMI** (Purchasing Manager's Index：**購買担当者景気指数**) です。

　PMIは、経済の先行きを見る指標です。他の統計よりも景気に対する先行性があるとされ、株式投資の判断などに使われる、注目度の高い指標の1つとなっています。一般的に、値が50を超えると景気拡大、50を割り込むと景気後退と判断されます。

　PMIは世界各国で集計、発表されています。また、**業種別**に集計されており、製造業、非製造業の区分でも集計されています。特に製造業のPMIが注目されています。米国のISM社が公表するPMI指数が有名です。近年では、中国のPMIにも関心が集まっています。

企業内で景気に敏感な担当者へのアンケート

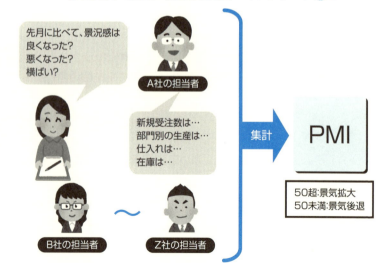

14-3 景気指標を、どのように判断するか？

インフレ/デフレ

インフレは物価が上がり続ける現象。デフレは物価が下がり続ける現象。

> 世の中にお金が出回ると、インフレに……は教科書の世界。お金を回さず、タンスにしまえば変化なし。

　物価は、商品やサービスに対する**需要と供給**のバランスで決まります。需要は「買いたい」という意欲で、供給は、生産や在庫、提供するサービスの量です。この両者の相対的な強弱が決め手です。

　商品やサービスの供給が少ないと取り合いになり、値上がりします。さらに今後も値上がりしそうだと思えば、人々は買い急ぎ、なお価格はつり上がります。景気が良く、消費や設備投資にお金を回せる時に起こりやすい状態が**インフレ（インフレーション）**です。商品やサービスよりも、お金の価値が低いと言えます。

　反対に、商品やサービスの供給が多いと、物価が下がります。さらなる値下がりの前に売り切りたいと思う供給側がさらに値下げをし、継続して下がり続ける状態が**デフレ（デフレーション）**です。景気が悪く、買い控えが進むと起こります。この時、お金の価値は相対的に高いと言えます。

●●● **インフレとデフレ** ●●●

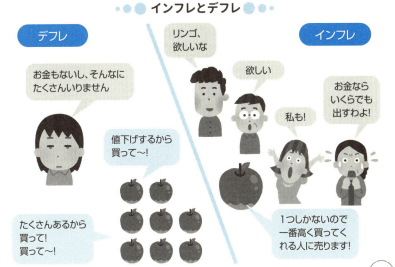

スタグフレーション

停滞とインフレの合成語。景気停滞と物価高が同時に起こっている状況を指す。

我が家の収入が落ち込む中、あれもこれも値上げ。ああ、我が家計もスタグフレーション。

スタグフレーション (stagflation) とは、stagnation (停滞) と inflation (**インフレーション**) を合わせた造語です。

通常は、好景気の時に物価が上がります。景気が良く、収入アップの期待があれば、消費は活発になります。よく売れるなら原材料は不足し、小売価格も上がって自然とインフレになります。

一方、スタグフレーションは、景気が良くないのにインフレが同時に起こる現象です。これには景気サイクルのズレや、国内景気以外の事情が考えられます。また最近では、不景気の中で原油や半導体などの供給が細り、需給ひっ迫によって物価が上昇しています。海外製品の値上げや円安で輸入品の価格上昇もスタグフレーションの要因と言えます。

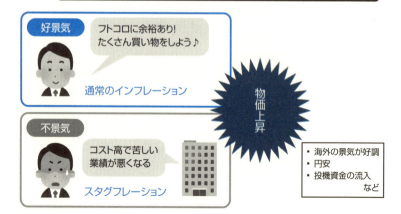

第15章

最近の投資環境に関する用語

経済環境の変化とともに、投資環境も
日々変化しています。最近の投資環境に
関する用語を確認しておきましょう。

第15章 最近の投資環境に関する用語

15-1 最近の投資環境は、どうなっているか？

最近の投資環境は、グローバル化と資源価格の動向が背景になっています。

SDGs 世界の問題を解決し、持続可能な社会のために世界各国が2015年9月の国連総会で合意した、2030年までの達成を目指す17の目標と169のターゲット。

特に若い世代がSDGsに関心を寄せています。家事をやらないオジサン世代、バッヂつけて実行した気になってはダメですよ！

SDGs (Sustainable Development Goals) は、**持続可能な開発目標**と訳されます。国連に加盟する193カ国が達成を目指す目標です。

国連は、民間を課題解決の担い手として位置付けています。民間企業は、自社に合うSDGsの目標を経営戦略に取り込み、社会貢献だけでなく、収益を上げる事業としての動きが見られるようになりました。

また、**機関投資家**が投資先を選ぶ際、**SRI**や**ESG**の観点は欠かせません。SDGsに積極的な企業に資金を投じて社会に変化をもたらす**インパクト投資**への関心も高まっています。**株式**や**グリーンボンド**などの**債券**を発行する会社は、SDGsへの具体的な貢献を**統合報告書**に記載しています。

SDGsの17の目標

1	貧困をなくそう	7	エネルギーをみんなにそしてクリーンに	12	つくる責任 つかう責任
2	飢餓をゼロに	8	働きがいも経済成長も	13	気候変動に具体的な対策を
3	すべての人に健康と福祉を	9	産業と技術革新の基盤をつくろう	14	海の豊かさを守ろう
4	質の高い教育をみんなに	10	人や国の不平等をなくそう	15	陸の豊かさも守ろう
5	ジェンダー平等を実現しよう	11	住み続けられるまちづくりを	16	平和と公正をすべての人に
6	安全な水とトイレを世界中に			17	パートナーシップで目標を達成しよう

ESG

環境、社会、企業統治の3分野のこと。各分野の英語の頭文字をつないだ言葉。これらの意識は、会社の持続的な成長につながると考えられている。

> 「短期的な視野で"株で儲けた""損した"はもうイヤ。長い目で投資したい!」という方にお勧めしたい判断基準です。

ESGは、環境(Environment)、社会(Social)、企業統治(Governance)の頭文字です。これらに高い意識を持った経営の会社は、長期的に成長するという考え方に基づきます。個々の会社がESGの意識を高めれば、経済全体も持続的成長すると考えられています。

環境は地球温暖化問題への対策など、社会は顧客や労働者、地域住民との関係など、企業統治は健全な経営のための仕組みです。

ESG投資は、財務情報だけでなくESGへの取り組みに積極的な会社を評価する投資方針です。**投資信託**のテーマにもなっており、個人投資家の関心も高まっています。**SRI**と基本的に同義ですが、会社が社会から求められる課題の広がりに応じてSRIが発展した考え方がESGだと言えます。さらに**SDGs**は、投資の側面だけでなく、さまざまな立場から目指す開発目標で、全世界が目指すべき目標となっています。

ESGの具体的な例

環境 (Environment)	温室効果ガスの排出量削減、エネルギー使用量の制限、環境への対応策、資源リサイクル率の向上、廃棄物排出量の削減、環境保全活動など	
社会 (Social)	多様な人材の積極的活用、ワークライフバランスへの取り組み、女性活躍推進、従業員の健康促進、募金活動、地域貢献活動、支援活動など	
企業統治 (Governance)	経営の透明性、社外取締役の設置、資本効率化、情報開示、コンプライアンスの強化、内部通報制度、取締役会の実効性向上など	

第15章 最近の投資環境に関する用語

SRI

社会的責任投資。投資判断の1つの基準。会社の社会に対する責任を投資家が評価し、それを倫理面の投資基準に当てはめて判断をし、投資をすること。

> SRI意識の高い企業は、その意識自体が企業価値を高める傾向があります。株価は人気投票、投資判断には見逃せない一面です。

投資家が**株式**や**債券**などを通じて会社への投資をする際に、以前は財務内容や**企業業績**を重視して判断をしていましたが、近年では倫理面や環境対策・人材の登用への取り組みなど社会的な側面を加えて評価するようになりました。この社会的責任への取り組みを評価し、それを投資基準にして判断、投資をすることを**SRI**（Socially Responsible Investment：**社会的責任投資**）と言います。具体的には、**法令遵守（コンプライアンス）**や雇用問題、人権問題、消費者への対応、環境問題への取り組み、地域社会への貢献などが評価項目です。

なお、CSR（Corporate Social Responsibility：企業の社会的責任）という近い言葉がありますが、これはどちらかと言えば、消費者から見た会社の社会的責任活動を指すことが多く、SRIは投資家から見た会社の社会的責任の評価である点に違いがあります。

SRIによる会社の評価

従来からの評価
- 業績の伸びが著しい
- 財務内容が強固で安定性がある

などの財務基盤による評価

すばらしい会社だ。投資しよう！（投資家）

SRIによる評価
- 環境への取り組みが積極的
- 顧客対応に熱心である
- 女性・高齢者などの人材の登用に積極的
- 社会貢献に取り組んでいる

などを財務基盤の評価に加える

すばらしい会社ね。この会社の商品を買うわ！（消費者）

15-1 最近の投資環境は、どうなっているか？

BRICs
ブラジル、ロシア、インド、中国を指す言葉。経済成長の見込まれる新興国として、ゴールドマン・サックス社が命名し、一般的にも使われるようになった。

> BRICsとひとくくりにされて、はや10年。各国の成長ペース、目指すところのズレや経済力に差が出ているように感じます。

BRICs（ブリックス）は、ブラジル、ロシア、インド、中国の頭文字をつなげた言葉です。米国の**証券会社**、ゴールドマン・サックス社が「人口が多く力強い経済成長が見込まれる国々」として2003年に命名し、投資の世界のみならず産業界で急速に広まった造語です。4ヵ国とも、広大な土地と天然資源に恵まれているという共通点を持っています。しかし、**リーマン・ショック**後あたりからのBRICsを取り巻く環境は厳しくなっています。さらには、経済の自由化とともに貧富の格差が広がりました。

インフラ整備や緊急時対応のため、BRICs開発銀行と外貨準備基金が設立されています。世界通貨基金（IMF）や世界銀行では欧米が強力で、新興国に発言権が与えられていない現状を打破する狙いもあります。

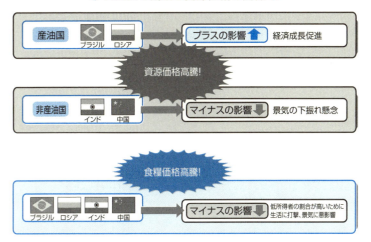

BRICsの成長と資源価格の関係

第15章　最近の投資環境に関する用語

ASEAN

東南アジアの10カ国による政府同士の地域協力の組織。本部はジャカルタ。2020年の加盟国総人口は、6億6713万人で日本の約5.3倍。

俳優で歌手の杉良太郎さんは、日・ASEAN特別大使として長年、ベトナムで支援活動を行い、友好親善に尽力しています。

ASEAN（Asociation of SouthEast Asian Nations：**東南アジア諸国連合**）は、1967年に5カ国で設立され、現在の加盟国は、インドネシア、カンボジア、シンガポール、タイ、フィリピン、ブルネイ、ベトナム、マレーシア、ミャンマー、ラオスの10カ国です。地域内の経済成長、社会・文化的発展の促進、政治・経済的安定や、域内の問題解決のための協力組織です。

ASEANは、日本とは古くから協力関係を築いてきた地域です。貿易、投資、観光などの経済活動のほか、さまざまな分野で交流しています。ASEANはさらに、域外の国や地域との協力も行っています。

ASEAN地域は、1997〜98年のアジア通貨危機を乗り越え、さらに結束を固めるため、2015年にASEAN経済共同体（AEC）が設立され、高い経済成長が世界各国から注目されています。

日本企業によるASEAN向け投資の特徴

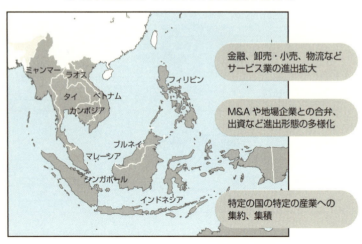

アベノミクス

2012年12月に発足した、第2次安倍晋三内閣の経済政策。持続的な経済成長による富の拡大を目指す。

> アベノミクスを人間の健康管理に例えれば、第1の矢は薬、第2の矢が止血剤、第3の矢は体を鍛えること、と言えそうです。

アベノミクス政策の柱は、「3本の矢」に例えられます。「大胆な金融政策」が1本目の矢。本丸と呼ばれ、一番力を入れたところです。**金融緩和**でお金の流通量を増やし、人々の**デフレマインド**を払しょくする政策です。「機動的な財政出動」が2本目の矢。国土強靭化を掲げての公共工事等、経済対策で政府自らが率先して需要を創り出す政策です。「民間投資を喚起する成長戦略」が3本目の矢。規制緩和や税制改革を通じて、民間の投資や消費を掘り起こそうというものです。

GDP成長率が10年間の平均で3%に達することを目標に掲げ、**企業業績**は順調に伸びたものの、デフレ脱却は進みませんでした。消費が盛り上がらないまま、新型コロナウイルスが発生。アベノミクスは未完のまま、首相交代となりました。

アベノミクス3本の矢

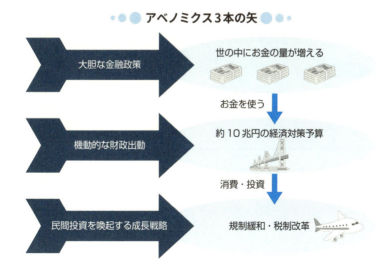

第15章　最近の投資環境に関する用語

消費税率引き上げ

2014年4月1日に、消費税の税率が5%から8%に引き上げられ、2019年10月には10%になった。

掛け算の「8の段」より10%の方が計算をしやすいけれど……。やっぱり負担はキツイ。とはいえ政府のお財布が厳しいのも困ります。

　2014年4月の消費税率5%から8%への引き上げは、個人消費への影響に注目が集まりました。それまでは、**アベノミクス**政策による効果で、個人消費が好転していたからです。3月中の駆け込み需要、4月以降の反動減は、1997年4月に3%から5%に引き上げられた時より山が高く、谷も低かったことが統計で示されています。反動減について、政府では、「想定の中で最も悪い数字に近い」という認識です。8%への増税で、アベノミクスの成功が吹き飛んでしまいました。

　その後、2015年10月に予定していた増税を見送り、次の2017年4月も再度先送りをして、2019年10月に消費税率が10%になりました。増税による税収増を社会保障に充てることになっていましたが、2020年に入って新型コロナウイルスが発生し、感染が拡大すると、財政はより一層悪化してしまいました。

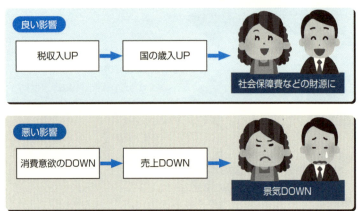
消費税率引き上げの良い影響、悪い影響

15-1 最近の投資環境は、どうなっているか？

フィンテック

金融（ファイナンス）とテクノロジーを掛け合わせた造語。IT技術を活用して、金融分野の新しいサービスが誕生している。

> キャッシュレスやロボアドのみならず、家計簿アプリ、おつり貯金アプリ、ポイント投資アプリ。スマホには、フィンテックがぎっしり！

情報通信技術の発達やAIの開発などを背景に、金融サービスが革新的な動きをしています。融資やローンの与信管理、ビッグデータを活用した保険業務、複数の金融口座を一元化する資産管理などに活用されています。身近な例としては、スマホ決済などの電子マネー、**暗号資産（仮想通貨）**に使われているブロックチェーン技術、**ロボアド**などが挙げられます。

従来の買い物は現金が主流でしたが、決済手段が多様化したのは**フィンテック**（FinTech）のおかげです。フィンテックにより、お金の移動が低コストで、早く、便利になりました。従来の金融サービスに付加価値がついたと言えます。また、金融サービスが十分普及していなかった途上国や新興国でもスムーズな支払いや送金が可能になり、ビジネス社会のみならず、世界中の人々の生活に寄与しています。

便利になった一方で、IDやパスワード等の個人情報の厳重な管理や、金融リテラシーの向上など、利用に際して、個人の留意点があることには意識を向けたいものです。

フィンテックで決済が便利に

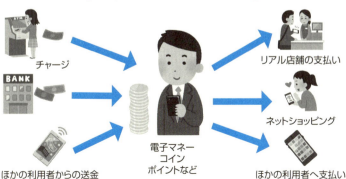

第15章 最近の投資環境に関する用語

ロボアド

ロボットアドバイザー。AI（人工知能）を活用して資産運用を自ら行ったり、最適な運用配分を指南したりするサービス。

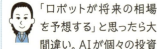
「ロボットが将来の相場を予想する」と思ったら大間違い。AIが個々の投資家に合った運用プランを提案するものです。

ロボアド（ロボットアドバイザー）が誕生した背景には、AI（人工知能）などの情報技術革新があります。ロボアドには、「運用一任型」と「アドバイス型」の2つのタイプがあります。

「運用一任型」は、投資一任契約を結ぶ、いわば「お任せ型」です。その投資家にとって最適なポートフォリオをロボアドが算出し、それに沿った資産運用を自動的に行います。必要に応じてリバランスを行うなど、合理的な運用が期待できます。預かり資産に応じた手数料を支払うのが一般的です。

「アドバイス型」は、用意された簡単な質問に投資家が回答し、**リスク**許容度や投資方針、性格などをロボアドが総合的に判断して、最適な運用プランを提案するツールです。その先の金融商品の選択や購入手続き等は、投資家自身が行います。一般にロボアド利用の手数料は無料で、金融商品の売買等の手数料が必要です。

「アドバイス型」のロボアド

- 年齢は?
- 運用目的は?
- 年収は?
- 積立可能額は?
- 保有資産額は?
- リスクに対する考え方は?

→ あなたの資産は10年後にX%の確率で○万円になります!

＜推奨資産配分＞

15-1 最近の投資環境は、どうなっているか？

インパクト投資

環境課題や社会問題などの解決のための資金調達方法。明確な目標を打ち出して資金を集め、事業の結果、改善効果を報告する。

「社会問題の解決はお金にならない」とされてきましたが、岸田内閣の「骨太の方針」や経団連の提言などでも言及、民間の力を使おうという動きが出てきました。

インパクト投資は、従来からある概念のSRIやESG投資の延長線上にあるものの、いくつかの点で異なります。

インパクト投資は、地球環境課題や社会問題の解決について明確な目標を定め、事業の改善効果を測定し、報告することになっています。また、理念を掲げたボランティアではなく、金銭的なリターンを追求します。インパクト投資では、ルールや透明性、投資家からの信頼が不可欠です。

地球環境や社会を取り巻く課題を考慮した投資は、進化していると言えます。初期のSRIは、環境や社会に対する問題意識を広めました。ESGは、**機関投資家**などが投資判断の基準にし、**資金調達**にはもはや欠かせない観点となりました。インパクト投資は、課題解決から得られる成果を投資基準にするものとなっています。

「インパクト」の指標が投資の尺度に

地球環境の改善＝インパクト

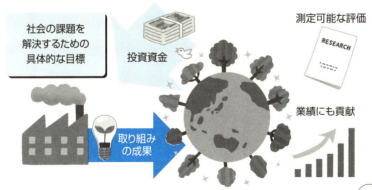

保護貿易主義

自国の産業を守るために、輸入の制限や高い関税をかけるなどの制約を課す貿易上の考えや政策のこと。

> 私は、世界中のおいしいものを好きなだけ食べたいのに。お手頃価格で日本に入ってくると嬉しいんですけどねぇ。

　外国との取引が活発になると、経済が活性化する反面、国内で不利益を被る立場の人もいます。例えば、外国から価格の安い製品が多く輸入されると、国内で同じ製品を生産する者にとっては、販売数量の落ち込みや価格低下などの悪影響を受けます。ひいては**企業業績**の低迷や雇用の悪化なども考えられます。これらの不利益を防ぐため、外国からの輸入を制限し、自国の産業を守ろうとする考えが**保護貿易主義**（保護主義）です。

　具体的な政策としては、外国からの輸入量を制限する、関税をかける、輸入時の手続きや検査などを厳しくして貿易を規制（非関税障壁）するなどがあります。

　しかし、グローバル経済では、外国との貿易が活発に行われる「自由貿易」で世界経済が発展してきました。これらを踏まえるとマーケットを自国内に限定して経済の拡大を阻害する保護貿易主義を、株式市場などではマイナス**材料**とする傾向があります。

保護貿易主義のマイナス影響

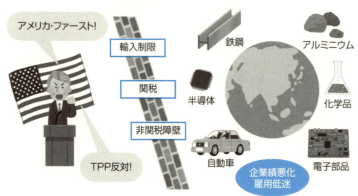

15-1 最近の投資環境は、どうなっているか？

資源価格

一般に、原油やガスなどのエネルギー、小麦やトウモロコシなどの穀物、金属などの先物価格や現物価格を資源価格と総称している。

人口減少の日本からは想像しにくいですが、世界の人口は増えています。資源の需要は高く、値段もつり上がる背景となっています。

　資源価格の変動は、燃料や原材料の代金の価格変動につながります。これらは、コストの増減を通じて**企業業績**に影響します。実際にコストとして計上されるのは現物価格ですが、投資家からは資源の先物価格が注目されます。先行きの価格変動や景気予測に大きく影響し、企業活動の計画や投資家の判断に重要だからです。特に関心が高いのは、WTI（West Texas Intermediate：米国の代表的な原油）の先物価格、NYの金相場などです。

　2001年の**アメリカ同時多発テロ**や、2022年のウクライナ侵攻で**地政学的リスク**が高まり、原油価格の資源価格高騰が進みました。資源価格の急激な高騰は、世界各国の需要国のコスト負担を圧迫し、景気に悪影響を与えます。

　新しいエネルギーとしてシェールガスやシェールオイルに期待が高まっています。採掘技術が進歩し、本格的なシェール革命になれば、資源価格の押し下げに働きます。

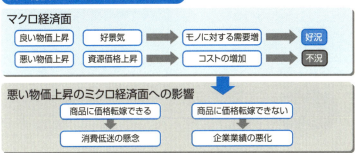
資源高が経済に与える影響

第15章 最近の投資環境に関する用語

15-2 株価が暴落した大きな出来事は何か？

金融や経済の歴史的な事件や、市場に大きな影響を与えた事象に関する用語をここで確認しておきましょう。

バブル 特に理由もなく過度に上昇し続けて過熱した相場が泡のように膨らみ、ある水準に達してから泡がはじけるように急に反転すること。

> バブルの最中は、多くの人がバブルだと気づかないものです。はじけて初めて「あれはバブルだったのだ」と気づくも、すでに遅し。

バブルとは、「泡」です。**株式**や通貨、不動産などの価値が経済的な実力の水準を大幅に上回る異常な過熱状態です。「バブル崩壊」は、過熱状態が解消して急速に妥当な価値に戻ることや、バブルの反動や副作用が悪**材料**となって価値が適正水準以下になることです。

日本では、1986年以降の低金利政策による潤沢な資金を背景に、株式や土地価格が実質価値以上に膨れ、バブル経済に発展しました。

●●● バブルの発生から崩壊まで ●●●

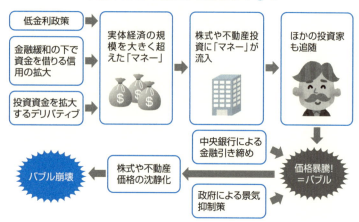

15-2 株価が暴落した大きな出来事は何か?

地政学的リスク

ある特定の地域に起こっている政治的・軍事的要因によって、周辺地域の経済や金融市場などに及ぼす悪影響や不安。地政学リスクとも。

 日本も、北朝鮮の動向によって地政学的リスクが高まる時があります。ロシアや中東などの情勢によっては、エネルギー価格に悪影響も。

世界各国には、緊張の高まっている国や地域が多数存在します。紛争や戦争やテロ、それらに起因する経済危機などが具体的な**地政学的リスク**の要因です。情勢が不安定で先行きの展開が読めない国が周辺にあれば、自国も巻き込まれかねません。周辺地域で緊張が高まっている場合、今のところ影響を受けていない国でも、将来の悪影響を不安視して通貨や**株価**が下落することがあります。また、中東などの地域紛争では、原油価格などの商品市況が高騰することもあります。

これらの市場の乱高下は、投資活動を滞らせたり、個人の消費活動を抑えたりして、経済活動を停滞させる可能性をもたらします。

地政学的リスク

戦争　テロ　紛争

↓　　　　　↓

周辺国　　場合によっては世界中

↓　　　　　↓

マーケットの混乱　　経済活動の停滞
場合によっては世界中　　原油など商品市況の高騰

第15章 最近の投資環境に関する用語

金融危機

何らかの悪材料が原因で、金融システム全体が機能しなくなる状態。信用不安や資産価値の下落、資本流出を伴う。

> お金を貸し過ぎると、リアルのお金の量よりも帳簿上のお金の量が多くなります。それを急に「返せ」となると危機になるのです。

貸し借りが健全なら、資金はスムーズに流れます。何らかの原因で機能しなくなると**金融危機**が起こります。従来の金融危機では、国内の金融機関が連鎖倒産する程度でしたが、金融のグローバル化により危機は国際間で連鎖し、規模も大きなものになっています。

2007年夏に、英米の金融機関が**サブプライムローン問題**による損失額を公表したことから、世界の金融市場には不安感が広まりました。翌2008年9月に、米国過去最大規模の負債額で**証券会社**のリーマン・ブラザーズ社が経営破たんすると、一気に世界的な金融危機に発展、欧州インターバンク市場の翌日物ドルLIBOR（ロンドン銀行間取引金利）が急上昇、資金の貸し借りが機能不全となりました（**リーマン・ショック**）。

金融危機と信用不安の関係

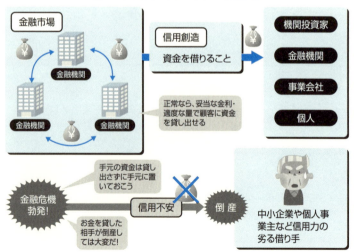

15-2 株価が暴落した大きな出来事は何か？

通貨危機

国の信用力が低下し、その国の通貨が暴落、経済活動が混乱すること。その国のみならず、世界経済にも悪影響を及ぼす。

 資金難で外国の資金を受け入れていた国が財政悪化などで信用を落とすと、外国資本が一斉に手を引き通貨暴落。危機に突入します。

通貨危機は通常、国の信用力低下で起こります。ハイパー**インフレ**、自国通貨高、経済成長の鈍化、財政赤字などが背景です。その国の通貨や国債などが売られて、不安感が強まり、さらに外国からの投資資金が一気に引き揚げに動いて、追い打ちをかけます。

1994年には、メキシコが通貨危機に襲われ、通貨を切り下げました。1997年には外貨依存の高いタイやインドネシアからアジア通貨危機が勃発し、韓国などにも通貨暴落が波及しました。さらに、翌1998年にはロシアに飛び火しルーブルが急落する事態に発展、続いて南米でもブラジルでレアルが80％下落しました。2001年には巨額な対外債務残高のアルゼンチンが通貨危機となり、国債が**デフォルト**して、日本の個人投資家にも影響が及びました。2018年8月、トルコと米国の政治的な対立を機にトルコリラが急落し、ほかの新興国通貨にも飛び火して目が離せない状況になりました。

●●● サブプライムの金融危機がヨーロッパの通貨危機に ●●●

```
┌────────────────────────────┐      ┌──────────────┐
│ 金融立国として発展してきたアイスランド、│      │ 資金難でIMFに支 │
│ ハンガリー、ウクライナなどの国々      │      │ 援を要請       │
└────────────────────────────┘      └──────────────┘
         ↓ なぜ？
┌────────────────────────────┐      ┌──────────────┐
│ 米国発サブプライムローン問題          │      │ 世界的な信用不安 │
└────────────────────────────┘      │ ＝金融機関がお金 │
                                       │ を貸したがらない  │
                                       └──────────────┘
                                              ↓ 信用収縮！
                                                資金繰り難
┌────────────────────┐    ┌──────────┐    ┌──────────┐
│ アイスランド          │         │ 国内大手3銀行 │    │ アイスランド・│
│・人口30万人で、資源が少ない│        │ が政府の管理下 │ →  │ クローナ暴落！│
│・高金利で世界中から投資資金を集める│  │ に置かれ、株式 │    └──────────┘
│  政策                │         │ 取引停止    │
└────────────────────┘         └──────────┘
```

第15章 最近の投資環境に関する用語

ブラックマンデー

1987年10月19日のニューヨーク株式市場の大暴落のこと。この暴落は、世界中の株式市場に波及した。

> ブラックマンデーの原因は大事件や問題ではなく、投資家心理の積もり積もった不安感の爆発。リスクは、常に潜んでいます。

　1987年10月19日の月曜日は、1929年10月29日の「暗黒の木曜日」より大きく下げる、ニューヨーク株式市場の大暴落が起こりました。このことを**ブラックマンデー（暗黒の月曜日）**と言います。この日の**NYダウ**は、当時2,200ドル台が1日の取引で508ドル下落し、率にしてマイナス22.6%、過去最大の下落率になりました。

　その原因は、米国の財政赤字や貿易赤字の拡大傾向、ドル安による**インフレ**懸念の浮上などと言われていますが、実は確信の持てるはっきりとした理由はわかっていません。米国の**機関投資家**によるプログラム売買（下げ幅が一定以上になると自動的に保有株式の売り指令が出る仕組み）が下落を加速させたとも見られています。

　この**株価暴落**は東京、ロンドン、フランクフルトなど世界の株式市場へも波及しました。日本では10月20日（火）に**日経平均株価**が3,836円（－14.9%）下落しています。しかし、この後、日本市場は世界同時株安からいち早く離脱し、**バブル**経済へと進むことになります。

ブラックマンデーの世界的波及

世界の株式市場は連鎖している

ITバブル インターネットビジネス関連

企業に期待を寄せすぎて、株価が実態以上に高騰し、その後、本質的価値まで下落した現象。

> それまで世になかったインターネットが登場。それで一体何ができるのかという、投資家が判断できる水準を超えていたのでしょう。

「商品の価値が実体より大きくかけ離れて上がっている状態」が**バブル**で、これは人々による過大評価で起こります。IT関連企業の**株価**に期待されすぎたのが**ITバブル（インターネットバブル）**です。ITバブルは、2000年前後に米国から発祥し世界中に波及しました。当時は、IT関連企業の将来への過大な期待で企業価値が膨らみ株価が高騰したのです。

日本でも同様で、社名やサービス名に「ネット」「ドットコム」「e-」「i」などがつくだけで注目され、株価が高騰しました。これらはベンチャー企業が多く、経営の資質、財務基盤が未熟な企業がほとんどで、実態以上の株価は、本来の価値に戻され下落するに至りました。

ITバブルが起きた理由

株価を決定する要因
- 企業の本質的価値
- 投資家による評価

IT産業の長所
- 将来性がある
- 資産を持たなくても短時間で成長できるビジネスモデル

① まずは長所に目が行き、投資家から評価を受けて、株価が上昇
② 似たような企業が追随して株価上昇
③ 本質的価値以上に株価が高騰
④ 投資家が真の企業価値を冷静に見極め
⑤ 期待を寄せすぎた企業の株価は実質的な価値まで下落

IT産業の短所
- 設立から日が浅いため、経営のノウハウを多く持ち合わせていない
- 設備投資が先行し、財務基盤が比較的弱い

第15章 最近の投資環境に関する用語

アメリカ同時多発テロ

NYの世界貿易センターとペンタゴンにハイジャック飛行機が激突したテロ事件。アルカーイダによる犯行と見られる。

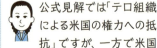
公式見解では「テロ組織による米国の権力への抵抗」ですが、一方で米国が仕組んだ自作自演説や、ブッシュ政権の共謀説なども。

　アメリカ同時多発テロとは、2001年9月11日、米国NYのマンハッタンの世界貿易センタービルとペンタゴン（米国国防総省の庁舎）に、ハイジャックされた飛行機が激突したのを始めとする4つのテロ事件のことです。アフガニスタンのイスラム過激派グループ、アルカーイダによる犯行と見られています。

　この当時、米国の景気は後退局面、**地合い**の悪い中で株式市場への衝撃は大きく、また世界の市場にも影響は及びました。米国の株式市場では、投資家の混乱を防ぐために事件当日から4営業日の間、市場が閉鎖されました。再開後、**NYダウ**平均の**株価**は当時の過去最大となる下げ幅を記録しました。米国市場は約2ヵ月後に、テロ事件前の水準に回復しました。日本の**日経平均株価**の戻りは米国より早く、他の先進国の株価も約1ヵ月後にはテロ事件前に戻りました。

アメリカ同時多発テロ後の日経平均株価の騰落率

アメリカ同時多発テロ
米国時間2001年9月11日
日本時間 9月11日の日経平均株価
終値 10,293円

発生前日から発生後の安値まで
−8.84%　約10日

発生後の1日の下げ
日本時間 2001年9月12日
−6.64%

10.27%

17.79%

発生後の安値
2001年9月21日
9,383円

発生前の株価回復
（2001年10月11日）
約1ヵ月

発生後の最初の高値
（2001年10月25日）
約1ヵ月半

ライブドア・ショック

ライブドア社による証券取引法違反の疑いや社長などのインサイダー取引違反容疑などが引き起こした株式市場の暴落。

ITバブル崩壊後は、起業ブーム。ベンチャー経営者の哲学は玉石混淆、事業への集中力に欠けた会社は化けの皮がはがされました。

2006年1月に、東京地検特捜部が**証券取引法**違反でライブドア社および堀江社長宅などに強制捜査入りしたことをきっかけに、ライブドア関連株が暴落しました。それが**ライブドア・ショック**です。これらの**銘柄**を**信用取引**の担保にしていた投資家は多く、**追証**の発生を防ぐための**換金売り**がほかの銘柄をも襲い、日本の株式市場全体に影響を与えました。また、一部の**証券会社**でライブドア株などを担保として認めない措置をとったことも、暴落を招いた一因です。捜査の手が入った直後は株価が急落しましたが、**日経平均株価**は約10日で元の水準に戻っています。

そもそも、ライブドアの規模拡大は、規制緩和で**M&A**がしやすくなったことが背景です。純粋**持株会社**の解禁、**BPS**の下限撤廃、**株式交換**制度、取引所の時間外取引などが導入され、ライブドアは、新しい制度を駆使して法のグレーゾーンを突いて**時価総額**を大きくしていったのです。

ライブドア・ショック直後の日経平均株価の騰落率

ライブドアに家宅捜索
2006年1月16日18時
1月16日 日経平均株価
16,268円

発生日終値から発生後の安値まで	発生翌日の下げ 2006年1月17日	発生前の株価回復（2006年1月27日）	発生後の最初の高値（2006年4月7日）
−7.43%　2日	−2.84%	9.3%　10日	16.62%　約2ヵ月半

発生後の安値
2006年1月18日
15,060円

第15章 最近の投資環境に関する用語

サブプライムローン問題

米国での信用力の低い人への住宅ローンの焦げ付きから、証券化商品の価格下落、金融機関に損失が生じた問題。

従来の米国では、住宅と言えば投資対象。サブプライムローン問題を経て、「家は住むもの」に意識が変わったようです。

　「サブプライムローン」とは、収入や保有資産の少ない低所得者層に貸し出す住宅ローンです。金融工学を駆使した証券化商品の開発が進んだところに、世界的なカネ余りで、世界中の投資家がサブプライムローンを組み入れた証券化商品に投資しました。しかし、米国の地価が値下がりし、サブプライムローンが焦げ付いてしまったのです。暴落したこれらを組み入れていた証券化商品に投資をしていた金融機関や**機関投資家**、**投資ファンド**などが2007年夏頃から損失を計上しました。これが**サブプライムローン問題**です。損失額は、当初の想像をはるかに超えていました。証券化ビジネスの発展でローン証券はより複雑化、それらを組み入れた金融商品の価値すら測れなくなっていました。

　サブプライムローン問題は米国発の**金融危機**に発展、世界中の**株価**が暴落しました。日本では、世界経済に連鎖した金融危機が実体経済に及び、**企業業績**を悪化させました。

住宅ローンが招いた金融危機

住宅購入資金を貸しますが、あなたからは高い金利を取ります。最初の数年だけ低い金利にしてあげましょう

住宅価格が上がっているから、金利見直し時期に来た時には住宅の担保価値も上がっているだろう。その時にまた借り換えればいいや

銀行 →融資→ 信用力の低い人 →証券化→ サブプライムローン →購入→ 金融機関／機関投資家／投資ファンド

不動産価格下落！ → 借り換えができず、当初のローンの金利上昇、返済不能に → ローンの焦げ付き損失計上 → 金融危機に発展

15-2　株価が暴落した大きな出来事は何か？

リーマン・ショック

サブプライムローン問題の影響で米国の証券会社リーマン・ブラザーズ社が事実上破たん、米国バブル経済崩壊が世界的に波及した金融危機。

> 米国発の金融危機が株価暴落を起こしただけでなく、日本の雇用や消費にも打撃を与えました。金融経済のグローバル化によって、世界中に悪影響が広がったのです。

　サブプライムローン問題後、多額の損失を計上した金融機関に対し、米英の政府や中東・アジアの**政府系ファンド**や民間金融機関が支援策を講じましたが、2008年9月、ついにリーマン・ブラザーズ社が米国最大規模の負債を抱え、事実上破たんしました。直接の理由は、サブプライムローンから派生したCDS（Credit Default Swap：クレジット・デフォルト・スワップ）という信用**リスク**を売買する取引による多額の損失です。その影響は信用不安による金融市場からの資金撤退につながり、世界中の金融システムの機能不全、不安感で世界中の株式市場が大暴落しました。

　米国内では個人の自己破産も相次ぎました。日本では米国に輸出する製品に関連する業界を中心に大きな痛手を受けました。

●●●リーマン・ショック後の日経平均株価の騰落率●●●

340.26%

米リーマン・ブラザーズ経営破たん
米国時間2008年9月15日
9月12日 日経平均株価
終値 12,215円

発生前日から発生後の安値まで	発生翌日の下げ2008年9月16日	
約1ヵ月半		75.61%
−42.73%	−4.95%	

発生後の安値
2008年10月28日
6,995円

発生前の株価回復
（2013年3月8日）
4年半

発生後の最初の高値
（2021年9月14日）
13年

401

● 第15章 最近の投資環境に関する用語

欧州財政危機

2009年10月にギリシャの新政権が前政権時代の財政に関する粉飾を発見、国債のデフォルト不安がユーロ圏に波及した危機。

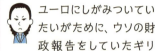

ユーロにしがみついていたいがために、ウソの財政報告をしていたギリシャ。他国も?と、疑念は世界中の不安を呼び大きな問題に。

　欧州統一通貨のユーロは、通貨が統一されていることから生じるデメリットがあります。財政事情や物価、雇用環境などが異なる国々の間で同じ通貨を使う点に難があると言われています。国ごとに事情が異なれば、統一通貨で経済の波を調節することは困難です。

　この面をカバーするためと、危機時に統一通貨圏内で連鎖しないため、**ECB**はユーロ導入国に一定の経済的基準の維持を義務付けています。基準を守るためにギリシャの前政権は粉飾をしており、実際は国債が**デフォルト**の恐れを抱えていました(ギリシャ危機)。

　新政権は財政再建に着手しましたが、厳しい財政緊縮で経済は悪循環、ギリシャ国債の**格付**は下がり、余波は通貨圏内に広がって事態からの脱却がなかなか見られませんでした。ユーロも暴落しました。

　欧州財政危機を契機に、欧州金融安定基金が創設されました。

● ● ● **欧州財政危機のきっかけ** ● ● ●

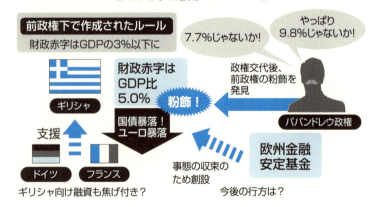

コロナショック

金融の世界では、新型コロナウイルス感染症の拡大で社会や経済が影響を受け、世界的に株価が下落したことを指す。

私たちが経験したことのない、規模の大きな感染症の拡大でしたが、意外や意外。株価は一時大暴落したものの、戻りは意外と早かった。

2019年12月、新型コロナウイルスの感染が中国で確認されました。その後、感染は世界に広がり、2020年3月に入ると欧米で拡大。世界各国の入国禁止などの措置を受け、経済の縮小が避けられないと判断した世界の株式市場では、**株価**が大きく下落しました。

2020年3月16日、**NYダウ**は過去最大幅の下落で、前営業日比2,997.10ドル安となりました。下落率は12.9%で、1987年の**ブラックマンデー**に次ぐ2番目。さらに下げて3月23日に大底をつけると上昇に転じ、11月には**コロナショック**後の高値を更新しました。

日本では、**日経平均株価**が直前の高値23,861.21円（2月12日）から、3月19日の16,552.83円（いずれも終値ベース）まで約3割下落。しかし、**リーマン・ショック**より下落率は小さく済みました。コロナショック前の高値を抜いたのは11月5日で、終値が24,105.28円となりました。

コロナショックとその後の回復の背景

第15章 最近の投資環境に関する用語

Column 株式以外の証券やデリバティブに関する用語

本文中で解説できなかった、株式以外に関する用語をご紹介します。

●(投資信託の)受益証券
　投資信託を購入し、保有していることを示す証券。現在は紙の証券ではなく、コンピュータ上で管理されている。

●基準価額
　投資信託の1口あたり(または1万口あたりなど)の値段のこと。純資産総額を投資信託の口数で割ると、基準価額が算出される。純資産総額の算出方法は、投資信託に組み入れられた株式や債券などの時価評価を行い、さらに債券の利息や株式の配当金などを加え、投資信託の運用費用などを差し引いて求める。

●ソブリン債
　国の中央政府や政府の機関、国際機関が発行する債券のこと。円建ての日本国債をあえてソブリン債と呼ぶことはほとんどなく、一般に外貨建てで発行される外国政府や外国政府機関債をソブリンと呼んでいる。さらに新興国の国債等を除いて先進国の国債や政府機関債を指している場合がほとんどである。

●レバレッジ
　てこの原理のこと。株式取引、証券取引の世界では、自己資金を超える金額の取引ができることをいう。信用取引や先物取引においては、委託証拠金の数倍の建玉代金が取引できる。

●差金決済
　信用取引や先物・オプション取引などを反対売買で決済する際、売買の差額のみを受渡しする方法。現物取引では禁じられている。

●権利行使
　オプション取引やストックオプションなどにおいて、オプションの買い手や権利を持つ者がその権利を実行すること。権利行使価格とは、そのオプションを買うとか売る権利を実行する際の取引価格。

索引

数字

1株あたり純資産 **194**
1株あたり配当金 26
1株あたり利益 **182**,197,201,202
2階建て **297**
5%ルール 219,**220**

A

ABS. **330**
ADR. 99,**100**,102,155,315
ASEAN 102,**384**

B

BPS. 94,**194**,196,201,202,399
BRICs 65,100,**383**

C

CB. 114,120,**121**,122
CD. 354,371
CDS. 401
CEO. **112**
CFD. **331**
COO **112**
CSR. 382

D

DI. 368

E

EBITDA. **188**,204
ECB. **363**,402
EDINET. 218,220
EPS. 28,94,120,**182**,196,197,201
ESG. 223,301,380,**381**,389
ETF 66,**312**,314,319
ETN. **314**
EV 204

F

EV/EBITDA倍率 203,**204**
EVA. **187**

FF金利. 362
FOMC. 361,**362**
FRB. **361**,362,375
FRS. 361,362
FSA. **359**
FX **328**,329,331

G

GDP **366**,375,385
GEM 101

H

HFT. **068**
H株. 101

I

IFRS **154**
IPO 118,124,**131**,132,133,134
IR. 81,**222**
ITバブル. **397**

J

JDR. **315**
JPX400. 243
JPX日経インデックス400. ....**251**
J-REIT. **313**,327

M

M&A 139,**140**,142,399
MBO **142**
MSCI-KOKUSAIインデックス 255

405

索引

MSCIワールド・インデックス...... **255,**
309,311

N

NASDAQ 66,72,99,100,253,254
NFT............................ **317**
NISA 303,308,339,341,**342,**
343,344,347,348
NOMURA-BPI 311
NYSE......................... 252
NYダウ 93,99,**252,**254,
309,396,398,403

P

PBR............ 94,200,201,**202,**243
PCFR......................... **203**
PER..... 94,197,200,**201,**203,206,243
PMI **376**

Q

Q-Board(福証)................. 65

R

REIT 313
ROA.................. 180,183,**184**
ROE....................... 183,**185**

S

S&P500種指数 252,**253,**256
SDGs............. 223,301,**380,**381
SEAN 65
SEC基準 **155**
SESC......................... **360**
SQ.......................... **326**
SRI............ 301,380,381,**382,**389
SWF 82

T

TDnet........................ 215
TOB........................ **141,**142
TOPIX 238,243,244,247,
249,250,309,311,312

V

VIX指数 **256**

W

WB 120,**122**

あ

相対取引 **63,**75,230,300,331
アウトパフォーム.................. **38**
アクティブ型投資信託.............. **310**
アクティブファンド **310**
アジア通貨危機 384,395
アセアン株...................... **102**
アセットバック証券.............. **330**
アナリスト 176,177
アベノミクス.................. **385,**386
アメリカ同時多発テロ.......391,**398**
粗利 158
アルゴリズム取引 **68**
アローヘッド 68
暗号資産 209,**316,**317,387
暗黒の月曜日 **396**
安全性 36,168,**189,**191,192
アンダーパフォーム **38**
アンダーライター 21
アンビシャス市場(札証) 65

い

イールドスプレッド 197,198,206
イールドレシオ.................. **206**
移管 **57**
委託売買 78

INDEX

委託保証金 276,**286**,289,
　　　　　　　　294,295,328
板寄せ **240**
一巡した.........................88
一目均衡表 **271**
一般信用取引... 276,**278**,287,293,296
移動平均線 **265**,266,267,270
委任状 106,**113**
嫌気売り **60**
インカムゲイン 198,336,**340**
インサイダー取引 209,**225**,360
インターネットバブル.............**397**
インターバンク市場 354
インデックス **244**,311
インデックス型投資信託 **309**,312
インデックスファンド 309
インバース 333
インパクト投資 301,380,**389**
インフレ 355,**377**,378,395,396
インフレリスク.....................31
陰陽足チャート **263**

● う ●

上離れ/下離れ 90
ウォール街（ニューヨーク）...... **72**,252
受渡し 48,**50**,294,324
受渡日 50
売上高 156,**157**,158,180,181
売上高営業利益率...........180,**181**
売上高設備投資比率..............186
売上高伸び率（増収率）..........186
売上高有利子負債比率...........189
売気配 237
売り越し.........................**59**
売り残 282,283
売出し 21,22,**118**
売建て 326
売返済 **291**
上値抵抗線 **268**,274
運用報告書 217

● え ●

営業外収支 159
営業キャッシュフロー 153,187,203
営業損失 158
営業利益 **158**,159,174,180,181
営業利益伸び率（増益率）........186
エクイティ・ファイナンス 114
エコノミスト.....................**177**
エリオット波動 **269**
エンジェル.....................**124**

● お ●

追証 286,**289**,296,328,399
オイルマネー 82,**83**
欧州財政危機.............363,**402**
欧州中央銀行...................**363**
大型株 **92**
大株主 **30**,79
オークション取引 **62**,230,353
大阪取引所 20,70,71,319,324
大引け 64,236,240
大引け値 45
お化粧買い 258
押し目買い......................**59**
オプション取引......32,122,318,**321**,
　　　　　　　　322,323,324,
　　　　　　　　326,327,334
オペレーション 354
親会社/子会社...138,139,150,151,152
オルタナティブ投資 **327**
終値 67,236

● か ●

会計監査人 **110**
買気配 237
外国株 98,255,315
外国為替証拠金取引.............**328**
外国人投資家 **80**,81,232
買い越し.........................**59**
買い残 282,283,296

索引

解散価値 202
会社型投資信託 313
会社更生法 **144**
会社四季報 30,**175**
会社法 26,**105**,107,108,214
買建て 326
外部要因 **233**,235
買返済 **291**
外務員 22,**23**
買い戻し 277,280,285,288,
290,**291**,292,293,326
顔合わせ **38**
価格変動リスク 31
価格優先 **46**,62,240
格付 33,**304**
確定申告 338,339,341,
344,345,347,348
貸方 162,163,164,167
貸株 . . . 279,**280**,281,282,283,293,294
貸株注意喚起銘柄 279,**294**,295
加重平均型株価指数 243,**247**,250,
254,255
仮想通貨 **316**,387
仮装売買 226
合併 135,136,140
仮名取引 41
かぶオプ **324**
株価 19,28,45,47,173,174,
200,**230**,234,235,241
株価格付 178,304
株価キャッシュフロー倍率 **203**
株価材料 **234**
株価指標 **243**,309,312,314,331
株価収益率 197,**201**
株価純資産倍率 **202**
株価チャート 90,94,200,236,**262**,
263,264,265,266,267,
268,269,270,271,273,274
株券 **19**
株券の電子化 50,53,54,58,76
株式 18,**19**,24,26,29,30,36,350
株式移転 **139**

株式益回り **197**,206
株式会社 18,19,24,25,26,27,
28,30,**104**,128
株式型投資信託 **307**
株式型ファンド **307**
株式公開買付け **141**
株式交換 **139**,140,399
株式数比例配分方式 341,**343**
株式分割 28,76,**119**
株式分布状況 **81**
株式ミニ投資 **75**
株式持ち合い 136,**137**
株式累積投資 **302**
兜町 **71**,72
株主 . . 18,19,**24**,25,27,28,29,30,54,104
株主還元 **28**,127
株主資本 164,165,194
株主総会 24,25,26,30,74,
104,**106**,107,108,113
株主代表訴訟 **29**,109,110
株主の権利 **25**,30,51,55
株主優待 **27**,28
株主割当発行増資 115
空売り . . . 276,**277**,279,290,291,293,295
借方 162
為替変動リスク 31
簡易買収倍率 **204**
換金売り **89**,399
監査等委員会設置会社 . . . 109,110,111
監査役 **109**,110
幹事証券会社(幹事会社) **132**,133
間接金融 **351**
完全失業率 **373**,374
監理ポスト 86

● き ●

機械受注統計 **372**
機関投資家 **77**,80,81
企業価値 204
企業業績 26,36,37,93,**174**
企業の合併・買収 **140**

INDEX

企業の社会的責任.............382
企業物価指数.................370
起債市場.....................352
期日.....................**288**,296
基準価額.............306,310,**404**
規制銘柄.....................**295**
北浜.......................**71**,72
希薄化.....................**38**,120
逆ウォッチ曲線...............**272**
逆指値.....................45,69
逆ザヤ.......................325
逆張り.......................**261**
逆日歩.......278,287,292,**293**
キャッシュフロー計算書......149,**153**
キャピタルゲイン.......121,198,201,
　　　　　　　　　　336,340,346
キャピタルゲイン課税...........**339**
供給曲線.....................231
業況判断指数.................368
業種.........................**43**
競争入札.....................134
恐怖指数.....................**256**
業務提携.....................**136**
虚偽記載...................218,**228**
ギリシャ危機.................402
均衡価格/均衡取引量..........231
金融緩和...................**364**,385
金融危機.......330,358,362,**394**,
　　　　　　　　395,400,401
金融サービス仲介業者.......22,209
金融サービス提供法...........**210**
金融商品.....................18
金融商品仲介業者.............**22**
金融商品取引業者21,22,23,42,209,353
金融商品取引所.........19,20,70,353
金融商品取引法....18,19,21,22,42,56,
　　　　　141,208,**209**,212,214,
　　　　　217,219,225,227,228
金融商品販売業者.............210
金融商品販売法...............210
金融庁....23,42,218,220,224,**359**,360
金融派生商品.................**318**

金融引き締め.................**364**
金利.........34,36,122,167,191,287,
　　　　　300,328,354,355,364
金利敏感株...................**146**

● く ●

雲.........................271
クラウドファンディング..........**125**
グランビルの法則..............**266**
グリーンウォッシュ.............301
グリーンボンド..............**301**,380
繰越欠損金...................116
くりっく365.............66,328,**329**
クレジット・デフォルト・スワップ....401
クレジットアナリスト.............176
クレジットリスク...............33
グロース株...................93
グロース市場..............70,129
グロース市場(東証)...........65
クローズドエンド型.............313

● け ●

経営参加権.................25,96
経営支配権...................136
経営統合.............**135**,136,139
景気動向指数.............**367**,374
経済成長率...................366
経済的付加価値...............187
経常利益.........**159**,160,174,180
罫線.......................**262**
契約締結時等交付書面........52,**59**
決算.......**148**,149,150,156,166,216
決算書.....................148
決算短信.................216,**298**
決算発表.....................**216**
気配値(気配).................**237**
減価償却...................203
減資.......................**116**
原資産(原商品)........318,320,324
源泉徴収.......48,341,344,345,348

索引

源泉分離課税 338	国際会計基準 **154**,159,170
減配 26	国際財務報告基準 **154**
現引き 279,285,288,**290**,291,295	国際優良株 93
権利落ち日 47,**51**	国内総生産 **366**
権利確定日 51	ご祝儀相場 73
権利行使 122,123,321,	固定株 **97**
322,323,324,**404**	固定金利 300
現渡し 285,288,**290**,291,292	固定資産 162,192
	固定比率 189,**192**
	後場 **65**
	後場寄り 240
● こ ●	個別株オプション **324**
公開価格 133,**134**	コモディティ **319**,331
公開市場操作 354	コロナショック 256,385,386,**403**
鉱工業生産指数 **369**	今週中注文 47
口座開設 **40**,57,303	コンバージェンス 154
合資会社 104	コンプライアンス 105,**211**,382
行使価格 121,123	
公社債 **300**	
公社債型投資信託 307,**308**	● さ ●
高速取引 **68**,209	債券 33,36,**300**,301,350
公的資金 **358**	債権 314
合同会社 104	最高経営責任者 **112**
購買担当者景気指数 **376**	最高執行責任者 **112**
好配当銘柄（高配当銘柄） **146**	サイコロジカルライン **273**
高頻度取引 **68**	最終決済 326
交付目論見書 217	最終利益 **160**,168,174,182,
公募価格 **134**	184,185,197,201
公募型投資信託 79,327	財政健全化 **365**
公募増資 **117**	再生ファンド 79
公募発行増資 115,**117**,118,133,134	裁定取引 257,**325**
合名会社 104	裁定取引残高 **257**
効率性 **183**,185	財務キャッシュフロー 153
ゴーイング・コンサーン 148	財務諸表 148,**149**,152,154,
コーポレートガバナンス 110,112,	155,168,175,218
129,221,224	債務超過 **169**
コーポレートガバナンス・コード 221,223	債務不履行 33
コール 321,**323**	材料 233,**234**,235
コール市場 354	差額決済取引 **331**
ゴールデンクロス **267**	先物取引 32,257,318,319,
小型株 **92**	**320**,325,327
顧客分別金 56	
国債 18,365	

INDEX

差金決済 257,290,291,324,
　　　　　　　326,328,331,**404**
指値注文 45,47,49,69,237,238
サブプライムローン問題 330,394,
　　　　　　　　　　　　400,401
サプライズ **235**,375
さや取り 85
ザラ場 64,236,**258**
ザラ場方式 240
三角持ち合い **274**
残余財産分配請求権 25,96,202

● し ●

地合い **87**,398
時価会計 137,**170**
時価総額 129,**173**,204,243,
　　　　　　　247,251,255,353
時間優先 **46**,62,240
四季報相場 175
市況関連株 **146**
事業持株会社 138
資金調達 21,**114**,125,129,131,132
仕組債 334
資源価格 312,**391**
自己資本 164,**165**,169,183,
　　　　　　　185,190,192
自己資本比率 127,189,**190**
自己資本利益率 **185**
自己責任 **35**
自己売買 21,**78**
資産の部 161,**162**,163,165,
　　　　　　　166,169,192,193
支持線 **268**
自社株買い 28,**127**,141,196
自社株購入権 **123**
持続可能な開発目標 **380**
下値支持線 **268**,274
実現益／実現損 337
実質株主 54
シティ（ロンドン） **72**
自動売買 **69**

品貸料 293
品渡し **290**
指標 244
指標連動証券 **314**
私募 327
私募ファンド 84,143
資本提携 **136**
指名委員会等設置会社 109,110,
　　　　　　　　　　　　111,112
社会的責任投資 **382**
社外取締役 107
社会保障・税番号制度 **348**
借名取引 41
社債 18
ジャスダック 20,70
収益性 36,**180**,190
従業員持株会制度 **126**
受益者 305
受益証券 53,55,312,315,**404**
受託者 305
受託者責任 **224**
出金／出庫 **59**
ジュニアNISA 342
需要曲線 231
需要積み上げ方式 133
需要と供給 230,**231**,232,233,
　　　　　　　234,235,242,249,
　　　　　　　283,312,319,377
種類株 196
循環物色（循環株投資） **88**
純資産 161
純資産の部 161,**164**,190,194
純粋持株会社 138
順張り **261**
純利益 **160**,168,182
少額投資非課税制度 308,**342**,344
償還日 300
証券 **18**,19,300
証券アナリスト **176**,177,178
証券化 18,327,330,400

411

索引

証券会社 20,**21**,22,23,40, 42,132,209,210, 212,213,350,353
証券外務員 23
証券金融会社 283,293
証券コード 43,44
証券市場 20
証券総合口座 40
証券仲介業者 **22**,212
条件付き指値 45
証券取引所 19,**20**,47,62,64, 70,214,353
証券取引等監視委員会 359,**360**
証券取引法 22,42,**208**,228,399
証券保管振替機構 24,50,53,55,58
証券保管振替制度
. . . . 26,50,53,54,**55**,57
上場 19,65,**128**,129,134
上場会社 43,44,104,108,109, 128,130,132,174,216, 218,219,220,222
上場基準 86,**129**
上場投資証券 **314**
上場投資信託 **312**
上場廃止 86,129,142,169,228
上場来高値/安値 241
譲渡益課税 **339**
譲渡所得 338,339,344,346
譲渡性預金 354,371
譲渡損失の繰越控除 338,**347**
消費者契約法 **298**
消費者物価指数 **370**
消費税率引き上げ **386**
商品ファンド 79
所得税 338,341,344
新株 **38**,134
新株予約権付社債 122
新規公開 **131**
新興市場 20,**65**,72
申告分離課税 329,**338**,339, 341,344,346
新高値/新安値 241

信託銀行 42,**58**
新発10年物国債利回り . . 198,200,355
信用売り 276,**277**,280,281,290,291
信用買い 276,281,290,291,293
信用期日 **288**
信用残 **282**,283,288
信用取引 32,**276**,279,280,281, 282,283,284,285,286, 288,289,290,291,292, 293,294,295,296
信用倍率 **283**
信用銘柄 **281**
信用リスク 31,33
信用枠 **297**

● す ●

スクリーニング **179**
スタグフレーション **378**
スタンダード市場 70,129
ステークホルダー 149
ストックオプション 120,**123**,161
ストップ高/ストップ安 **239**
ストラテジスト **177**
スマートベータ **248**,251
スワップ取引 32
スワップポイント 328,329

● せ ●

請求目論見書 217
制限値幅 239
成長株 93
成長性 102,156,157,**186**,190
制度信用取引 276,**278**,281,283, 287,288,293,296
税引前償却前金融収支前利益
. . . . **188**,204
税引前当期純利益 160
政府系ファンド 80,**82**,83,401
整理ポスト **86**
セグメント **152**

INDEX

設備投資 192
潜在株式 **120**,121,123
前場 **64**
前引け 64,240,236

● そ ●
総合課税 **338**,341
増資 **115**,117,118,169
総資産 162,163,183,184
総資産の部 163
総資産利益率 **184**
相場 **258**
増配 26
相場環境 117
相場操縦 78,**226**,360
続伸/続落 **38**
ソブリン債 **404**
損益計算書 149,155,**156**,159,
170,174,185
損益通算 341,345,**346**
損切り **60**

● た ●
代位訴訟 29
第三者割当発行増資 115
貸借対照表 127,149,**161**,162,
163,164,166,167,
168,169,170,185,
190,192,193,194
貸借取引 **279**,281,283,293
貸借倍率 **283**
貸借銘柄 279,**281**
貸借融資銘柄 281
代替投資 **327**
大発会/大納会 **73**
代表取締役 107,108,112
タイムリー・ディスクロージャー **215**
大量保有報告書 **219**,220
ダウ30種平均 **252**
ダウ方式 252

高値/安値 236
立会外分売 **67**
タックスヘイブン 84
建玉 56,**285**,286,287,
289,290,296,326
建玉限度額 **297**
建玉代金 **297**
建てる 285
単位型(投資信託) **306**
単位株 74
単価平均型株価指数 243
短期金利 **354**,364
単元株 **74**,75,119,126,302
単元未満株 75,**76**,126
単純平均型株価指数 **247**,250

● ち ●
地区連邦準備銀行 361
地政学的リスク 391,**393**
チャート **262**
中位株 95
注意喚起銘柄 294
中央銀行 356,357,361,363,364
中型株 **92**
中間決算 216
中国株 **101**
注文の期限 **47**
長期金利 **355**
長期国債利回り 206
調整局面 **258**
帳簿価格 170,337
直接金融 **350**,352

● つ ●
追加型(投資信託) **306**
通貨危機 **395**
つなぎ売り **292**
つみたてNISA 342
面合わせ **38**

413

● て ●

ディーラー	21
ディーリング	78
低位株	**95**
抵抗線	**268**
ディスクロージャー	128,208,**214**, 217,218,222,223
ディストリビューター	21
ティッカーコード	99
デイトレーダー	**85**
ディフェンシブ銘柄	**146**
適合性の原則	209
適時開示	129,214,**215**,216,218
出来高	195,243,**245**,246,272
テクニカルアナリスト	**176**
テクニカル分析	**260**,271,273
手仕舞い	**60**,292
デッドクロス	**267**
デフォルト	**33**,395,402
デフォルトリスク	33
手振り	68
デフレ	364,**377**,385
デリバティブ	20,32,70,84,**318**,321
転換価額	121
転換社債型新株予約権付社債	121
転売	285,288,290,**291**,322,323,326

● と ●

投機筋	**38**
東京証券取引所	20,66,68,**70**, 71,81,232,249
統合報告書	380
統合報告書会社	**223**
倒産	144,145
投資一任契約	42
投資運用業者	42
投資会社	124
投資格付	178
投資家向けの広報活動	**222**
投資キャッシュフロー	153
投資サービス法	208,**209**

投資者保護基金	**213**
投資助言業者	42
投資信託	22,80,81,217,**305**, 306,308,309,310, 311,312,313,314
投資ファンド	**79**,124,327
投資部門別売買動向	78,80,**232**
東証REIT指数	243
東証株価指数	243,244,**249**
東証プライム市場指数	243
東証マザーズ指数	243
東南アジア諸国連合	**384**
騰落	**242**,273
騰落率	242,244
騰落レシオ	**205**,242
登録配当金受領口座方式	341,343
トークン	317
トータルリターン	336,340
特定株	**97**
特定口座	52,338,339,342,344,**345**
特別清算指数	**326**
特別損益	160
トップダウン・アプローチ	310
飛ばし	227,**298**
取締役	29,106,**107**,109
取締役会	26,106,107,**108**, 109,111,112
取引口座	40
取引報告書	**52**,345
ドル・コスト平均法	**37**,302
トレードオフ	34
ドレッシング買い	**258**

● な ●

内需関連株	**146**
内部者取引	**225**
内部取引	150
内部要因	**233**,234,235
内部留保	**168**
ナスダック総合指数	99,252,**254**
成行注文	**45**,47,49,69,237,240

● INDEX ●

馴合売買 226
ナンピン買い **59**

● に ●

日銀金融政策決定会合. . . 356,**357**,362
日銀短観 **368**
日経平均株 398
日経平均株価 243,244,247,**250**,
256,309,312,334,
396,399,403
日証金 279,280,282,**284**,293,294
日証金残高 282,283
日本銀行 354,**356**,368,370,371
日本証券アナリスト協会 176
日本証券業協会 22,23,**212**
日本テクニカルアナリスト協会 176
日本取引所グループ 70
日本版預託証書 **315**
入金/入庫 **59**
ニューヨーク株式市場. 72,100,396
ニューヨーク証券取引所 72,99,
252,253

● ね ●

値上がり益 121,198,201,
336,340,346
値嵩株 **95**
ネガティブサプライズ. 235
ネクスト市場(名証) 65
値ごろ感. **258**
値付率 195
値幅制限 239
年金基金 80
年初来高値/安値 **241**

● の ●

ノックイン **334**
のれん代 155,162

● は ●

バイアウトファンド 79
買収ファンド 80,**143**
配当落ち 51
配当課税 **341**
配当金 24,25,**26**,27,28,
174,198,343,351
配当金領収証方式. 341,343
配当性向 **198**
配当利回り 94,**199**
売買委託手数料 **48**
売買代金 243,**246**
売買高 **245**
ハイリスク・ハイリターン **34**,84,320
端株 **76**
始値 236
場立ち 68
発行価格 133,**134**
発行市場 21,350,**352**,353
発行済株式数 26,28,30,65,92,
97,116,118,119,120,
127,143,151,173,
182,194,**196**,220
発行体 300,314
バブル. **392**,396,397
バランス・シート 149,**161**
バリュー株 **94**
反対売買 85,257,285,288,290,
291,**297**,325,326,331

● ひ ●

引当金. **166**
引値 236
引ける 236
非代替性トークン. **317**
筆頭株主 30
ビットコイン 317
日計り **60**
日々公表銘柄 294,295
評価性引当金 166
評価損益 170

415

索引

評価損益率 **296**	米国雇用統計 **375**
	米国預託証書 **100**,155
● ふ ●	ベータ 248
ファンダメンタルズ分析 **172**,260	ヘッジ **32**
ファンドアナリスト 176	ヘッジファンド 80,**84**,327
ファンドマネージャー 305,310	ベンチマーク 178,244,252,253,
フィデューシャリー・デューティー .. **224**	255,309,**311**,327
フィンテック 316,**387**	ベンチャー・キャピタル 79,**124**
風説の流布 226	変動金利 300
復配 26	
含み益/含み損 170,289,292,	**● ほ ●**
296,325,**337**	ポイント運用 303
負債性引当金 166	ポイント投資 **303**
負債の部 161,**163**,164,	法令遵守 382
166,167,169,193	簿価 170,337
普通株 96,196	保護預かり 40,50,**53**,213
ブックビルディング 132,**133**,134	保護貿易主義 256,**390**
物色する 88	ポジティブサプライズ 235
プット 321,**322**	ボックス相場 **90**,205
浮動株 67,**97**,119	ボトムアップ・アプローチ 310
不動産投資信託 313	ほふり 24,50,53,55
不動産投資法人 **313**	ボラティリティ・インデックス **256**
プライマリー・バランス 365	ボリンジャーバンド **270**
プライム市場 70,129	本日中注文 47
ブラックマンデー **396**,403	本人確認 **41**
フリー・キャッシュフロー 153,191	
不良債権ファンド 79	**● ま ●**
ブル **332**,333	マーケットメイク **66**,329
プレミアム 321,322	マイナンバー制度 **348**
ブローカー 21,78	窓 **264**
プロクシーファイト 106,113	マネー・ローンダリング 41
ブロックチェーン 316,317,387	マネーサプライ 371
分散投資 **36**,327	マネーストック **371**
粉飾決算 188,**227**	マネジメント・バイアウト **142**
分別管理/分別保管 **56**,58,213	
	● み ●
● へ ●	見送りムード **258**
ベア 332,**333**	未公開株 **130**,131
米国会計基準 154,**155**,159,170	見せ玉 226
米国株 **99**,252	

INDEX

ミニ株 **75**
妙味がある **59**
民事再生法 **145**

●む●

無担保コール翌日物 354
無配 26

●め●

銘柄 **44**,46
銘柄コード 43,44
名義 **54**,55
メインボード 101

●も●

目論見書 214,**217**,308,310,311
持ち合い 274
持株会社 135,136,**138**,139,140
持分法適用会社 **151**,159
持分法投資損益 151,159
もみ合い 90

●や●

役員賞与 198
約定 **49**,50,52,62,240
約定代金 48
約定値段 49

●ゆ●

有価証券 18,20
有価証券届出書 214,217,**298**
有価証券報告書 . . 30,214,**218**,223,228
有効求人倍率 **374**
融資金利 **287**
融資銘柄 281
優先株 **96**,196,358
有利子負債 163,**167**,191,204

有利子負債依存率(度) 167,189
有利子負債比率 167,189,**191**
有利子負債フリー・キャッシュフロー比
率(倍率) 191
優良株 **93**
ユーロ 363,402
輸出関連株 **146**

●よ●

呼値 **238**,240
寄付 64,67,236,240
四本値 **236**,263

●ら●

ライブドア・ショック **399**
ラップ口座 **42**

●り●

リーマン・ショック 256,277,383,
394,**401**,403
利益確定売り **60**
利益剰余金 168,169
利益配当請求権 25
利食い売り **60**
リスク 19,20,**31**,33,34,
35,36,318,320,327,
334,350,351,393
リスクヘッジ 32,84,320
リターン 34
流通市場 21,350,352,**353**
流動資産 162,193
流動性 18,36,119,129,**195**,247
流動性リスク 31
流動比率 189,193

●る●

るいとう **302**

索引

● れ ●

レーティング **178**,304
レッドチップ 101
レバレッジ . . 318,328,329,331,332,**404**
連結会計 **150**,151,152,159,190
連結決算 / 単独決算 150
レンジ相場 **90**
連邦公開市場委員会 **362**
連邦準備制度 361,362
連邦準備制度理事会 **361**

● ろ ●

狼狼売り 60
ローソク足 236,**263**,265,271
ローン 330
ロボアド 387,**388**

● わ ●

和議法 145
ワラント債 122
割高 / 割安 **200**,201,202,
203,204,206,325
割安株 **94**

著者プロフィール

石原 敬子 （いしはら けいこ）

証券会社での約13年の営業職を経て、2003年にファイナンシャル・プランナー(FP)として独立。平成のバブル崩壊からITバブルを証券営業職で経験し、FP開業後は、リーマン・ショックからアベノミクスという自己責任時代を通じて、資産形成のアドバイスを行っている。

執筆やセミナー講師は、「初心者にも分かりやすく」がモットー。個人向けのライフプラン相談では、コーチングを取り入れ、「将来のために、いま、どうするか」を意識した家計管理や資産形成の行動支援が強み。

- ●NPO法人日本ファイナンシャル・プランナーズ協会認定　CFP®
- ●1級ファイナンシャル・プランニング技能士（国家資格）
- ●日本証券業協会　金融・証券インストラクター
- ●終活アドバイザー

著者ホームページ https://www.keikoishihara-fp.jp/
お問合せ info@keikoishihara-fp.jp

● カバーイラスト/本文キャラクターイラスト
　みふねたかし

● カバーデザイン
　成田 英夫(1839Design)

世界一わかりやすい
図解 株・証券用語

発行日	2022年 11月11日	第1版第1刷
	2023年　6月30日	第1版第2刷

著　者　石原　敬子

発行者　斉藤　和邦
発行所　株式会社　秀和システム
　　　　〒135-0016
　　　　東京都江東区東陽2-4-2　新宮ビル2F
　　　　Tel 03-6264-3105（販売）Fax 03-6264-3094
印刷所　日経印刷株式会社

©2022 Keiko Ishihara　　　　　　　　Printed in Japan

ISBN978-4-7980-6785-8 C0033

定価はカバーに表示してあります。
乱丁本・落丁本はお取りかえいたします。
本書に関するご質問については、ご質問の内容と住所、氏名、電話番号を明記のうえ、当社編集部宛FAXまたは書面にてお送りください。お電話によるご質問は受け付けておりませんのであらかじめご了承ください。